Duel met paard

Pauline Genee

Duel met paard

Roman

Amsterdam · Antwerpen
Em. Querido's Uitgeverij BV
2014

Omslag Anneke Germers
Omslagbeeld *Tiergartenstrasse, Berlin*, Lesser Ury /
Corbis / Hollandse Hoogte
Foto auteur Denise Winters

ISBN 978 90 214 4977 7 / NUR 301
www.querido.nl

Voor mijn ouders, *in Liebe gewidmet*

Als werkelijkheidszin bestaat, en niemand zal eraan twijfelen dat die bestaansrecht heeft, dan moet er ook iets bestaan dat je 'mogelijkheidszin' kunt noemen. Wie die bezit zegt bijvoorbeeld niet: hier is dit of dat gebeurd, zal gebeuren, moet gebeuren, maar: hier zou, moest, of had iets kunnen gebeuren. En als je hem dan van het een en ander uitlegt dat het is zoals het is, dan denkt hij: ach, het zou waarschijnlijk ook anders kunnen zijn.

Robert Musil, *De man zonder eigenschappen*

Inhoud

HOOFDSTUK 1

In naam der wetenschap, welkom!

Weinig schoft, een lage staartinzet, de zwaanachtige hals van een arabier: kenners zouden in het dier een Orlov-draver hebben herkend. Een Russisch sledepaard, zeer geschikt voor de lange afstand, elegant op zijn snelle, gespierde benen. Expressieve ogen in een groot, edel hoofd.

Het publiek dat op de binnenplaats om het dier samendromde, zag niks geen Russisch raspaard. Wat voor draver? Voor hen stond een heel gewoon dier, mooi dofglanzend in zijn vacht, dat wel, maar verder: niets bijzonders. Een Berlijns rijtuigbeest, de stad wemelde ervan. Was dit hem nou?

De dames en heren die de binnenplaats van Griebenowstrasse 10 op liepen kwamen niet voor een stamboekoverzicht. Zij hadden het middagblad gelezen een paar dagen geleden. 'Berlijns eigen wonderpaard! Exclusief in de *Allgemeine*!' De krantenjongen had de kop luid over de Friedrichstrasse geschald. In de cafés was het dier boven de bierpullen over de tong gegaan. In de Zionskirche was er tot op de voorste banken over gefluisterd – zelfs tijdens de preek. En in korte tijd nam het verhaal zulke fantastische proporties aan dat niemand meer wist wat te geloven.

Het was zaak zelf te gaan kijken.

Op de binnenplaats, voor zijn getimmerde stalhok, stond het paard verveeld aan zijn strootjes te knabbelen. Voor wie niet beter wist, verschilde het in niets van de duizenden viervoeters die dag na dag hun vrachtjes door de stad trokken: de bierwagen van Aschinger's Bierquelle, de melkkar, de overvolle omnibus. Geduldig deden de Berlijnse paarden hun werk, hun dienstbaarheid leek wel aangeboren en protesteren deden ze nooit, al zag wie goed keek hun loom schuddende hoofden soms bedenkingen aantekenen: bij het groeiend aantal automobielen in de stad – hinderlijk, dat ronkend gespuis voor je benen. En die elektrische trams – sinds kort met bovenleidingen uitgerust, dat gaf flitsen waar je vreselijk van kon schrikken. Wat was er mis met stoom- en accuaandrijving? Waar waren al die nieuwigheden voor nodig?

Ook mensen schudden over dergelijke zaken overigens regelmatig het hoofd.

De paarden strekten hun nek en trokken aan hun leidsels. Hun dagen waren lang en pas 's avonds laat, wanneer de lichtopstekers met fakkels door de straten gingen, wanneer in de overbevolkte bovenwoninkjes

mannen en vrouwen zich uitgeput naast hun kinde
te ruste legden, werd het de lastdieren gegund de sta. ᵤₚ
te zoeken. Daar sliepen zij staand, lijdzaam wachtend
tot de zon het begin van de volgende werkdag aankon-
digen zou.

Zoals de meeste huizenblokken in de nieuwe buitenwijk beschikte het wooncomplex van Griebenowstrasse
10 over een heerlijk ruime binnenplaats. Hoewel slordig
afgewerkt waren de muren mooi helwit. In het midden
stonden twee jonge kastanjebomen met frisgroen blad.
De afwatering was modern, waardoor er geen stinkende modderplassen bleven staan zoals elders in de stad.
Er was voor de kinderen genoeg ruimte om te spelen
en op een dag als deze bood het plaats aan wel twee-
of driehonderd nieuwsgierigen – staand, zittend, op en
neer drentelend.

Vanaf de straat druppelden nog steeds nieuwe mensen
onder de poort door. Op de *Hinterhof* bleven ze even
staan, knipperden met hun ogen tegen de zon, keken
om zich heen. Was het wel hier? Wat was het hier licht.
Dan zagen ze het paard, knikten opgelucht, schoven
hun lijf in de menigte. Hoeden met linten naast versle-
ten ruitpetten, volkse jakkers bij verfijnde maatkledij;
eenmaal op de binnenplaats leken de standsverschil-
len weg te smelten. Er werd eensgezind naar het paard
gewezen. Is dat hem nou? De lucht begon te zinderen
van gefluister, gesmiespel en gesis. De opwinding kroop
warm tegen de muren. Over de hoofden verspreidde

zich een nieuw, onbekend parfum: gepoederde wangen vermengd met hooi en haver, katoenstijfsel met paardenmest.

De eigenaar van het dier, de heer Von Osten, leek de drukte niet op te merken. Met zijn rafelige hoed en lange stofjas had hij iets van een middeleeuwse alchemist, zo scharrelend rond zijn paard, schikkend en schuivend tot alles zijn vaste plaats had. Geconcentreerd was hij in de weer met de attributen: een doos vol kartonnen letters; een platte bak met cijfers; gekleurde vlakken in verschillende vormen: een cirkel, een vierkant, een driehoek. De spiegel, toch iets naar rechts. De afbeelding van de Keizer, terug naar het midden. Het schoolbord en het telraam, schuin rechts tegen de muur en daarnaast de emmers, hoepels, het bakje met suikerklonten. Geen zweep, nooit een zweep: daar geloofde Von Osten niet in.

Eindelijk stond alles goed. De oude man keek op van zijn werk en zag de honderden ogen op zich gericht. Zijn oude lijf verstijfde in de gruizige stofjas.

Dat het vandaag zoveel drukker zou worden dan de voorgaande keren had Schillings de verzamelde bewoners van het woonblok vanochtend al voorspeld. Het is dat artikel, had hij ze gezegd. Een artikel, beste mensen, zeker in de *Berliner*, dat maakt altijd erg veel los. Houd rekening met een overvolle binnenplaats. Onze welgemeende excuses voor het ongemak, het is voor een goede zaak: de wetenschap.

De meeste buurmannen hadden zich direct na de ochtendmis uit de voeten gemaakt. Ze waren gaan kaarten in het park of zwemmen in de Spree. Het was zondag en mooi zomerweer. Ze hadden het al zo vaak gezien.

Von Osten had alleen maar zijn schouders opgehaald: tien of honderd, dat was hem om het even – als het maar niet te lang duren zou.

Maar dat het er dit keer zoveel zouden zijn, dat had hij niet voorzien. En zo dichtbij... Hij draaide zich snel weer om. Wie waren al die mensen? Hij wendde voor een leidsel te schikken, probeerde met het voorhoofd tegen de warme paardenflank de ogen in zijn rug te vergeten, haalde langzaam adem.

Schillings had gezegd: je moet gewoon denken dat je daar alleen staat. Net als op al die andere dagen. Juist. Het zou precies zijn als die talloze andere weken, maanden, jaren, als op die honderden ochtenden dat hij in alle rust aan zijn kleine revolutie had gewerkt. Goed. Het was een gewone doordeweekse dag. Hij en het paard. Anders niets.

Hij ademde in en keerde zich weer naar het publiek.

Buurvrouw Piehl, zag hij, was gebleven. In een hoekje had ze een tafeltje opgesteld en daarop koffie en *Lebkuchen* uitgestald. Schillings stond boven op de ijzeren trap en gaf het teken.

Vier jaar eerder, in de zomer van 1900, had Von Osten het paard in Voronezj gekocht. De fokkers van de Khrenov-stoeterij hadden het dier uitbundig geprezen om zijn mooie korte stap, stuwende draf en krachtige knieactie; loftuitingen waarnaar de oude man beleefd had geluisterd maar die hem maar weinig leken te interesseren. Hij verzocht een moment met het dier alleen. Met zijn grote werkhanden tastte hij over de schedel, minutenlang, als een arts die met de vingertoppen een zwelling in kaart brengt. Daarna betaalde hij zonder morren de vraagprijs: twee lichtroze biljetten van vijfhonderd roebel met een afbeelding van Peter de Grote.

Terug in Berlijn liet hij het paard wennen aan een karig menu van louter oud hooi. Aanvullende lekkernijen waren te verdienen door de bevelen van de nieuwe meester minutieus op te volgen. Vrijwel meteen was toen op de binnenplaats het grote telraam verschenen, tegen de muur van de houten stal en recht voor de neus van het nieuwe paard, dat na een eerste naamloze week uiteindelijk toch weer Hans werd genoemd.

De lessen begonnen. Van achter hun ramen op de verdieping keken de bewoners toe hoe de oude man dagen, weken, maanden achtereen in lange sessies de gekleurde bollen van het telraam in nieuwe combinaties verschoof, daarbij steeds het bijpassende cijfer scanderend. Ze keken elkaar stilzwijgend aan; was hun huisbaas gek geworden?

'Het gaat erom,' had hij Frau Piehl uitgelegd, 'dat Hans nu eerst gebarentaal leert.'

Als je Frau Piehl zou vragen op welk moment zij er echt in was gaan geloven, dan had ze de ijskoude Berlijnse winterdag genoemd van begin 1902. Net terug van de markt trof ze de oude man in verstilde omhelzing met het paard. Ze naderde voorzichtig. Schrok toen ze zag hoe hij roerloos met zijn voorhoofd tegen de flank van zijn ruin hing, met een van pijn vertrokken gezicht. Hij zou toch niet... Ze liet haar manden met kool en aardappelen op de keien ploffen, vergat de in een krant gerolde verse karper. Er waren genoeg mensen van Von Ostens leeftijd wier hart het plotseling begaf. Hij was niet jong meer. Ze had dokter Dietmann hier laatst tweemaal gezien.

Met grote passen liep ze op hem toe, strekte haar arm uit naar zijn stille rug. Zodra haar vingertoppen de katoenen jas beroerden, trok ze haar hand terug.

De oude man richtte zijn hoofd op van de dampende paardenhals. Zijn verkreukte gezicht deed Frau Piehl terugdeinzen. Hij knikte, of was het schudden?

'Is... alles in orde, Herr Von Osten?'

Hij wilde iets zeggen, maar spreken ging niet goed.

'Ik haal gauw iets voor u.' Ze snelde haar trap op en kwam terug met een mok sterke koffie.

Na een paar slokken vertelde hij haar met krakende stem dat er een grote doorbraak was geweest: Hans had die ochtend voor het eerst met zijn rechterhoef het juiste aantal malen op de keien gestampt.

'Wilt u het zien, Frau Piehl?'

Ze knikte beleefd, had ademloos toegekeken en haar ogen niet geloofd.

Daarna was alles razendsnel gegaan. De volgende zomer telde Hans foutloos tot honderd, herkende negen kleuren en alle letters van het alfabet, en wist het verschil tussen cirkel, vierkant en driehoek, en niemand begreep hoe het kon.

~

'In naam der wetenschap, welkom!'

Vanaf de trap naar het appartement van Piehl overzag Schillings de menigte. De drukte deed ook hem duizelen; hij was net weer terug uit Afrika en op zijn laatste ontdekkingsreis had hij soms dagenlang geen mens gezien.

Bij terugkomst had zijn vriend Heck hem op het bestaan van dit waanzinnige paard geattendeerd: 'Wat is dat voor een Blödsinn, die zwendel moeten we ophelderen, da müssen wir doch hin!' Schillings, de grootste scepticus van de twee, ging meteen op pad en was na slechts enkele bezoeken Hans' grootste pleitbezorger geworden. Dus natuurlijk: toen Von Osten hem had gevraagd om deze middagsessie te presenteren, had hij meteen ingestemd. Uiteraard. De oude man moest zich volledig op het paard kunnen concentreren. En met alle respect, zo vertelde hij zijn vrienden die zich afvroegen waarmee hij zich, met zijn reputatie, in godsvredesnaam inliet: je kon de leiding van zo'n bijeenkomst met goed fatsoen niet overlaten aan zo'n oude brompot van een man.

Von Osten stond op zijn gebruikelijke plaats, rechts van het paard, naast het telraam en het schoolbord. Hij plukte nerveus aan zijn baard, de drukte overtrof alle verwachtingen, ze moesten maar eens beginnen.

Schillings knikte, schraapte zijn keel en wees met een theatraal gebaar naar man en paard. 'Dames en heren, ik stel u voor: Hans en zijn toegewijde leraar!'

Het geroezemoes verstomde onmiddellijk. Von Osten boog nederig het hoofd. Alleen het zachte briesen van het paard was nog te horen.

'Dames en heren. Wat u hier gaat zien lijkt een ongelofelijk schouwspel, maar is geen circusact. Nee, dames en heren, het is het verbijsterende bewijs van het feit dat intelligentie niet is voorbehouden aan de menselijke soort alleen! Dankzij Herr Von Osten bent u daar vandaag getuige van!'

Gerommel steeg op uit de massa. Kleine opgewonden damesgilletjes en brombassen vol ongeloof. Een spitse vrouw sloeg nerveus een kruis.

'Het is iets met elektriciteit,' gromde een dikbuikige heer tegen zijn buurman. 'Let maar eens op, ondergrondse elektriciteit.'

'Kunnen we beginnen, Herr Von Osten?' zei Schillings.

Alle gezichten draaiden zich naar Von Osten, die met één hand het paard losjes bij de teugel hield en met de andere een groot cijfer op het schoolbord krijtte.

Zeven.

De oude man pakte zijn stok en wees naar het cijfer op het bord. 'Hans, hoeveel is dit?' Zijn stem klonk ferm, zoals je het van een zelfverzekerde dompteur verwacht.

In het publiek begon een vrouw zenuwachtig te giechelen.

'Belachelijke Pferdeschwindel,' siste een heer tussen zijn tanden.

'Ik zweer het je,' grauwde een ander. 'Hij doet iets met zijn hoed, het is die vilthoed van hem, wat ik je brom.'

Von Osten richtte zijn blik op het rechter voorbeen van het paard, en ook de ogen van het publiek fixeerden zich op die ene hoef. Hij tikte nogmaals met de stok op het schoolbord, bij de zeven. 'Hans, toe. Hoeveel?'

Het paard begon op de keien te stampen en iedereen telde in stilte mee.

Eén, twee...

Het werd doodstil. Er was alleen nog het geluid van hoefijzer op steen.

Drie, vier...

De dames in het publiek strekten de hals. Vanuit hun staande kragen piekten krulletjes tevoorschijn die zich die ochtend niet in de wrong hadden laten kappen; niets van dit wonder wilden ze missen.

Vijf, zes...

Wie niet zo gelukkig was dat hij vooraan stond, gluurde zo goed mogelijk tussen halzen en kapsels door, langs schouders, wankelend op zijn tenen.

Zeven. De hoef hield stil.

In het publiek keek men elkaar verrast in de ogen. Hè? Hoe kon dit?

'Goed zo, Hans.' Von Osten ontspande. 'Tel er nu drie

bij op en deel de uitkomst door twee.'

Het paard begon weer te stampen. Eén, twee...

Weer was de spanning om te snijden. Alle ogen gericht op dat ene punt waar het hoefijzer de stenen raakte.

Vijf. De paardenvoet hield stil.

Uit de massa steeg een bewonderend oeh en aah op, dat werd gesmoord door een afwerend handgebaar van de oude man.

Hans deelde daarna vijfhonderd door tien. Telde er vier bij op. Deelde de uitkomst door zes, en knikte bevestigend op de vraag of dit soms zijn eigen leeftijd was.

'Tsssjiiie,' hoorde je hier en daar. Men stootte zijn buurman met de elleboog in de zij.

'Dat is toch je reinste Okkultismus,' schudde de spitse vrouw haar hoofd. Geschrokken verzonk ze in gebed. Daarna wees Hans' zachte neus een vierkant, een cirkel en een driehoek aan.

'En nu,' kondigde Schillings aan, 'verzoekt de heer Von Osten iemand uit het publiek om twee getallen in Hans' oor te fluisteren.'

Een nerveuze stilte trad in. In de voorste gelederen keek men besmuikt opzij, enkele heren knikten naar hun buurman, was dit niet echt wat voor hem, dan? Haha, grapjas. Gekuch, geschraap van een keel.

Het duurde even voor zich uit de voorste rij een kleine, donkere man losmaakte, gekleed in een voor de tijd van het jaar veel te warme wollen jas. Hij zwaaide zijn bolhoed van zijn hoofd en maakte zich met een zangerig accent bekend: 'Een zeer vereerde bezoeker uit een zuidelijk buurland!'

Von Osten keek de man glazig aan.

'Un visitatore,' verhelderde de man in zijn eigen taal.

Von Osten haalde zijn schouders op. 'Ist mir doch egal.' Hij wees naar Hans. 'Twee getallen graag.'

De kleine man was onder zijn openvallende zwarte jas tiptop gekleed, met glimmende schoenen en een keurige bolhoed. Hij ging op zijn tenen naast het paard staan. Zo haalden zijn Italiaanse lippen net het paardenoor, waarin hij zacht iets fluisterde. Toen stapte de kleine man terug, onzichtbare paardenharen van zijn wollen jas vegend, licht buigend naar de oude man: 'Grazie, signore Von Osten, ik ben zeer vereerd.'

Von Osten gebood de Italiaan om naast hem te komen staan: hier graag. Het lengteverschil tussen de twee viel nu pas echt goed op. Twee dames op de voorste rij moesten erom giechelen. De oude man richtte zich weer tot het paard.

'Hans, je hebt de twee getallen gehoord. Jij gaat die bij elkaar optellen.'

Wat? In het publiek beet men op de onderlip. Longen hielden de aangezogen lucht vast tot het ros iets zou doen. Maar het dier stond stil.

'Hans!' De oude man klonk geagiteerd. De Italiaan wiebelde zenuwachtig heen en weer op zijn glimmende schoeisel.

'Tel op!'

Nu brieste het paard, trok aan de teugel, deed een stap naar achteren en kwam bokkend weer tot stilstand.

De Italiaan deed instinctief een stap opzij, de oude man stampvoette. 'Hans!'

Toen begon het dier toch met zijn hoef te tikken en na twaalf keer hield hij op.

'En, mijnheer de bezoeker uit Italië, is dit aantal correct?'

De kleine man tuitte zijn lippen en schudde langzaam zijn hoofd. 'Het spijt me, Herr Von Osten, maar nee...'

Tussen de teleurgestelde, dalende oooohs siste iemand: 'Zie je nou wel!'

'Haha,' schamperde de dikbuikige man tot zijn buurman, 'is de ondergrondse elektriciteit soms nu al uitgevallen?' De spitse vrouw dankte de Heer. Schillings riep om stilte. Von Osten trok boos aan een leidsel.

'Oké, Hans, oké. Nou geen grappen meer. Hoeveel zat je ernaast?'

Het paard stampte tweemaal licht met zijn hoef en boog zijn hoofd, als een kind dat na lang aandringen toegeeft toch van de suiker te hebben gesnoept.

'En, mijnheer de Italiaan?'

De bezoeker stond beweginloos. Toen begon hij kleintjes te knikken en prevelde hoofdschuddend: 'Ma questo è, questo è...'

Hier en daar werd al geklapt, gefloten zelfs, maar Von Osten schudde zijn hoofd; de opdracht was niet klaar.

'Hans! Wat was dus het juiste totaal?'

Veertien maal kletterde de rechterhoef op de keien. De Italiaanse heer knikte heftig, het klopte echt helemaal, en daarna schudde hij ongelovig zijn hoofd, bolhoed in de hand: 'È vero, vero, vero... incredibile!' Zijn verbijsterde gezang werd overstemd door daverend applaus en luid gejuich, op het dak werd gefloten en rond Frau Piehl dansten de kleuters in het rond. De binnenplaats veranderde in een kolkende, warme chaos, de biddende vrouw verborg haar gezicht in haar handen.

'Het kan natuurlijk ook iets heel anders zijn,' riep een dikbuik in het oor van zijn buurman, 'bijvoorbeeld iets met neurostraling?' Zijn stem kwam nauwelijks boven het lawaai uit. Zijn buurman knikte afwezig. 'Of gedachtegolven,' ging de eerste door, 'daar heb ik pas nog iets over gelezen!'

'Dat paard,' riep zijn vriend terug, 'wat was dat ook alweer voor een draver?'

De ander haalde zijn schouders op.

'Dames en heren!' riep Schillings vanaf de trap. 'Alstublieft, we zijn bijna klaar, alleen de kleuren en de letters nog!'

Von Osten draaide zich weer naar Hans. 'Godzijdank,' mompelde hij. 'We zijn er bijna doorheen.'

Twee geslaagde proeven met kleur- en letterherkenning later kondigde Schillings aan dat de bijeenkomst afgelopen was. Hij haastte zich de trap af om de oude man te assisteren met vragen uit het publiek, maar toen hij bij het paard aankwam stond het dier daar alleen. Schillings vloekte binnensmonds, keek snel de binnenplaats rond en zag nog juist hoe Von Osten door zijn voordeur naar binnen stormde en die met een knal achter zich dichtsmeet.

HOOFDSTUK 2

Bezoek

Toen Von Osten de volgende ochtend in de stal het hooi ververste, merkte hij eerst niet dat aan de overkant een kleine gestalte zoekend de binnenplaats betrad. Het was vroeg, kwart over zeven, niets herinnerde nog aan de drukte van de vorige dag. Verlaten lag de binnenplaats erbij, ochtendschemer haakte vochtig aan de stenen. De nieuwe week was nauwelijks begonnen, de hondenkar van Piehl stond roerloos op zijn plaats en de kinderen waren nog niet langsgerend naar school.

'Jaja, Hans, nou!'

Vanaf de overkant van de binnenplaats bescheen een bundel ochtendzon miljoenen dwarreldansende stofjes boven het hooi, maar het schouwspel kon de oude man niet bekoren, net zomin als de liefkozingen van zijn paard, dat hem ter begroeting met korte grommetjes met de neus in zijn zij porde.

'Tsss! Jij krijgt straks wat. Straks!'

Nachtrust had zijn onvrede over de vorige dag niet weg kunnen nemen. Al die zondagse dagjesmensen met hun domme gezwets en zonder enige wetenschappelijke interesse. Een gênante, lawaaiige vertoning was het geweest. Het diende werkelijk nergens toe. En dan dat gezeur van Schillings achteraf. Hij had opeens met zijn dure pak in de deuropening van Von Ostens appartement gestaan, de verwijten op de bolle kop getekend. 'Je loopt zomaar weg, je laat het paard daar zo staan... Weet je wel wat voor ongelukken er kunnen gebeuren? Wie denk je eigenlijk dat...'

'Sorry, Schillings. Ik hield het gewoon niet meer uit in die achterlijke massa.'

'Er zijn tientallen mensen met vragen. Twee mannen met beschuldigingen over bedrog. Een vrouw die roept dat Hans door de duivel bezeten is. Een Italiaan die je niet hebt bedankt. Ik moest ze... Als je maar weet dat een volgende keer...'

Von Osten had luid gelachen, zijn hoofd geschud. 'Schillings, dit leidt allemaal nergens toe.'

'Je onderschat het belang van publiciteit.'

'Ze kunnen beter naar de kermis gaan.'

'Heb je weer last van die buikkrampen soms? Jij moet je gewoon eens ontspannen!'

Toen was Von Osten goed nijdig geworden. 'O nee, Schillings. Over die boeg gaan wij het niet gooien.'

Ontspannen, hij brieste weer bij de gedachte. Waar bemoeide Schillings zich mee. Al die moderne onzin, dokter Dietmann had het er laatst ook al over. Gaat u eens uit wandelen, had die geadviseerd, zwemmen, of een potje schaken met uw buren, de zinnen verzetten. *Neuheiten*! Was dat soms iets van de nieuwe eeuw? Hij had er geen enkele behoefte aan, leefde precies zoals hij wilde, al meer dan veertig jaar lang. Alle tijd van de wereld had hij, hoefde niet zoals de straatvegers, de stenensjouwers, de lichtopstekers, de bestuurder van de paardentram... Hij hoefde feitelijk niets. Het beheer van dit appartementencomplex en zijn kleine landgoed in Sternberg nam slechts een deel van zijn tijd in beslag en verder kon hij doen en laten wat en wanneer hij wilde: kaarten in het park, zwemmen in de Spree, wandelen door de Tiergarten... maar waarom zou hij, en vooral: met wie?

Eén ding was zeker: hij zou zich niet, zoals de schaamteloze Schillings weer geopperd had, laten meenemen naar het Huis met de Madelieven. Die ontslagen dienstbodes in hun luchtige kledij hadden hem niets te bieden.

Schillings had de schouders opgehaald. 'Dan niet. Jouw paard, jouw leven. Maar als je er nu zelf al niet meer in gelooft...'

Hoe had hij het in zijn kale hoofd gehaald. Natuurlijk geloofde Von Osten in Hans' kunnen, het was nota bene zijn eigen paard! Het probleem was alleen dat bijna niemand het verder serieus nam – althans, niemand die ertoe deed. Ja, Schillings zelf. En Heck misschien, en Frau Piehl, en dan had je het wel gehad. Professor Haeckel, had die niet al maanden geleden toegezegd eens langs te zullen komen? Daar zou hij iets aan kunnen hebben.

Die zou het begrijpen, dat was een man van de wetenschap, die zou nooit het soort stompzinnige opmerkingen maken als de opgedofte Italiaan, gisteren, had gedaan, nota bene bij wijze van compliment: dat Hans zo goed *gedresseerd* was.

Dressuur, dat was verdomme iets voor het circus!

Paf.

Met een klap viel de hooivork in het stro. Hans schrok, Von Osten bukte en reikte naar de grond. Tijdens de beweging omhoog, te snel, voelde hij het bloed uit zijn hoofd wegvloeien. Een duizeling trok door zijn lijf. Hij leunde met zijn vrije hand tegen het paard en sperde zijn ogen wijd open, om niet flauw te vallen.

Toen zag hij de kleine man aan de overkant.

Van achter het paardenhoofd gluurde hij naar de onbekende bezoeker, die in het tegenlicht van de ochtendzon niet meer was dan een silhouet. Als hij zich schuilhield in de schemer van de stal, stilletjes achter de paardenflank, dan zou dit bezoek vanzelf voorbijgaan.

De gestalte hield stil bij de afvalbakken, zette een vreemde uitrusting naast zich op de keien en keek zoekend om zich heen.

Waarom, in godsnaam, konden ze hem niet gewoon met rust laten? Kon hij zelfs hier niet alleen zijn, op dit uur? Hier, in dit houten stalhok, opgetrokken tussen de vier hoge muren van de binnenplaats, voelde hij zich thuis. Hier maakte de opdringerigheid van de stad plaats voor de rust van de methodische wetenschap. Hier weerkaatste Hans' zwarte vacht het gouden zonlicht, geurde het houtige, lichtzure hooi, klonk de gedempte plof van verse stront van onder de sierlijk opgerichte staart.

Als hij ergens geen behoefte aan had...

Dat had Schillings ook nog gezegd: dat hij wat realistischer moest zijn. 'Het is voor deze mensen nou eenmaal moeilijk te bevatten, Wilhelm. Je kunt niet verwachten dat ze hun ogen zomaar geloven. Daarvoor is het allemaal net iets te wonderlijk.' Hij had zelfs gesuggereerd dat de wereld er misschien niet klaar voor was, zo snel na Darwin, en had het woord raadsel gebruikt.

Von Osten zuchtte diep.

Soms was hij bang dat het hem zou vergaan als al die andere miskende genieën. Zoals broeder Mendel – tijdens zijn leven voor gek verklaard, genegeerd en verguisd om zijn erwtenexperimenten, maar nu, zestien jaar na zijn dood, erkend als de grondlegger van een geheel nieuwe wetenschap: de genetica. Er waren wetten naar hem vernoemd. Er was een nieuw werkwoord voor wat hij had bedacht: 'uitmendelen', en zelf zou de arme broeder er nooit iets van weten. Er waren ook geen nazaten die namens hem de eer in ontvangst konden nemen: het tragische lot van een onbegrepen, kinderloos genie.

Ontspánning, zou de broeder daar soms wat om gegeven hebben in zijn ommuurde kloostertuin, met nog dertienduizend erwtenexperimenten te gaan?

Von Osten duwde het paardenhoofd opzij. 'Vooruit dan maar,' mompelde hij, klopte het dier op de flank en maakte aanstalten om de ongenode gast te vragen wat hij kwam doen.

Terwijl hij op het silhouet toe liep kneep hij een oog dicht. De Keizer! In het schuine licht had de kleine man wel iets van hem weg. Zo met die snor en die rechte neus – als je tenminste de schildersezel en de bolhoed wegdacht. En zijn lijf een stukje langer. Dat zou toch wat zijn, als Wilhelm II alsnog op de uitnodiging in zou gaan... of anders Studt, minister van Cultuur...

'Guten Morgen.' Het kwam eruit in een zucht – hij kon geen redenen bedenken om vriendelijker te moeten klinken.

De bezoeker maakte een kleine reverence en sprak, in Duitse volzinnen zo keurig dat ze uit het hoofd leken te zijn geleerd: 'En u ook een bijzonder goede morgen toegewenst, zeer geëerde heer Von Osten. Staat u mij toe: Emilio Rendich is mijn naam, schilder van beroep, zeer onder de indruk van uw opvoering van gisteren, een mirakel waarin ik zelf een bescheiden, maar uiterst interessante rol spelen mocht, en waar ik u gaarne nog hartelijk voor had willen bedanken na afloop. Welnu, die kans werd mij helaas in de haast en de opwinding van het moment na de opvoering niet gegeven.'

Von Osten deed een stap achteruit. Nu pas zag hij met wie hij van doen had. Het taalgebruik en de glimlach van de Italiaan deden hem duizelen. Wat kwam die vreemde vogel hier doen?

'Het was géén opvoering.'

De bezoeker leek even van zijn stuk gebracht door de uitzonderlijke norsheid die de oude man in zijn korte zin legde.

'O?'

'Ik bedrijf hier wetenschap, mijnheer. Geen theater.'

'O scusi, scusi, scusi, maar natuurlijk, heer Von Osten, weet u, mijn Duits... o scusi.'

'Dit paard ontvangt hier onderwijs, mijnheer...'

'O! Rendich, de naam is Rendich.'

'En geen dressuurles.'

De bezoeker zwaaide haastig zijn bolhoed van zijn hoofd en drukte die, nog meer excuses prevelend, tegen zijn hart. *Educazione*, maar natuurlijk! Dat was iets totaal anders, uiteraard! Hij verzekerde dat hij het verschil maar al te goed begreep, alleen... Er trilde een nerveus lachje onder zijn keurige zwarte snor. Ah, dat verduivelde Duits van hem... Hij maakte snel een compliment over de stal. En wat een mooi opgeruimde binnenplaats, en dan die mooie, volle kastanjes! Daarna klonk het verzoek. 'Ik zou zo bijzonder graag wat schetsen willen maken van het tafereel.'

Von Osten kruiste zijn armen voor zijn buik.

'La scena con il cavallo!'

In zijn stal stond Hans rustig van het hooi te eten.

'Il cavallo fenomenale!'

'Ik spreek geen Italiaans.'

De kleine bezoeker liet zich niet uit het veld slaan. 'Natuurlijk, maar natuurlijk, scusi, scusi, scusi! U zult van mij geen last hebben, heer Von Osten. Het zal zijn of ik er in het geheel niet ben, promesso! En het zal ook niet lang duren, want ik schilder mijn schetsen altijd af in het atelier.' Hij gebaarde naar het westen, waar hij, zo begon hij nu zijn werkruimte te bezingen, de beschikking had over een heerlijk ruim zoldervertrek, aan de andere kant van Berlijn, rustig en stil, zonder directe lichtinval, perfect gewoon.

'Dat is fijn voor u, mijnheer Rendich.'

De schilder draaide aan zijn snor. 'Ik bedoel dat uw...' een lichte aarzeling gleed over zijn gezicht, 'dat uw... *lessen*... geen enkele hinder zullen ondervinden van mijn aanwezigheid. Totaal geen hinder, niets van dat al, ik garandeer het u, voor meer dan driehonderd procent.' Hij legde zijn hand op zijn hart.

Even was het stil. Von Osten frummelde wat met zijn handen in de zakken van zijn witte jasschort. Toen zette de Italiaan zich schrap en reikte de oude man de hand.

'Ik bied u een kunstzinnige vereeuwiging van uw genie. U zult er geen spijt van hebben. Ik verzeker het u voor driehonderdvijftig procent.'

Was het de nederige buiging waarmee de schilder zijn verzoek afsloot? De ruiterlijkheid waarmee hij zijn foutieve woordkeuzes had erkend? Of waren het de vrolijke handgebaren waarmee hij zijn met Italiaans doorspekte voorstel illustreerde? Hoe het ook zij, Von Osten accepteerde de olijfkleurige schildershand en schudde die licht. Er kwam iets zachts over zijn trekken, hij knikte de Italiaan voorzichtig toe. 'Goed dan. Waarom ook eigenlijk niet.'

'Ah!'

De oude man leek zelf ook verbaasd. Enkele seconden keek hij zoekend om zich heen. Toen ging hij zijn bezoeker voor naar de plaats met het beste zicht: bij de trap, recht onder het appartement van de familie Piehl.

'Hier komt vrijwel nooit zon,' prees hij het kille hoekje aan.

32

Von Osten bezag de schilder vanaf zijn plek bij de stal. Die zwierige armbewegingen, veel groter dan nodig – was dat... ontspanning? Zoals de schilder zich voor zijn lege doek posteerde en zijn penseel koos, het leek wel een dans. Een schermduel voor één persoon, het penseel als floret, de driepotige ezel als stille tegenstander.

'Let u maar niet op mij hoor, Herr Von Osten! Hoe! Ha! Ik ben er niet!'

Von Osten was niet alleen zijn norsheid kwijt, hij stond zelfs in zijn baard te grinniken.

Nu kwam de hele binnenplaats tot bloei. Het leven kwam uit alle hoeken en gaten: eerst Heinrich Piehl, met zijn gereedschapskist op weg naar zijn werkplaats om de hoek. Toen de honden van eenhoog, snuffelend in de afvalbakken en op gepaste afstand van het reusachtige paard. Daarna de zonen van Piehl, slepend met een zware jutezak. En daar waren de schoolkinderen, met hun schelle stemmen op weg naar de maandagse lessen. Luid klepperden ze over de binnenplaats, lachend, sommigen hopsend als een galopperend paard.

'Wat gaat Hans vandaag leren, mijnheer Von Osten?'

'Breuken, Johann, breuken! Heb jij die al gehad?'

In een rommelige optocht ging de stoet linksaf de binnenplaats af. Het heldere gelach was te horen tot op de hoek van de Kastanienallee; daar stond de gemeenteschool, waar mensenkinderen leerden rekenen.

HOOFDSTUK 3

Maandag, wasdag

In de kleine keuken op de eerste verdieping van Griebenowstrasse 10 hing de dikke damp van een badhuis.
Frau Piehl had de mouwen van haar vest tot boven de
ellebogen opgestroopt; over haar bruine haar zat een
vaalrode zakdoek geknoopt. Op de tegelvloer lag een
grote berg gekleurd goed: handdoeken, broeken, lijfjes,
hemden en borstrokken. Zweet liep in straaltjes vanaf
haar haargrens naar beneden, via de hals het boordje in,
tussen haar borsten.

Het sorteren was gedaan, het witte goed zat in de tobbe. Met de ogen half dichtgeknepen mikte ze nog een
klodder zeep door de hete stoom. Waar had ze die stam-
per nou gelegd?

In de mist waren de contouren van de dingen opgelost. De witte wasbak leek geheel verdwenen, het houten wasbord en de mangel waren nog vaag te zien. Net
als de gekleurde bakjes met zand, soda en stijfsel die

voor het venster in de damp leken te zweven.

Het keukenraam, dat uitkeek op de binnenplaats, was volledig beslagen. Maar Frau Piehl had aan haar oren genoeg om te weten wat zich beneden afspeelde. Al vier jaar verliepen de lesdagen van de oude man en zijn paard volgens de regelmaat van een Zwitserse klok. Zij had er in haar keuken een geheim spel omheen gemaakt: elk gerucht dat haar raam binnen waaide, paste bij een van haar huishoudelijke klussen. Het gehinnik van de ochtendlijke begroeting tussen paard en baas viel samen met het gestommel van haar oudste jongens, die achter hun vader de trap af liepen. Het gekras en geschuif van de lesuitstalling die werd buitengezet kwamen tegelijk met het spoelen van de ontbijtvaat. De gebromde opdrachten, gevolgd door hoefslag op de stenen, vormden de vaste achtergrondmuziek bij het verstelwerk. En elke dag, tegen een uur of half elf, voegde ze daar, na een afdaling van de gietijzeren trap, de klank van haar eigen stem aan toe: 'Hier is uw koffie, Herr Von Osten.'

'Dank u, Frau Piehl.'

Ze noemde het haar 'dans met de geluiden'. Het was een stille sport geworden, een wedstrijd waar niemand weet van had, een die haar dagen houvast gaf – meer dan de zondagse donderpreken van pastoor Kraft dat ooit zouden kunnen.

Het water voor de bonte was begon te borrelen op het fornuis. Ze raapte het gekleurde goed van de grond en duwde de baal voorzichtig, om niet te spetteren, over de rand van de tobbe. Ja, dit redde ze nog wel alleen. Maar wringen, dat moest straks echt met zijn tweeën. Waar bleef ze, dat wicht uit het weeshuis?

Dit was het dus, een leven zonder dochters. Heinrich had makkelijk praten, in de werkplaats had hij volop hulp van de jongens. Zelfs als Walther straks naar de ambachtsschool ging, konden Klaus en Peter samen nog genoeg klusjes voor hem doen.

Met de stok begon ze de kleding door het sop te bewegen. Stuk voor stuk kwamen ze vanuit het troebele water bovendrijven: sokken van Heinrich, verschoten jongensbroeken die eerst door Walther en Klaus, nu door Peter werden gedragen. Lijfjes, boordloze katoenen hemden, linksom, rechtsom, de kledingstukken lieten zich haar behandeling welgevallen. Loom dobberden ze in het rond, mouwen en pijpen verstrengelden zich, reikten naar de oppervlakte, zwommen rond en doken weer onder in het sop.

Kijk eens, hoe zij zich weer in het zweet stond te werken. Voor deze jongenshemden, mannenbroeken, herensokken... Ze wendde haar gezicht af om de hete stoom, maar ook de onfrisse zweet- en urinelucht die ervanaf sloeg te ontwijken.

Ze wreef een pluk haar uit haar gezicht.

Nooit zouden hier kleine jurkjes tussen drijven. Geen meisjeshoedjes, kinderschortjes, niet de witte communiejurk van katoenen batist die ze zo vaak in haar dromen had gezien. Op maandagochtend, alleen in haar dampende keuken, werd pijnlijk duidelijk wat ze de rest van de week vergat. Haar laatste boreling was een meisje geweest, ze wist het zeker, ook al had dokter Dietmann alleen maar gezegd dat het niet ademde. Hij had 'het' tussen haar benen weggenomen, aan pastoor Kraft toevertrouwd en dat was dat.

'Wees toch dankbaar voor drie mooie zonen,' bromde Heinrich als ze er wel eens over begon, 'en voor je man, die gezond is en werk heeft.' Ter bezwering van haar gezeur somde hij met smaak de veel grotere rampen op die kennissen en verre familie hadden getroffen: vrouw overleden in het kraambed, zoon tussen wal en beurtschip bekneld, tweeling bezweken aan de pest, maar het leven ging door. De neutrale vermelding op het certificaat dat in de la van de secretaire lag ('doodgeboren kind Piehl') was voor hem genoeg.

Natuurlijk. Heinrich had helemaal gelijk. Waarom zou ze hem tegenspreken als hij het toch niet begreep? Het was Gods manier om haar op de proef te stellen. Maar ze wist het zeker: het glibberige lauwige vlees dat ze na afloop van de helse pijnen even tussen haar benen had gevoeld, was haar laatste kans op een dochter geweest.

Beneden klonk geknars en gepiep van metaal: de deur van de stal werd opengedaan. Daarna volgde het schrapende geluid van de hooivork over steen, de zachte plofjes van hooi op hooi, het opgewekte ritme van de paardenstappen. Ze zag de oude man voor zich, hoe hij Hans de stal uit leidde. Hoe hij met de hooivork nog een keer door het hooi zou gaan, het dier zijn leidsel om zou doen.

Daar kwam Heinrichs zondagse zomerbroek bovendrijven. Voor ze wist wat ze deed, greep ze haar stok met twee handen vast en prikte recht in het kruis, duwde de broek terug onder water, minutenlang strak tegen de bodem gedrukt, diep in het grijswitte sop. Er zat nog lucht in de pijpen. Er vormde zich een bolling ergens bij de knie, een bel die zich via de enkel omhoog boerde, plop, naar buiten. Ze zette haar volle gewicht erop, en toen viel het linnen stil, alsof het plotseling met ademen was gestopt.

Geschrokken sloeg ze een kruis. In de beweging viel de stok uit haar handen tegen de rand van de tobbe.

Mijn god, wat stond ze hier te doen?

Beneden op de binnenplaats werd de tafel klaargezet. Ze hoorde het zachte briesen van het paard.

De washulp, daarover had ze wél haar zin gekregen. Al viel het nog niet mee om een goede te vinden en deze, Uti... De eerste maandag had ze drie knopen stukgedraaid in de mangel. De tweede week zat er te veel maizena in het stijfselpapje. En ze hinnikte de hele dag als een dronken merrie – terwijl er helemaal niets te lachen viel.

Maar waar bleef het kind toch?

Op het ritme van de geluiden van de binnenplaats zou het heel snel maandagmiddag zijn, en dan kwam de beloning, dan deed ze het schone goed in de manden en trok die op de oude hondenkar naar het bleekveld naast de kazerne. En als de lakens mooi over het gras lagen uitgespreid stuurde ze Uti om de boorden. Dan had ze zelf even niets omhanden, liet ze zich door haar knieën zakken, legde haar vermoeide rug in het gras. Wachtte tot de geur van zeep en stijfsel haar neus binnen waaide en de lauwe wind langs haar wangen streek...

Het raam was nu helemaal beslagen. De borrelende was had de damp nog verder verdicht. Ze blies een gat in de stoom voor haar ogen en keek hoe de waterdeeltjes dansten als rookpluimen. De sommen, het gestamp, het klonk beneden gelukkig zoals elke dag: betrouwbaar als de golven van de zee.

'Hans, vijf plus zes!'

Gisteren had pastoor Kraft het werk van de oude man 'van de duivel afkomstig' genoemd. 'De schepper heeft de mens niet voor niets op de zesde dag geschapen,' bulderde hij vanaf de kansel. 'Dat is het grote verschil: wij zijn geschapen naar zijn evenbeeld. In ons blies hij zijn ziel, in de landdieren niet.'

Nog een opgave weerklonk van beneden. Voor ze het wist, had ze de cijfers op de beslagen ruit geschreven.

Vijf plus één is zes.

Waarom kwam Uti niet?

Ze legde haar hand in haar hals en kreeg opeens een idee. Misschien kon ze het aan Von Osten vragen. Of hij haar straks met het wasgoed naar het bleekveld wilde brengen. Met het rijtuig van Schillings.

Ze ging zitten en dacht na. Nee, dat kon niet. Men zou het zien. Het was niet zoals het hoorde.

En toch... als ze hem straks zijn koffie bracht, zoals elke ochtend rond half elf, cichorei met twee klontjes suiker, dan zou ze zeggen: Herr Von Osten, ik heb helaas een klein probleem. Mijn washulp is niet gekomen vandaag, ik zit met mijn handen in het haar, zou u misschien, voor één keer en bij hoge uitzondering, mijn was even dat kleine stukje tot aan de kazerne kunnen rijden...? Of misschien naar het park, daar zijn de betere bleekvelden, ik zou u zo bijzonder dankbaar zijn. Tegen Heinrich zou ze vanavond zeggen dat Von Osten het zelf aangeboden had, en dat ze, zo zonder Uti...

Mijn god, wat had ze het warm.

Aan het aanrecht paste ze de cichorei af in de blauwe mok en goot er kokend water op. De cijfers van de som die ze eerder in de condens op het raam had getekend, waren gaan tranen. Met haar vlakke hand veegde ze die weg; een rond kijkgat ontstond ter grootte van haar hoofd.

Daar stond hij. Beneden op zijn vaste plek, naast het zwarte paard en de vertrouwde attributen. Even dacht ze dat hij naar haar keek, maar zijn blik was lager gericht, op een punt recht onder haar keukenraam.

Ze deed een stap naar achteren en keek nog eens.

Zo op het oog was alles beneden als altijd. En toch... ze zou zweren dat er iets veranderd was. Maar wat? Ze kneep haar ogen half toe om scherp te stellen. Het was iets in zijn houding. Zijn rug was rechter, er hing iets vreemd opgewekts om hem heen, en zijn gezicht... Waar keek hij toch naar?

Hij leek van achter zijn paard te glimlachen. Naar iets, of iemand, verborgen onder haar gietijzeren trap.

HOOFDSTUK 4

Grote namen

'Gebruikt uw gast straks de lunch met u?'

Von Osten had zijn buurvrouw helemaal niet horen aankomen. Hij kwam net de stal uit, waar hij de houten klok had opgeduikeld om Hans de beginselen van de tijd bij te brengen, en nu stond ze opeens voor zijn neus. De vraag overviel hem. Even wist hij niet wat te zeggen. 'Eh...'

Er viel een vreemde stilte. Hij had natuurlijk geen keus, maar zijn middagpauze hield hij altijd boven, alleen – dat wist Frau Piehl toch best? Daar stond ze, wachtend op zijn antwoord met haar hoofd schuin. De Italiaan sloeg hen van achter zijn schildersezel belangstellend gade.

'Uiteraard,' zei hij, 'de heer Rendich is vandaag mijn gast.' En tegen de schilder: 'Zo hij dit belieft.'

Frau Piehl maakte een kleine buiging. 'Natuurlijk. Dan maak ik voor u beiden iets klaar, en...'

Als een bakvis plukte ze aan de stof van haar rok. Ze kreeg vlekken in haar nek en hapte naar lucht.

'Goed, Frau Piehl, dank.'

Wat stond ze daar nou te dralen?

'En wat ik nog wilde vragen, mijn was...'

'Veel dank!' snauwde Von Osten. Toen schoot ze de trap op naar haar keuken en verdween.

Nu zat hij eraan vast.

'Erst mal das Apcritif!' riep hij de schilder toe. Die zwaaide en knikte enthousiast, al had zijn glimlach ook iets verbaasds. Alsof hij net zomin had verwacht dat het hierop uitdraaien zou.

'Wilt u misschien eerst mijn schets even zien?'

'Best.'

De aanblik van het doek was verrassend. Hoewel in de geschilderde streken nog nauwelijks een paard te herkennen was, zag de oude man in de krabbels en krassen wel degelijk iets bekends: bewondering. Ontzag voor het wonderlijke kunnen van zijn uitzonderlijke dier.

'Mooi,' zei hij zelfs, en vergat zijn chagrijn over de opgedrongen lunch.

Rendich wreef tevreden in zijn handen, blies op zijn knuisten en stopte ze kruiselings onder zijn oksels.

'Heeft u het soms koud?'

Rendich keek betrapt. 'Ach mijnheer Von Osten, ik ben een Italiaanse schilder, en deze Berlijnse zomer...'

...is koud? dacht Von Osten. Wat een aansteller. Hij moest de winter aan de Oostzee eens meemaken – van zijn jaren op het gymnasium in Königsberg herinnerde hij zich vooral de immer snijdende waterkou, meer nog dan het getreiter.

In het donkere trappenhuis hing een dikkige, muffe lucht. Moest hij zijn gast nu voor laten gaan, of zelf als eerste naar boven? Dat was het probleem met bezoek: dan verspilde je opeens kostbare denkkracht aan dergelijke trivialiteiten.

'Het is op de vierde. Volgt u mij?'

Von Osten was al op de eerste verdieping door zijn adem heen. Hijgend hield hij stil op de overloop en voelde hoe achter hem Rendich net op tijd zijn pas inhield. Hij inhaleerde de zoetige aftershavelucht.

'O, mi scusi, signore Von Osten!'

Wat verspilde die Italiaan een zuurstof.

'Senza fretta, mijnheer Von Osten, geen haast!'

Hij zuchtte. Nog drie trappen te gaan. Hij zag zijn rommelkeuken voor zich, de opgestapelde vaat, de geopende flessen Obstler, de stoflaag op de meubels, het onopgemaakte bed, en wist: nee. Hij had hem niet moeten vragen. Al ruim dertig jaar kwamen zijn bezoekers niet verder dan de binnenplaats. Als er echt iets te bespreken viel, volgde een afspraak in de Zoo. Het gedoe, het gekout, de hoffelijkheid, alles wat kwam kijken bij het ontvangen van bezoek – zijn appartement was er niet op ingericht, en hij evenmin.

Hij had zich laten meeslepen. Die verdraaide Frau Piehl ook.

Zo mokte hij zijn oude lijf stap voor stap door de zurige schemer verder omhoog. Tweede verdieping, derde... en daar doemde opeens een oud, vergeten beeld in hem op. Na al die jaren schoof het voor zijn ogen, met een droge klik als de stereoscopische voorstellingen van het *Kaiserpanorama*: de brede trap in de ontvangsthal van het familielandgoed in Kowalewo Pomorskie.

Onderaan, op de rug gezien, staat zijn vader, de landheer, in zijn getailleerde uniform met tressen, zwarte laarzen stevig op de marmeren vloer. En in het duister van dit Berlijnse trappenhuis, waar zijn vader bij leven nooit is geweest, draait diens schim zich om naar zijn hijgende, puffende, krakende zoon. Hij beweegt in een spookachtige grijns geluidloos zijn lippen, alsof er na al die jaren toch nog iets toe te voegen is: *Weet jij dat wel zeker, Wilhelm?*

∽

Bovengekomen stommelde Von Osten naar het venster, schoof de gordijnen in het zitgedeelte opzij en zette haastig een raam open. Maar net als de schemer liet de geur van oude paardendekens zich niet zomaar van zijn vaste plek tussen de meubels verjagen.

Met een snel gebaar veegde hij de fauteuil naast het schaakspel leeg. Een exemplaar van de *American Phrenological Journal* viel op de grond.

'Neemt u plaats.'

De Italiaan aarzelde, keek verbaasd naar de verzameling glazen potjes op de lage kast naast de stoel. In elk dreef, in een dikke vloeistof, een roerloos voorwerp: botjes, pootjes, een muizenembryo, een klein hart – voormalig leven gedrenkt in formaldehyde met de kleur van troebele whisky.

Het schapenleer kraakte droog toen Rendich plaatsnam.

'U drinkt?'

'Hetzelfde als u, Herr Von Osten.'

Met twee gevulde glazen in de hand bleef Von Osten even in de deuropening van zijn kleine keuken staan. Het was lang geleden dat iemand in die stoel had gezeten. Hij had het vermoeden dat hij iets moest zeggen, maar hij had geen idee wat. Een vraag bood meestal uitkomst.

'En u komt uit?'

'O! Trieste, Herr Von Osten, la bella Trieste. Aan de Adriatico! Er wonen daar vele Italianen, de hele kustprovincie hoort eigenlijk bij... L'Italia irredenta, net als Zuid-Tirol, Dalmatië, Istrië... Ze horen bij het vasteland en ooit, daar ben ik van overtuigd...'

De oude man zuchtte. Zoveel tekst. Hij dacht vaag te weten dat het hier geen Italiaans gebied betrof, de Italiaan was dus geen Italiaan. Maar hij zei niets, want als hij ergens geen zin in had was het een lunch vol grensaanspraken, eenwordingen, veldslagen, gebiedsverdelingen... Hij verlangde naar kauwen in stilte. Eenzaamheid zoals altijd. Hij voelde het al weer opkomen van onder uit de keel: zijn oude vertrouwde ergernis, klaar om flink te grommen.

'En hoe lang woont u al hier, Herr Von Osten?'

'Sinds mijn achtentwintigste.'

De klok van de Zionskirche begon te slaan.

'Een heel leven, Herr Von Osten.'

'En vroeger was het hier rustig.'

Met zijn glas in de hand wrong de oude man zich achter zijn bureau en klapte hard het raam weer dicht. Hij staarde even naar de torenspits – het lelijke ding torende al bijna een kwarteeuw uit boven zijn huis. Vijfentwintig jaar geleden was het gevaarte na de overwinning op Frankrijk toch nog afgebouwd, met behulp van de oorlogsbuit. Maar wat, zo peinsde hij met zijn rug naar zijn gast, placht men nu verder te doen met een menselijke aanwezigheid in de ruimte, een bezoeker zogezegd, nadat die van het vereiste drankje en de benodigde zetel was voorzien en de eerste beleefdheden waren uitgewisseld?

Zwijgend nam hij plaats tegenover de schilder, die hem, hij kon niet anders zeggen, zeer vriendelijk toeknikte. De Italiaan, zo viel op in dit licht, had prachtig zwartglanzend haar. Op zijn wangen glom een laatste restje jeugd.

'Herr Von Osten, uw gastvrijheid is bijzonder. En als u mij permitteert: u heeft met uw paard een uitzonderlijke prestatie bereikt. Werkelijk: *uitzonderlijk.*'

Von Osten ging verzitten. De schilder leek het goed te menen, maar op een of andere manier maakte een compliment het er voor de oude man nooit gemakkelijker op. Zeker niet met al dat aanstellerige Italiaans erdoor.

'Ach...'

'Ik heb toch heel wat paarden gezien in mijn leven,

heer Von Osten. Ik ben niet voor niets paardenschilder. En ik zeg u, nee, ik smeek het u: onderschat uw bevindingen alstublieft niet!'

Weer had Von Osten het gevoel dat hij iets moest zeggen. Maar in godsnaam, wat? Dat hij er sinds die vreselijke vertoning van gisteren serieus over dacht om Hans te koop te zetten?

'Schildert u ook... andere dingen?'

De Italiaan trok een belangrijk gezicht. 'Een goed schilder moet oog hebben voor de geschiedenis. Daarmee helpt hij de mens in het heden. Kijk, de komst van de spoorwegen, automobielen... Wat betekent dat voor het paard? Let u maar op. Voor we er erg in hebben, is het dier voorgoed uit ons leven verdwenen. Maar dan heb ík ze op mijn doeken staan!'

Von Osten vond de redenatie onnavolgbaar. Een nieuwe vraag leek hem het veiligst.

'U schildert dus volgens de wetten van de markt?'

Schillings had het wel eens over zulk soort zaken. Aandelen en beleggingen, Von Osten scheen ze zelf ook te hebben maar het interesseerde hem allemaal nauwelijks, daar had hij de bank voor. De Russische spoorwegen was naar hij meende zijn laatste grote transactie geweest. Geld, dat had je, en verder zweeg je erover.

Rendich schudde zijn hoofd. 'De markt... Ik zou het liever de wetten van de geschiedenis noemen. Van de vooruitgang.'

'Aha. En heeft u al veel verkocht?'

'Verkoop en kwaliteit gaan niet altijd hand in hand. Ik wacht op het juiste moment.'

Von Osten nam een slok en grinnikte. 'Dan hoop ik maar,' zei hij zacht, 'dat u het niet heeft gemist.'

Rendich schoof abrupt naar voren in zijn stoel en zette met een harde klap zijn glas op het schaakbord. 'Herr Von Osten, luistert u alstublieft goed. Uw Hans is niet zomaar een paard. Wat ik hier op uw binnenplaats heb gezien, het belang ervan, het is, het is...'

De schilder zocht naar woorden en het werd even stil, al was de klok van de Zionskirche nog steeds te horen.

'Ik heb werkelijk nooit eerder zoiets gezien, Herr Von Osten. Het belang ervan... is groot. Heel erg ongelofelijk groot.'

'...'

'Zo groot, dat de meeste mensen het niet zullen zien.'

'...'

'Uw ontdekking is gelijk aan die van... *Copernicus!*'

Na het uitspreken van die naam sloeg de Italiaan zijn glas in één teug achterover en vervolgde, glimlachend om het verbaasde gezicht van zijn gastheer: 'Ja, u schrikt, Herr Von Osten, maar echt: de vergelijking is op zijn plaats! Zoals híj destijds de aarde aan het middelpunt van het heelal onttrok...' zijn beide armen gebaarden nu in de lucht, '...precies zo ontrukt u met Hans de dieren aan het Rijk der Domheid!'

Von Osten schudde meewarig zijn hoofd. Meestal ging hij zelf te snel in zijn conclusies en remden anderen hem af. Maar bij deze man leek het omgekeerde het geval. Wie was die schilder uit Italië, en waar haalde hij het allemaal vandaan?

'Mijn bevindingen,' zei Von Osten zuinig, 'die u zo overtuigend vindt, moeten nog wetenschappelijk worden bevestigd.'

'Ach Herr Von Osten, kom nou toch! Dat is nog slechts een detail!'

'Wel...'

'Hoezo bevestiging, wij mensen weten méér dan de zogenaamde wetenschap. Zeg nou zelf: valt een visioen ooit te bewijzen? Er is een ander soort weten, echt – ik meen voor de volle driehonderdzeventig procent wat ik zeg.'

'Ach mijnheer...'

'En ik neem er niets van terug. Integendeel, ik doe er nog een schepje bovenop. Weet u bijvoorbeeld hoe des tijds olie is ontdekt? Omdat één man zo gek was ernaar te blijven graven! Eén man in heel dat grote Amerika geloofde erin en kijk,' hij wees triomfantelijk naar Von Ostens tafel, 'vanavond eet u bij het licht van een petroleumlamp!'

De schilder had het nu goed te pakken. Hij ging vrolijk door, over eenlingen, doorzetters en uitvinders, en terwijl hij praatte keek Von Osten naar de fonkelende ogen onder het glanzende haar. En in plaats van te horen wat zijn bezoeker zei kwam een intens verdrietig gevoel over hem. Copernicus. Olielamp. Een schilder. Wat had hij hier allemaal aan? Hij moest het onder ogen zien, zijn leven was voorbij. Schillings had gewoon gelijk: de wereld was er niet klaar voor. Anders had hij hier nu niet met een Italiaanse schilder, maar met een Duitse wetenschapper gezeten.

'U moet erin geloven, mijnheer Von Osten. Als ú het niet doet...' Rendich bleef enthousiast ontdekkingen opsommen die ooit onwaarschijnlijk hadden geleken en nu gemeengoed waren. Bewegende beelden. De fonograaf. Luchtschepen. Fotografie. Morse, röntgenstralen.

Von Osten liet hem razen. Zwijgend dronk hij zijn glas leeg terwijl het zonlicht door het haar van de schilder speelde. En opeens had hij er genoeg van.

'Geloof is niet zozeer de kwestie, mijnheer Rendich,' sprak hij kortaf. 'Soms is de tijd gewoon niet rijp. En ik herinner me opeens dat ik nog een afspraak heb.'

'Maar...'

'Vergeet u uw schilderspullen niet?'

Rendich zette even grote ogen op en begreep de hint.

'Ik kom graag nog eens terug, Herr Von Osten.'

'Doet u vooral wat u niet laten kunt. Het spijt me dat de lunch nog niet is geserveerd.'

Toen Frau Piehl eindelijk met het braadstuk kwam, was de schilder al weg. Von Osten had geen trek meer en liet het onaangeroerd staan. Hij schonk zichzelf nog eens in. En nog eens en nog eens en weer, en toen zag hij er bijna de lol van in.

Copernicus.

Bij het laatste glas smaakte de naam van de grote middeleeuwse denker als suiker op zijn tong. Dwars door de bittere likeur heen voelde het alsof er iets aangevangen was, zoals na een startschot op de renbaan, iets met een begin en een einde – al wist de oude man niet goed wat.

HOOFDSTUK 5

Vriendschap

Kein Bonvivant – zo zou Franz' oordeel zijn over een man als Von Osten. Eén blik op diens zorgelijke frons en gespannen kaken, en Emilio's jeugdvriend zou het weten: hier viel geen greintje plezier mee te beleven. Voor wie geen talent had voor extase en vervoering, was geen plaats in de vrolijke *Künstlerkreis* rond hem en zijn Mary, hun namen streepte zij resoluut maar met een oogverblindende glimlach van de gastenlijst voor het eerstvolgende diner.

Mary.

Was het echt nog maar een etmaal geleden dat Emilio haar vaarwel had gezegd, na afloop van het drankovergoten afscheidssouper op de eerste verdieping? De verzamelde gasten begrepen niet dat hij nu alweer vertrok. En waarom in godsnaam naar Berlijn, waarom niet liever Wenen? Dat hij in de Pruisische hoofdstad tijdelijk zijn intrek zou nemen op de zolder van een hoge militair vonden ze *bloss verrückt.*

Franz legde rustig uit dat dit in Emilio's 'huidige situatie' gewoonweg de beste optie was. Het woord penibel liet hij gelukkig achterwege, Emilio voelde zich al opgelaten genoeg. Hij had er bedremmeld bij gezeten, weliswaar dankbaar voor alles wat Franz voor hem geregeld had, maar niet overtuigd van wat hij in de hoofdstad moest. *Es wird dort wie Chicago sein,* had Mary hem troostend in het oor gefluisterd.

Het maakte de toosts er niet minder vrolijk op.

'Op onze dappere Italiaan, die morgen moedig noordwaarts gaat!'

'Helemaal over de Weisswurstequator!'

'Naar het stijve Pruisen, onder Apollo's juk!'

'Lang leve Beieren!'

'Lang leve München!'

'Lang leve Franz en Mary!'

Emilio had maar wat gelachen.

Franz proostte hartelijk mee, net zo hartelijk als hij een maand daarvoor Emilio's brandbrief uit Italië had beantwoord:

Waarde vriend, het spijt me te vernemen dat de economische crisis jouw portrettenpraktijk zo hard getroffen heeft. Kom spoedigst naar München en wees onze gast voor zo lang als je wenst. Wij verheugen ons op je komst – Franz en Mary.

Wij? Mary? De laatste keer dat hij Franz gesproken had, was er een tersluikse opmerking geweest over een bakkersdochter, maar die heette anders. Verder hadden ze het eigenlijk nooit over vrouwen gehad. Maar ze hadden elkaar dan ook meer dan tien jaar niet gezien.

Bij zijn aankomst in München had Emilio eerst minutenlang voor het bordes van Franz' villa staan dralen. Dat zijn jeugdvriend een antiek paleis had laten bouwen wist hij uit de krant, maar dit bouwwerk overtrof zijn stoutste verwachtingen. Hier zetelde een kunstvorst, een molenaarszoon die het wél had gemaakt. Professor aan de kunstacademie, leider van de Secessie, veel gekocht en geëxposeerd kunstenaar, graag gezien in de hoogste kringen en nu zelfs verheven in de adelstand... De hoge ramen in de statige gevel weerkaatsten de late middagzon. Hier stak Emilio's eigen staat van dienst bijzonder bleekjes bij af. Portretschilder, zonder een enkele onderscheiding of medaille, kind noch kraai, failliet bovendien.

'U moet mijnheer Rendich zijn!'

Stralend had Mary achter de openzwaaiende deur gestaan. Ze had de glimlach van iemand die gewend is te verrukken en haar Italiaans, met een zweem Amerikaans erdoor, was voortreffelijk.

'Wat bent u heerlijk vroeg. Franz en ik dineren vanavond graag met u. Hij moet helaas morgen alweer voor een korte reis naar Griekenland.' Het aangesnelde dienstmeisje wuifde ze weg en voor hem uit wiegde ze door de muzieksalon, links en rechts wijzend op Franz' kunstwerken: de Orpheuswand, de Panwand, de met goud beschilderde sterrenhemel... Haar stem klonk als een koord kleine belletjes en hij volgde met zijn koffer in de hand. Onder het levensgrote zelfportret van Franz (aan weerszijden twee centauren) stond hij even stil en dacht: hoezo Griekenland?

Ze leek zijn gedachten te raden. Glimlachend keek ze achterom, de staande stof van haar donkerblauwe japon ruiste zachtjes na.

'Een plotselinge kans, een studiereis. Geen zorgen, over twee weken is hij weer terug. Ondertussen kunt u hier in alle rust heerlijk werken.'

Via de woonkamer en het boudoir kwamen ze bij de trap naar de eerste verdieping. Goud-groen-zwart mozaïekparket, antieke beelden, het duizelde hem. Ze liepen verder, langs bontgeschilderde godsfiguren, Tiffany, en overal dat mythische halfdonker.

'Het is hier werkelijk prachtig, Frau Stuck. *Von*, sorry.'

'Ach. Zeg toch gewoon Mary, we zijn nu tenslotte huisgenoten.'

In het atelier op de eerste verdieping herkende Emilio het schilderij dat zoveel stof had doen opwaaien: *Naakte vrouw met python*. Via de keuken – 'Hollandse degelijkheid hebben we alleen hier, godzijdank' – kwamen ze bij een zijvleugel met bad- en slaapvertrekken. Voor een van de brede crèmewitte deuren hield ze stil. Het avondlicht deed haar zwarte haar glanzen. Weer die glimlach. Emilio liet zijn koffer op zijn schoenpunten vallen.

'Inderdaad, beste Emilio: het is hier schitterend. Dat verhaal van Adam en Eva, zegt Franz altijd, is zo vreselijk lang geleden; wij leven nu. Dus heeft hij een nieuw Paradijs gebouwd, hier, op de oever van de Isar!'

Ze wees naar de deur; het blauwe mouwtje van haar jurk trok op tot net boven haar elleboog. 'En dit, lieve Emilio, zal de komende weken jouw kamer zijn.'

Emilio had even onbeweeglijk op de gang gestaan, niet goed wetend wat te doen, tot zij de deur voor hem had geopend. Met haar ballerinahand wuifde ze hem naar binnen. Zelf was ze de gang uit geruist, en Emilio had zich in de kleine kamer langdurig bij het fonteintje opgefrist (warm en koud stromend water!). Hij ging even liggen maar koos toen toch voor de stoel bij het raam, rechtop zitten was beter, hij moest straks helder zijn.

Over een halfuur zou Franz thuiskomen. Dan zou Emilio hem zijn lastige situatie uitleggen. Hij had gerepeteerd wat hij zeggen zou, de naakte feiten, zonder gehuil. Crisis, opgedroogde klantenkring, het kon de beste schilder overkomen. Hij kreeg het warm – alsof hij van zijn oude vriend, die hem zo hartelijk had uitgenodigd, iets te vrezen had. Straks zou blijken wat een oude vriendschap waard kon zijn.

De kleine kamer werd hem al snel te benauwd. Hij verplaatste zich naar het atelier: geen betere plaats om op zijn oude vriend te wachten dan tussen de werken die hem de afgelopen jaren zoveel rijkdom en succes hadden gebracht.

Eerder was hij er snel doorheen gelopen, achter Mary aan. Nu hij hier alleen was, viel de overdaad hem pas goed op. Het leek wel een balzaal uit de renaissance, er waren honderden werken uitgestald.

Emilio nam plaats in een diepe fauteuil bij het hoge raam en liet op zich inwerken wat hij zag. Er ging van de schilderijen een energie uit die hij niet meteen kon plaatsen. Hoe deze werken te noemen? Hij draaide ongemakkelijk in zijn stoel en zocht een passend woord. *Somber*? De doeken leken het laatste daglicht hun canvas in te trekken. Maar op veel werken was uitbundige feestvreugde afgebeeld, dus nee, somber was het niet. *Plat*? Hij schudde zijn hoofd. Al het naakt was bijzonder vaardig geschilderd. Zwierig, vlezig, misschien wel iets te dik erbovenop. *Decadent*? Daarvoor leek de thematiek weer net te serieus, met al dat bloed en die strijd, de afgehakte koppen.

Dit was niet de kunst die hij zich van zijn oude vriend herinnerde. Wat hier stond uitgestald was zo, zo... Hij kon het juiste woord maar niet vinden.

Vroeger, toen ze samen studeerden, waren Franz en Emilio het altijd roerend eens geweest over wat goede kunst was en vooral: wat niet. 'Huilerijen' – zo hadden ze de werken van hun medestudenten genoemd. Titels als *Armenschool, Koortsdode* of *Bittere erfenis*, op die droefenis zat toch niemand te wachten? Kunst moest hoop bieden, een visioen, en als ze dat niet kon: de fik erin.

Nu staarde Emilio naar een levensgrote afbeelding van twee naakte vrouwen op een wip, lachend en wellustig tegen de achtergrond van in het rond liggende, bloederige lijken. Ernaast een tekening van een man die vanaf een hoge rots in een reusachtige vagina dook. Een plaat van hysterische schedels in een vuurzee. Schimmen die op elkaar in sloegen, gadegeslagen door gekromde en uitgeteerde vrouwenlichamen, poedelnaakt. Vrouwen als wrede lokvogels, met slangen om hun naakte lijf...

Dit beestachtige, dit fatale... Wat was er met Franz gebeurd? En waarom was hij zo succesvol met deze afbeeldingen van een soort rauwe oerwereld in voorhistorische staat?

Was hij soms simpelweg... commercieel?

Of was hij, zoals velen beweerden, inderdaad een genie? En als Emilio het verschil daartussen niet eens zag, wat was hij dan eigenlijk zelf?

Jaloers misschien?

Beneden klonk een deur. Een bekende basstem mopperde wat tegen het dienstmeisje. Emilio sprong op en streek zijn jasje glad, repeteerde nogmaals in gedachten wat hij zeggen moest. Daar klonken de stappen al op de trap, het volgende moment verscheen Franz in de deuropening van het atelier, een dure fles en twee glazen in de hand.

'Ouwe peer!'

'Lamme zak!'

Franz sloeg Emilio op de schouder, bulderde dat zijn vriend geen millimeter veranderd was. 'Nog steeds niet gegroeid, kleine Italiaan?'

Franz zelf was dikker geworden. Emilio complimenteerde hem beleefd met zijn gezonde voorkomen, zijn successen, zijn huis, zijn benoeming, zijn vrouw, zijn –

'Jaja, dat zal allemaal wel, kleine vriend. Maar nu

57

even serieus. Ik heb alles al voor je geregeld, makker. Het wordt Berlijn. Cheers.'

'Berlijn?'

'Daar hebben we je portrettenpraktijkje zo weer op poten.'

'Maar...'

'Molenaarszoons helpen elkaar. Ik vind dat vanzelfsprekend.'

'Maar Berlijn...' Emilio durfde niet te zeggen dat hij er nog nooit was geweest. Dat hij niet zou weten wat hij er moest.

'Natuurlijk, ik doe voor je wat ik kan en verwacht niets terug.'

'Franz, ik...'

'Of wacht, dit plezier kun je me toch wel doen: zeg wat je *echt* van mijn werken vindt. Ik ben al die loftuitingen soms zo vreselijk zat.' Met het gebaar van een man die gewend is de touwtjes in handen te hebben, zette Franz zijn lege glas op tafel en schonk bij. 'Nou?'

'Eh...' Emilio keek schuw naar zijn drankje. Beestachtig, rauw, fatalistisch, goedkoop – dat waren de woorden die in hem opkwamen toen hij met zijn blik de gebarende hand van Franz door de ruimte volgde. Wat moest hij in godsnaam in Berlijn?

'Ik... bewonder zeer wat jij met je kunst hebt bereikt, Franz. Deze villa, professor aan de academie, en...'

Hij zag Mary voor zich in haar blauwe jurk en viel beschaamd stil.

'Had jij niet altijd van die duidelijke meningen?'

'Vroeger...'

'Kies dan gewoon iets uit wat je wel mooi vindt. En vertel me waarom, kom op, ik heb net een atelier voor je geregeld in de hoofdstad van mijn Keizerrijk.'

Emilio keek weer door de ruimte, langs de doeken vol naakten, slangen, afgebeten koppen, vermoorde centauren, taferelen met geslachtsdrift, modder en bloed. Hij wees halfhartig naar een klein doek van een schemerig heuvellandschap.

Franz lachte luid. 'Deze? Echt? Waarom?'

Emilio schraapte zijn keel. 'Onze leermeester B. – God hebbe zijn ziel – liet ons zien dat de belijning waarmee een bergketen bij zonsondergang grenst aan de rozige lucht net zo verrukkelijk kan zijn als de glooiende vorm van een naakte vrouw...'

Franz keek hem met grote ogen aan. 'Mijn god, Emilio, ben je soms dichter geworden?'

Het welkomstdiner, later die avond, werd een eindeloos drankgelag en de volgende dag was Franz al vroeg op zijn studiereis vertrokken. Emilio ging aan het werk, met geleende spullen en vol goede moed na wat Franz had toegezegd allemaal voor hem in Berlijn te zullen regelen. 'Molenaarszoons helpen elkaar,' had hij pompeus herhaald. Het steeds ongemakkelijker verlopende gesprek in het atelier had daar kennelijk niets aan afgedaan. Emilio had echt geprobeerd zich in te houden, hij was zijn oude vriend dankbaar, maar hoe konden hun opvattingen over kunst, over vooruitgang, mensen, de wereld, ja eigenlijk over alles, zo ver uiteen zijn gaan lopen? En waarom had hij tijdens hun studie Franz' uitzonderlijke talent niet opgemerkt waardoor die nu het leven leidde van een grootindustrieel?

Als hij heel eerlijk was, zag hij het nog steeds niet.

'Goed,' had Franz ergens in het gesprek gezegd, 'we zijn het na al die jaren dus erg oneens. Maar maak je daarover geen zorgen, beste kerel. Jij hebt jouw ideetjes over kunst, ik de mijne. Ik vertrek morgen naar Griekenland en als ik over twee weken terugkom, is jouw Berlijnse bedje keurig gespreid.'

Dus had Emilio zich geen zorgen gemaakt. Niet over zijn faillissement, niet over zijn verblijf in de villa, niet over zijn aanstaande vertrek naar de onbekende Pruisische hoofdstad. Hij ging aan de slag met geleende schilderspullen en probeerde zo veel mogelijk te vergeten wat er was gezegd. Overdag, wanneer hij met zijn schildersezel op pad ging door de Münchense straten en deed wat hij het liefst deed, ging het allemaal prima. Hij schilderde. En 's avonds, terug in de villa, waren er andere dingen die zijn aandacht opeisten.

Het was elke avond hetzelfde.

Zodra de zware deur achter hem dichtviel bekroop hem een vreemd gevoel. Het was alsof een onzichtbare kracht het van hem overnam. Zijn voeten werden over de stenen mozaïekvloer getrokken, de ingewanden van het bouwwerk in, dwars door het zuigende, kloppende huis, de gangen door, de trap op, steeds naar die ene plek.

Mary's deur stond op een flinke kier. Ze zat in een zalmkleurige onderjurk in haar fauteuil bij het raam, de

haren los, en las in een onderuitgezakte pose een boek
– of deed ze alsof? Haar jurk lag uitgespreid op het bed.
Soms was haar boek gesloten en had ze haar ogen dicht.
In ieder geval leek ze Emilio niet te zien.

Wat deed ze daar? Moest hij toehappen? Wat was hier
de bedoeling van?

De eerste avonden hield hij moedig stand, trok zich
na een korte gluurpartij vertwijfeld terug in zijn eigen
kamer, vol schaamte over de begeerte die haar lichaam
in hem had opgewekt. Ter afleiding, als er die avond tenminste geen diner was, nam hij zijn toevlucht tot Franz'
opiumvoorraad. Na een paar keer inhaleren werd hij
weer heerlijk rustig, de opwinding verdween, een warme roes vol kleurige beelden nam het over. Hij wankelde naar de stoel voor het grote raam en keek naar buiten, naar de tuin en het pad waarover Franz vertrokken
was.

Het prachtige bronzen beeld van de speerwerpende
amazone te paard stond in het midden van de tuin. Hij
tuurde ernaar en inhaleerde nog eens diep; de verdo-
ving verspreidde zich door zijn benen en onderlijf. En
terwijl buiten de schemering inzette, wist hij het zeker:
die vrouwelijke ruiter was Mary. Hijzelf was het paard.
Met haar lange, donkere haren waaiend in de bries zat
ze boven op hem, het ene been languit bungelend in de
lucht, het andere strak opgevouwen tegen zijn flank.
Haar rechterhand greep zich vast in de paardenmanen.
Onder haar blanke huid schemerden kleine trillingen:
buikspieren die haar ondersteunden terwijl ze achter-
overleunde. Haar linkerarm was geheven en hield een
speer op Franz gericht.

61

De twee weken waren in een zucht voorbijgegaan. Franz was opgetogen en vol nieuwe indrukken uit Griekenland teruggekeerd.

'En, heb je mijn Amerikaanse lokvogel nog van je af kunnen slaan?' vroeg hij.

Emilio was verbijsterd. Hoe kon Franz dat denken? Hij zou zijn vriend niet verraden, nooit, wat waren dat voor insinuaties...

'Laat ik het dan zo zeggen. In deze villa gebeuren soms rare dingen. Maar niets wat mij verbaast. Zolang de buitenwereld er geen weet van heeft vind ik trouwens alles best. Ik zie dat ze je tot ander werk heeft geïnspireerd. Minder klassiek, minder gedetailleerd, niet zo pietluttig. Losser.'

Van zijn treinreis van München naar Berlijn herinnerde Emilio zich vooral het ritmische gepuf van de stoomlocomotief. Pal naast de stoker gezeten, helemaal vooraan in het zwarte, proestende monster, genoot hij van het pompende lawaai van de machine, waardoor hij niet hoefde te praten en bijna, bijna, bijna ook niet kon denken, dus ook niet aan haar, Mary.

Hij zou in Berlijn helemaal opnieuw beginnen. Het was voorbij, hij zou haar vergeten, Franz had hem op weg geholpen, precies zoals afgesproken, met namen, adressen, contacten – echt bijzonder fideel.

'De huur voor de eerste maand is betaald. De generaal zal je helpen aan je eerste portretopdracht. Daarna is het aan jou, verpest het niet.'

Zeker niet, hij was Franz dankbaar voor de geboden

kans en hij zou het niet verpesten – hij had het wel drie keer benadrukt. En geen vrouwen meer, dacht hij bij zichzelf, hoe moeilijk kon het zijn, Mary had hem niet voor niets 'mijn afstandelijke Italiaan' genoemd. Het was er bijna van gekomen, in het atelier, tussen Franz' doeken, op het kunstig geknoopte tapijt, maar Emilio had zich op tijd kunnen beheersen.

Geen vrouwen meer – in Berlijn zou hij zich richten op zijn andere, veel belangwekkendere maar tot nu toe onvervulde ambities. Zoals zijn overtuiging dat het wél kon: een zinderende ode schilderen aan de prachtige moderne tijd.

Franz had meewarig zijn hoofd geschud toen Emilio weer over zijn oude ambitie was begonnen. 'Portretten verkopen is al moeilijk genoeg, Emilio. Laat de meesterwerken toch aan de meesters over. Wees blij dat je een portretschilder bent, daar is altijd behoefte aan, net als aan kappers.'

'Maar ik weet zeker...'

'Jij met je lofzang op de moderne tijd. Ik zie echt niet wat er te bezingen valt – de wereld was, is en blijft verrot. Overal strijd. Ums Weib, ums Dasein. Maar daar hebben we het nu wel genoeg over gehad. Schluss.'

'Wij hebben duidelijk een andere visie op de vooruitgang.'

'Jij zegt het. Ik verkoop het.'

'Jouw wilde taferelen lopen goed, Franz, maar er is meer dan de verkoop alleen.'

'Kan mijn vriend de failliete portretschilder bij ons afscheid nog iets gezelligs bedenken, iets waar we wel hetzelfde over denken?'

Emilio had even getwijfeld. Mary, dacht hij.

'Vriendschap,' zei hij zacht, waarna Franz hem aller-stevigst had omhelsd.

HOOFDSTUK 6

Fonkelnieuwe stad

Emilio's voornemen om in Berlijn linea recta naar het adres van de generaal te gaan, vervloog al in de eerste seconden na aankomst van de trein. Nog voor hij zijn voeten van de treeplank op het perron had gezet, rook hij het: deze stad was fonkelnieuw, nieuwer dan de nieuwste plek waar hij ooit was geweest, nieuwer dan...

Es wird wie Chicago sein, had Mary gezegd.

In de dichte stroom reizigers liet hij zich meevoeren langs de wagons en de afblazende loc. Hij snoof de geuren op: olie, hout, zweet, kolen en parfum – genoot van de klanken die doordrongen vanaf de straat: geklop, getimmer, geschaaf, geklingel en geroep, geluiden van een stad waar werd gebouwd, verbouwd, opgebouwd, een plek die niet wilde rusten, nog geen halve seconde. En als hij niet door een haastige heer omver was gelopen, had hij nu een vreugdesprongetje gemaakt.

'O! Mi scusi!' Met zijn bolhoed weer stevig op zijn

hoofd bleef Emilio even staan. Hij sloot zijn ogen, liet de heerlijke chaos van de stationshal langs zich heen razen, het kwam van overal, ging alle kanten op. Zie je wel! Als hij ergens een spectaculair onderwerp zou vinden voor zijn doeken, dan was het hier. Hier zou het gebeuren, hij zou Franz eens wat laten zien.

Chicago.

Als een verbluft kind in een planetarium staarde hij naar de stenen plafondkoepels. Een Florentijns paleis, dat was het, maar dan een dat achter zijn antieke façade moderne wonderen verborg: vijf perrons voor de lange-afstandstreinen; een apart station voor de nieuwe metro en de *Strassenbahn*. En het mooist van al: een zend- en ontvangststation van de Berlijnse buizenpost. *Een ondergronds kaartje – snel en niet duur – Rohrpost bezorgt het binnen het uur!*

De aanmoediging op het plakkaat was aan het juiste adres: een uitstekend idee, vond Emilio. Hij spoedde zich naar het houten kantoortje links in de aankomsthal, kocht voor een paar centen een lichtroze kaart zoals op de reclame afgebeeld was, en daarmee meldde hij zijn komst 'zo rond het vroege avonduur' bij de generaal.

Vervolgens dwarrelde hij naar buiten, de Potsdamer Platz op, nog betoverd door de sissende compressoren en vacuümpompen die hij in de witbetegelde ruimte achter de toonbank van Rohrpost had gezien. Grinnikend keek hij naar zijn schoenen op het plaveisel. Het idee! Daar, onder zijn voeten, snelde zijn kaart hem vooruit. Ingepakt in een cilinder, met een snelheid van tien meter per seconde werd zijn bericht door het immense ondergrondse buizenstelsel gezogen (de juiste druk en de juiste kracht zijn essentieel, had de beambte hem trots uitgelegd), naar een ontvangststation in Charlottenburg, vanwaar een koerier het bij de generaal zou bezorgen.

Maar hoe daar zelf te komen? Emilio had geen flauw idee. En wat zou het, het was van later zorg, zo'n eerste middag in een nieuwe stad was om rond te dwalen, zijn route zou door indrukken worden bepaald – de enige benadering een groot kunstenaar waardig.

Hij wandelde over de Königgrätzer Strasse, via de Brandenburger Tor tot aan de oever van de Spree, waar hij niet verder kon. Hij dwaalde westwaarts, zag een zwarte dienstmeid, een heer op rolschaatsen, een postbode op een gemotoriseerde fiets, twee dames in een vis-à-vis, en overal was reclame: voor het hondentheater, voor het eerste vrouwelijke boksgala, voor de gratis broodjes bij Aschinger's Bierquelle.

Bij de Neue Wache werd hij omringd door vuile kinderen op blote voeten, hij zwaaide naar een kar vol immigranten uit het Oosten, kocht een *Berliner Morgenpost* bij een krantenjongen (goed voor zijn Duits!), las een bericht over de vliegmachine van Lilienthal. Hij liep een stukje met de melkwagen op langs de eindeloze huizenblokken, verbaasde zich over de helmen van de geüniformeerden (net porseleinen dekschalen!), stak drukke pleinen over en ontweek ternauwernood een dubbeldekker (die daarna rakelings langs een besnorde verkeersregelaar reed). Uiteindelijk belandde hij (had hij ooit eerder in een paar uur tijd zoveel geschikte onderwerpen bij elkaar gezien?) via de Friedrichstrasse op Unter den Linden. Daar op de hoek, had Mary gezegd, is dat heerlijke café Bauer. Daar moet je, als je tijd hebt...

Hij gluurde door de ruit naar binnen. Schudde meteen de idiote gedachte van zich af dat zij daar aan een tafeltje zat. Zij was in München; hij moest nu als een haas op zoek naar een presentje voor de generaal.

De entree van het Kaufhaus was een draaideur die sneller tolde dan verwacht en voor Emilio het wist, stond hij weer op straat. Maar eenmaal binnen, grote goden! Gefilterd daglicht stroomde door de glazen dakkoepel vijf galerijen omlaag. Langs de plafondhoge marmeren zuilen glinsterde het elektrische licht van de kroonluchters. Exotische palmen wuifden, net als de neerhangende witte draperieën, zacht mee op de bewegingen van het winkelende publiek beneden. Aan de arm van hun heer-met-hoge-hoed zweefden prachtige dames langs de uitgestalde luxeartikelen en naast elke vitrine stond een keurig winkelmeisje klaar om de moderne wensen van haar verdwaasde klanten te vervullen.

'Zoekt u een specifiek geschenk, mijnheer?'

Geschrokken legde Emilio de gouden armband terug op de zwartfluwelen houder.

'Ik eh...' Hij stamelde iets onverstaanbaars tegen de verkoopster – ze was een kop groter dan hij. De beide antwoorden die in zijn hoofd opkwamen waren even vreemd als ongepast. De generaal, Mary... wat stond hij hier eigenlijk te doen? Het met robijnen ingelegde col lier zou haar zo oogverblindend staan...

Beschaamd schudde hij zijn hoofd. 'Iets voor een heer,' mompelde hij.

De winkeldame glimlachte professioneel. 'Probeert u het eens op onze tabaksafdeling.'

Op weg naar de tweede verdieping raakte hij verstrikt in een doolhof van tapijten. Hij moest even gaan zitten; duizelig liet hij zijn vingertoppen over de zachtruwe wol glijden. Het donkere knoopwerk met de zwierige patronen leek sprekend op de perzen in het atelier van Franz, Mary's huid had er zo prachtig wit tegen afgestoken, als een eenzame zwaan op een versgeploegd aardappelveld, een tere sneeuwvlok in een...

'Zoekt u speciaal een Beloutsch?'

'Eh...'

'Ik heb hier ook een prachtige Dozar. Kijkt u eens, hoe vloeiend deze arabesken.'

Even volgde hij de gemanicuurde vingers van de verkoopster over de wollen patronen, schudde toen zijn hoofd.

'Misschien kunt u mij vertellen waar ik...'

'Is dit formaat te groot voor uw salon?'

'...de rookwaren kan vinden?'

Hij koos voor Egyptische sigaren in een kleine notenhouten kist; het paste net binnen zijn krappe budget. Voor café Bauer restte toen nog precies een halfuur, daarna liet hij zich door de invallende schemer van zijn laatste geld in een taxi naar Charlottenburg transporteren.

De generaal begeleidde Emilio zelf naar het atelier, helemaal op de bovenste verdieping van het herenhuis, onder het schuine dak. Een zwart-witte schaapshond draaide rond zijn benen, het dienstmeisje volgde met de koffer.

Emilio keek in de zolderruimte verbluft om zich heen. Alles wat een schilder zich kon wensen, was aanwezig. Een groot raam op het noorden, ezels, verf, doek, een uitgebreide penselenmat – dit was een vliegende start, waar had hij het aan te danken?

'U heeft uw eigen entree, het toilet is op de gang. De schilderijen van uw voorganger staan er nog, ik hoop dat het u niet ontrieft.'

'Ik ben u bijzonder erkentelijk.'

'Dankt u liever Franz, hij is u bijzonder goedgezind: dit materiaal staat hier dankzij hem.'

'Werkelijk?'

'En natuurlijk uw collega Lesser, die momenteel in Holland verblijft.'

De schilderijen van de tijdelijk afwezige schilder stonden kriskras door elkaar. De meeste werken toonden impressies van de grote stad: kunstlicht op een grijze winteravond; stoom van een locomotief; het vale schijnsel van gaslantaarns in de schemering. Steeds de geheimzinnige stemming van de moderne metropool. Er sprak dezelfde bewondering uit voor Berlijn als Emilio zelf, na amper een halve dag, ook al voelde, als een diepe siddering in zijn lijf.

'Ik laat u dan nu verder met rust?'

'O!' Nu de generaal aanstalten maakte om te vertrekken, herinnerde Emilio zich de notenhouten sigarenkist. 'Als blijk van mijn dank...'

De generaal tikte tevreden met zijn knokkels op de houten doos. 'Tabak! Da's goed tegen elke vorm van boze lucht. Een alleraardigste attentie, mijn beste, maar onnodig: met Franz was reeds een andere tegenprestatie overeengekomen.'

'Ah?'

'Heeft hij u niets gezegd?'

Emilio schudde verbaasd zijn hoofd.

'Wel wel... Maar u hoeft niet zo angstig te kijken hoor, meneer Rendich. Er is helemaal niets aan de hand: ik zal gewoon uw eerste Berlijnse portretklant zijn.'

'Juist!'

'Om niet.'

'Uiteraard.'

'Lesser heeft nooit tijd, vandaar. En los daarvan... ach, laat ook maar. Wat van belang is: als u aardig slaagt kunnen er vele opdrachten volgen.'

Hoewel Emilio na de lange reis uitgeput zou moeten zijn, had hij opeens weer energie voor tien. 'Als u wilt, generaal, beginnen we nu meteen met de eerste schetsen.' Hij pakte een potlood. 'Het hoeft heus niet lang te duren. Een schets, een eerste begin.' Hij zag ertegen op alleen te zijn.

Bij het schuine dakraam viel het laatste avondlicht mooi op het symmetrische gezicht van de rijzige militair. De generaal draaide wat onzeker met zijn schouders. 'Zoiets?'

'Perfect, Herr General. En u mag best praten.'

'Aha.'

Rendich zette het zachte potlood op het papier en merkte dat hij trilde. Hij was vermoeider dan hij dacht. Hij zou zich moeten beperken tot de contouren van het indrukwekkende uniform, de rest kwam later.

'Wel, Rendich, u komt hier op een werkelijk uitstekend moment. De nieuwe middenklasse is bijkans nog ijdeler dan de adel. Er is een onstilbare behoefte aan uw product. U bent geen Jood, neem ik aan?'

'Nee...'

'Mooi. En beste man, luister eens: het hoeft allemaal heus niet briljant te zijn. Liever niet zelfs. Dus Franz is een goede vriend van u?'

'Van de studie.'

'Kunstacademie?'

'Ik heb het niet afgemaakt.'

'Ach, dat zegt toch allemaal niets. Op het slagveld heb je ook niets aan diploma's. Moed, daar gaat het om, en inzicht.'

'Tsja...'

'Mijn vriend Walther, de domkop, moest zich zo nodig door de grote Munch laten portretteren. Dat heeft hem een lieve duit gekost, maar nu is hij op dat doek ontegenzeggelijk een akelige vent! Dat komt ervan, als je je door een grote naam laat schilderen. Nu zien we opeens wat er onder de oppervlakte zit... Dat wil niet iedereen thuis aan de muur.'

'Mijn portretten,' zei Emilio beteuterd, 'worden om hun levensechtheid gewaardeerd.'

'Juist! Zoiets heeft Franz mij inderdaad verteld. Met alle respect, zei hij erbij.'

Emilio probeerde een rechte lijn te trekken, maar zag Franz' glimlachje voor zich. *Laat de meesterwerken toch aan de meesters over.*

'Franz is een prima kerel natuurlijk. Het is niet niks wat hij hier voor u heeft laten neerzetten. Vormt met zijn vrouw een charmant koppel, uitermate charmant.'

'Mary...'

Mijn god, daar was ze. Sinds zijn aankomst in het herenhuis had Emilio niet aan haar gedacht, niet echt, maar nu was ze weer levensgroot in zijn hoofd, loom zittend in haar stoel, hem van opzij aankijkend. Zo zou hij haar ooit nog willen schilderen. Hij had haar in München in houtskool geschetst, en al had ze er zelf om gevraagd, hij was blijven zitten met het gevoel dat hij iets onbetamelijks had gedaan.

'Vrouwen, daar heeft Franz kijk op. Al is ze wel wat oud. Zeg, bent u eigenlijk nog wel aan het tekenen?'

'Eh...'

'Maar dat wereldbeeld van hem... Ik ben het op belangrijke punten hartgrondig met hem oneens.'

'...'

'Ik ben natuurlijk maar een eenvoudige generaal en dat bepaalt mijn kijk op de zaken, maar feit is: met de juiste militaire training maak ik van ieder mens een machine. Franz, die ziet dit soort dingen geloof ik heel anders.'

'Die ziet de mens meer als een dier.' De zin floepte eruit voor Emilio er erg in had. Hij had er meteen spijt van, maar voor de generaal werkte zijn opmerking als de ontsteking van een lont.

De militair greep naar zijn hoofd, vergat dat hij stond te poseren. 'O, dat belachelijke credo van hem! De mens als beest! Klinkklare onzin! Weet u, mijnheer Rendich: discipline, daar draait het allemaal om, niets anders dan dat. Mijn rekruten hebben het allemaal in zich. Met de juiste training maak ik er geoliede vechtmachines van! Dus als Franz volgende keer weer begint over de macht van het zogenaamde Eros, het onderbewuste als leidende kracht, dan zeg ik: quatsch! Komt u maar eens kijken op mijn Exerzierplatz. Mijn officieren hebben het er in een paar dagen uit en na een paar weken reageren de jongens op louter die ene impuls...'

'Ehm, generaal? Kunt u misschien weer terug op uw plaats gaan staan?'

'...namelijk het bevel van een hogergeplaatste. Sonst ganz und gar nichts.'

'En kunt u proberen een heel klein beetje te ontspannen?'

De generaal draaide wat met zijn schouders, vouwde toen zijn handen mopperend voor zijn buik. 'Eros als Grundlage, ha! Het zou me toch een mooi boeltje worden.'

'Inderdaad, ja, dank u, zo.'

'Kent u Von Clausewitz? Ieder mens, met de juiste training...'

'Fijn, Herr General, maar wilt u nu...'

'...kan een wezenlijke schakel vormen van een gigantisch kunstwerk. Een waarvan hij zelf...'

'...alstublieft, heel eventjes...'

'...de omvang niet kan zien omdat het te groot is, te...'

'...niet meer praten?'

De generaal keek verrast opzij. 'Franz zei ook dat u een soort aparte ambitie heeft. Een die ik wel zou begrijpen. "Met de geschiedenis mee schilderen" – zo noemt u dat, geloof ik?'

'Eh...' Emilio voelde zich betrapt. Hij kon het gesprek bijna horen; hoe Franz had gezegd dat die Italiaan een lieve schat was, een naïeveling. Een tweederangs kunstenaar die was blijven steken in de gedetailleerde stijl van de oude meesters. Vooruitgangsromanticus. Failliet bovendien.

'Ik wil zo graag de andere, de mooie kant van de wereld laten zien... Ik zie echt niet waarom het niet zou kunnen, hier, in Berlijn.'

Het kwam er bedremmeld uit maar de generaal glimlachte bemoedigend, ja zelfs instemmend, en knikte zo hevig dat Emilio moest stoppen met het schetsen van zijn lippen. De militair gaf een harde klap op de vensterbank. 'Rendich! U bent een man naar mijn hart. Een man met een missie en ik ben het volkomen met u eens. Het is goed dat u juist naar Berlijn gekomen bent. Er zijn grootse dingen gaande in dit land. Het is alleen treurig dat sommige van die zogenaamde kunstenaars het niet willen zien.'

HOOFDSTUK 7

Dit is het

Voor de generaal naar zijn souper vertrok, draaide hij zich in de deuropening nog een keertje om.

'Luister, Rendich. Morgenochtend, bij het krieken van de dag, halen mijn officieren de nieuwe rekruten af van het station. Ze worden ingekwartierd, meteen daarna kunt u getuige zijn van hun eerste appel. Onder mijn leiding! Mis het niet, het is de laatste keer voor mijn pensioen, Gertrude zal u wekken.'

Emilio knikte beleefd. 'Natuurlijk. Goedenavond, generaal.'

Het was nu helemaal donker buiten en doodstil in huis. Emilio ging met zijn handen gevouwen onder zijn achterhoofd op het bed liggen en keek om zich heen. Hij had honger, maar probeerde er niet te veel aan te denken; als hij rustig bleef liggen viel het vast wel mee.

Hij keek naar Lessers schilderijen, die kriskras tegen de muur stonden. Veruit de meeste doeken stelden de stad voor en waren nog niet af. Dat gaf ze juist een enorme kracht. Ze waren, dacht Emilio, net als de wereld: *bijna perfect*. Maar zo overrompelend mooi als zijn stadsgezichten waren, zo middelmatig waren de portretten. De afgebeelde dames en heren waren niet meer dan uit kleurige vlakken opgebouwde objecten. Er zat geen leven in, geen karakter, niks. Dat, constateerde Emilio tevreden, kon hij zeker beter.

Hij sloot zijn ogen, probeerde zijn rommelende maag niet te voelen. Franz had werkelijk verdomd goed voor hem gezorgd. Berlijn, een uitrusting met alles erop en eraan, hij zat hier geramd. Zag een heel nieuw leven voor zich, een eigen atelier, een snelgroeiende klantenkring...

Laat de meesterwerken toch aan de meesters over.

Hij probeerde zich de ideale compositie van het portret van de generaal voor te stellen: in galakostuum, dat zou indrukwekkend zijn. Maar misschien kon hij hem ook in actie schilderen. Dan moest hij, als een vlieg op de muur, eens mee naar zo'n belangrijke bijeenkomst. De generaal tussen collega-hooggeplaatsten gadeslaan, ja, dat zou niet alleen de sfeertekening ten goede komen, maar zeker ook Emilio's klantenkring, misschien dat hij morgen op de Exerzierplatz meteen een visje uitwerpen kon.

Een man met een missie, dat was hij dus nu. De generaal had het zelf gezegd. Het was alsof hij met Franz een tweegevecht aanging: al wat deze nieuwe stad in haar vaart vooruit stuwde, waardoor het hier borrelde, ronkte, klopte en groeide, zou hij met zijn verf naar de oppervlakte halen. Mensen, dieren, machines – hij zou zeker teruggaan naar de buizenpost, het liefst ook ondergronds. O, er was hier zo veel om vast te leggen – geduld in nijvere mensenhanden, tomeloze denkkracht, grenzeloze overtuiging, het geloof in energie, de vastberadenheid... nou ja, dat soort dingen. En wat daaraan voorafging. Want was dat niet het mooist van al: de eenzame worsteling van een briljante geest, ruim voordat de wereld diens inzichten accepteert? Het zweet van de eenling, dat anders onzichtbaar blijft? De discipline achter genialiteit, de vertwijfeling achter toewijding, de pijn van de doorzetter? Kortom, het verborgen verhaal uit de geboortekamer van de vooruitgang?

Hij werd wakker van de rauwe klank van zijn eigen stem, gesmoord door een dikke rochel. Met zijn kleren aan lag hij boven op de dekens. Zijn verhemelte smaakte naar dode rat, zijn handen en voeten waren ijsklompen. Er was het beklemmende gevoel van een nachtmerrie en de misselijkmakende geur van gebakken eieren met spek. Het was al licht. Werd daar geklopt?

Hij gromde iets wat kennelijk als instemming kon worden beschouwd, want de deur veerde open. Vanuit de deuropening zette iemand (het dienstmeisje?) een lampetstel op de lage kast. Hij ging rechtop zitten. Nu stond ze opeens met een dienblad bij de tafel. De zwartwitte schaapshond draaide om haar benen.

'Uw ontbijt, mijnheer Rendich, met de complimenten van de generaal. Die is voor zonsopgang al naar de kazerne vertrokken. Hij verwacht u daar straks.'

De vette baklucht deed hem bijna kokhalzen.

'Prettige zondag,' zei ze met een knicksje. 'En ik heet Gertrude, niet Mary.'

De lege tram roffelde vrolijk oostwaarts over de rails, de rijzende ochtendzon kleurde de huizen felgeel. Hoewel hij hier nog maar één dag was, herkende hij al van alles: de Spree, Slot Monbijou, de Haeckische Markt... Hoe dichter hij het centrum naderde, des te meer leven er te zien was, zelfs op de vroege zondagochtend. En daar was de Alexanderplatz al.

'Met de S-Bahn kan het niet missen,' had de generaal gezegd. 'Overstappen op de Alexanderplatz, uitstappen op het eindpunt. Naast het station is een groot plein met een eenzame populier. Dat is de Exerzierplatz – kunt u dat onthouden?' Natuurlijk kon Emilio het onthouden. S-Bahn, eindpunt, plein met eenzame populier!

De tweede tram reed langs een draaibrug in werking, een fietsles en een demonstratie van een grammofoon. Emilio's opwinding van de vorige dag was meteen terug. Hij wist het zeker, Franz had ongelijk: een goede schilder heeft de wereld wel degelijk nodig.

Emilio had de naam van de halte zeker onthouden. Maar nu had hij gewoon even geen flauw idee waar hij was. De huizen waren hier lager, de ramen minder hoog, een buitenwijk – waar was hij eigenlijk beland?

'Scusate, deze tram gaat toch naar de Exerzierplatz?'

Een adolescent boog zich behulpzaam voorover. 'Welke Exerzierplatz bedoelt u precies?'

De naam, dat was nou vervelend, was hem even ontschoten.

'Tempelhof misschien, aan het eind van de Katzbach-straat?'

Nu bemoeide ook een lange heer met hoge hoed zich ermee. 'Katzbach, dat is een Übungsplatz voor pioniers.'

'De Ulanenkazerne? Dan is dit wel de verkeerde tram.'

'O...'

'Weet u misschien het legeronderdeel? Artillerie?'

'Ehm...'

'Er is ook een oefenterrein in Treptow.'

De tram boog scherp naar links en de reizigers moesten zich vastgrijpen aan de lederen plafondlussen. Emilio was zijn oriëntatie helemaal kwijt. Hij had geen plattegrond, en ook geen idee of de Exerzierplatz waarnaar hij op weg was zich in het noorden bevond, of in het zuiden of waar dan ook.

'Er is daar een plein met een boom...'

'Meneer bedoelt natuurlijk de vredeseik!'

'Maar die staat in het westen!'

'Daar is geen kazerne!'

'Hoe weet u dat zo zeker, met alle respect?'

'Pardon,' klonk het kortaf. Een slanke jongedame wrong zich tussen de kibbelende heren door naar de uitgang, die van de weeromstuit vergaten om haar de hand te reiken bij het uitstappen. Beschaamd keken ze haar na.

De zwarte krulletjes in haar lange hals, de lage schouders, de rechte rug. Emilio had de dame niet eerder zien zitten. Maar nu ze op de halte sprong zag hij opeens hoezeer ze, althans van achteren, op Mary leek. Onwillekeurig, net voor de tram weer optrok, schoot hij tussen de mannen door van de treeplank af. Ze keek hem geschrokken aan toen zijn voeten naast de hare op de halte landden. Natuurlijk was het Mary niet. Ze slikte een vloek in en stiefelde met boze passen op haar rijglaarsjes naar de overkant van de straat, haar rokken oplichtend en om zich heen blikkend alsof ze aan een groot gevaar was ontsnapt. De tram reed tingelend weg.

'Hier is het niet, hoor!' riep de man met de pet hem vanaf het achterbalkon nog toe.

Emilio kon zich wel voor zijn kop slaan. Rheinsberger, Arkonaplatz... de straatnamen zeiden hem werkelijk niets. Hij had geen idee welke richting de Exerzierplatz was en één ding was zeker: hij zou de generaal meteen op deze eerste dag al teleurstellen. Welke kant moest hij op? Gelukkig was het aardig weer. Hij dacht na: op dit uur moest hij de zon schuin linksachter in de rug houden en dan zou hij vanzelf weer tegen de Spree aan lopen, dat had hij op de heenweg wel gezien. En ergens zou een brug...

Vreemd. Een zondag, dit vroege uur, vanwaar opeens deze drukte? De mensen in de straat liepen allemaal dezelfde kant op. Velen hadden een opgerolde krant in de hand, anderen keken gespannen op hun horloge. Hier zou iemand hem toch wel kunnen vertellen welke kant het op was? Ja, iemand moest het weten, dan kon hij alsnog aan de slag, gelukkig was er nog tijd. Maar waar spoedden die zondagse lui zich toch allemaal zo gehaast naartoe? Emilio liep een stukje met de stroom mee, een hoek om, langs een kerk, waar een uitgaande mis de mensensliert aanvulde. Iedereen draafde dezelfde kant op, hij liep met hen mee, onder de poort van een appartementencomplex door, het ging als vanzelf, een onbekende binnenplaats op, het was zondag, hij had de tijd, het kon wel even.

Als je Emilio Rendich zou vragen naar zijn indruk toen hij voor het eerst de binnenplaats van Griebenowstrasse 10 op liep, zou hij zeggen dat het was 'alsof hij werd geschilderd'. Alsof hij een ansichtkaart, een andere werkelijkheid betrad, die elders, door een onzichtbare kunstenaar met een onzichtbaar penseel, getekend werd. Dat het was alsof zijn lijf werd opgelicht en over de stenen van de binnenplaats zweefde, steeds hoger tot hij alles in een flits van boven zag: een vierkant begrensd door vier hoge muren. Hoofden met hoeden. Een grijze man in een wit jasschort. Een man als een circusdirecteur met een dikke buik boven aan de trap – allen verzameld rond een glanzend zwart paard.

Emilio belandde in de menigte op de voorste rij. De keurige heer naast hem keek beurtelings op zijn zakhorloge en in zijn krant, en knikte hem vriendelijk toe. Of hij het krantenartikel even lezen mocht? Natuurlijk! Na lezing mompelde Emilio: 'Bizar. Een rekenend paard? Heb ik het Duits wel goed begrepen?'

'Bizar is het woord en met uw Duits is weinig mis.'

Toen was het schouwspel begonnen. Al snel vergat Emilio dat hij op weg was naar het militaire oefenterrein, want deze opvoering, show, demonstratie... hoe moest hij het noemen?

Hij aarzelde niet toen Schillings iemand uit het publiek om medewerking verzocht. Hij viel van de ene verbazing in de andere en bleef tot het einde en nog langer. De oude baas was toen al spoorloos verdwenen maar hij had nog lang met Schillings nagepraat: een man die van een groot scepticus in de grootste voorvechter was veranderd, heilig gelovend in de bijzondere talenten van dit vreemde dier.

Emilio had daarna helemaal niet meer naar de Exerzierplatz gezocht, hoewel Schillings hem vertelde dat die vlakbij was. Maar het had geen zin meer, het was te laat. Alleen de eenzame populier zou er nog staan om te schilderen. Even kwam een gevoel van onheil en paniek over hem; hij was zijn eerste afspraak met de generaal misgelopen. En toch, de hele wandeling terug naar huis had hij een grote grijns op zijn gezicht. Mary zou dit moeten zien! En Franz! En de generaal! Hij zou het de hoge militair vertellen, het was te mooi voor woorden: terwijl Zobel op de Exerzierplatz mensen in machines omtoverde, ontpopte zich op de binnenplaats een paard als denkend dier, rekenend, spellend, zichzelf corrigerend en feilloos communicerend met zijn oude baas...

De exacte betekenis van het vreemde tafereel dat hij zojuist had gezien, kon Emilio niet direct onder woorden brengen, maar één ding was zeker: dit was groots. Morgen zou hij meteen teruggaan, met zijn schilderspullen, bij het krieken van de dag.

HOOFDSTUK 8

Feiten

Na het onverwachte bezoek van de schilder, daags na het zondagse optreden met Hans, probeerde Von Osten de les te laten verlopen zoals altijd, maar het wilde meteen al niet. Steeds klonk de echo van de woorden van de Italiaan.

Copernicus.

Hij had de schilder verdorie weggejaagd!

In de stal bedacht hij wat hij hem had moeten zeggen, de kleine Italiaan met zijn grootse woorden en nog grotere gebaren. Hij had hem op de feiten moeten wijzen. Koele, keiharde feiten – die waren er tenslotte genoeg.

Hij, Wilhelm Von Osten, nakomeling van een Oost-Pruisisch geslacht, was net als de grote middeleeuwse denker geboren in Thorn. Zijn geest was gerijpt op dezelfde vruchtbare bodem als de grondlegger van de moderne astronomie – dat kon geen toeval zijn! Natuurlijk geloofde hij als geen ander in Hans' verrichtingen.

Waarom gaf hij er anders zijn laatste jaren aan?

Hij had de Italiaan moeten uitleggen waarop het allemaal gebaseerd was. Hoe hij proefondervindelijk en heel geleidelijk had ontdekt waartoe zijn paarden in staat waren. Hoe ze zelfstandig steeds complexere situaties konden inschatten, en zonder instructie handelden op basis van ervaring, bijvoorbeeld in het verkeer.

En dan de wetenschap! Die had ook niet stilgestaan. Inmiddels was breed bekend dat het verschil tussen mens en dier veel kleiner was dan altijd werd gedacht. Darwin, daar had hij het met de schilder over moeten hebben, en Lamarck, natuurlijk, maar van nog groter belang was landgenoot Haeckel – de enige serieuze wetenschapper die had toegezegd hem met een bezoek te zullen vereren, ooit.

Hij had de Italiaan Haeckels prachtige illustraties moeten laten zien, vooral die van verschillende soorten embryo's. De schilder zou niet weten wat hij zag: de platen waren behalve instructief ook bijzonder kunstig geschilderd, nota bene door de wetenschapper zelf. De Italiaan zou het belang ervan misschien niet meteen begrijpen. Von Osten zou het hem uitleggen, samenzweerderig fluisterend, misschien wel in zijn oor.

'Kijk eens hier,' zou hij hem onderwijzen. 'Deze afbeeldingen zijn embryo's van totaal verschillende dieren: een ongeboren vis naast een salamander, een schildpad, een kip, een varken, koe, konijn, en een mens: allemaal drie weken oud. Wat zeg je, Emilio? Je vindt het moeilijk om verschil te zien? Precies! Want hier, in de eerste weken van hun ontstaan, is sprake van totale eenvormigheid. En als al die dieren in aanleg hetzelfde zijn, in den beginne ook niet afwijken van de mens, dan zijn zij derhalve ook tot hetzelfde in staat... logisch toch, Rendich?'

De Italiaan zou zich misschien even op het hoofd krabben. Zich hardop afvragen hoe deze verborgen aanleg in zo'n dier naar boven te halen.

'Dierenonderwijs, Emilio.'

Von Osten zou hem het lesprogramma uit de doeken doen dat hij met Hans de afgelopen jaren doorlopen had.

'Het lijkt de lagere school wel,' zou de schilder verbaasd zeggen, bladerend door de schriftjes met sommen.

Daarna zou Von Osten de zaak nuanceren: 'Begrijp me niet verkeerd, niet ieder dier is hiertoe in staat, het is iets gradueels. Paarden staan bovenaan, net als honden. Dat wij ons nu zo verbazen over de kunsten van mijn Hans, komt louter en alleen doordat niemand het ooit eerder serieus heeft geprobeerd.'

'Tot nu toe dan,' zou de schilder zeggen.

Daarna zouden ze de implicaties bespreken, niet alleen voor de wetenschap, maar ook voor de Kerk. Er moest heel omzichtig te werk worden gegaan, grote ontdekkingen waren meestal helemaal niet welkom, zoveel leerde de geschiedenis wel. Ze wisten toch hoe het Darwin was vergaan? En broeder Mendel, en Haeckel? En Copernicus, hadden ze hem soms meteen geloofd?

Von Osten kreeg het warm en koud tegelijk. De Italiaan kon een partner zijn, hij was een man van de kunst, die zaten vaak dicht op de wetenschap.

Hij had hem verdomme weggestuurd.

De binnenplaats leek kleiner dan anders. Het was alsof de muren bewogen en steeds weer zag hij de kleine Italiaan voor zich, hij stelde zich voor hoe hij de schilder onder al zijn wetenschappelijke informatie had kunnen bedelven, en hoe die bewonderend stil zou vallen, slechts nog het hoofd met het zwarte haar op en neer zou schudden, ongelovig knikkend, exotische woordjes prevelend.

'Hé!'

De tafel viel om; Hans was ertegenaan gestapt.

De volledige inhoud van de letterkast lag nu op de grond, naast de lege koffiebeker, die op de stenen in stukken gevallen was.

'Verdikkeme, Hans!'

De oude man begon de letters op te rapen en probeerde ze op volgorde terug te krijgen in de letterdoos, maar het werd hem zwart voor de ogen en hij moest zich vastgrijpen aan de tafel om niet onderuit te gaan.

'Gaat het, Herr Von Osten?'

'Niks aan de hand, Frau Piehl.'

Misschien, dacht de oude man met tegenzin toen hij weer stevig op zijn benen stond, had Schillings toch gelijk. Moest hij het inderdaad eens proberen: een beetje ontspannen.

Hij kon de stad in gaan, voor het eerst in meer dan een halfjaar. Hij zou meteen Frau Piehl vragen zijn woning op de vierde eens met de zeepklopper onder handen te nemen; hoe lang was dat wel niet geleden?

'Hebt u vanmiddag tijd, Frau Piehl?'

'Ach! Herr Von Osten, ik wilde u net vragen of...'

'Mijn woning is aan een schoonmaakbeurt toe.'

'Maar mijn was...'

'Perfect. Dank u. En neem de tijd, ik ben pas laat terug.'

Voor het eerst in maanden spande hij Hans voor de wagen en stuurde hem onder de poort door naar links. Hij hoefde het dier nauwelijks te mennen, het kende de weg. Vanaf de bok verbaasde hij zich over het aantal automobielen. Berlijn was duidelijk veranderd; je moest inmiddels verdomd goed opletten waar je reed. Wat moesten de mensen toch met zo'n ijzeren machine? Zou de schilder soms gelijk hebben, zou het paard verdwijnen? Zo'n zacht en warm dier dat zelf kon denken: Hans schatte zelf exact in of hij een bocht kon nemen of niet. Dat moest hij zo'n gemotoriseerd stinkding nog maar zien doen. En dan dat lawaai! Heel Berlijn was ervan vervuld.

Onder de stalen constructie van het treinstation in de Friedrichstrasse dook hij onwillekeurig ineen op de bok. Hier kolkte een heksenketel van stank, rook en gebrul. Paarden, karren, mannen en motoren, het lawaai viel hem van alle kanten aan, ook van boven. Daar leidde het spoor de stoomtreinen over de straat, hun roetsluiers vlijden zich als stinkende pluimen over fietsen, koetsen, trams en bussen, hun pompende gebrul weerkaatste tegen het steen en staal van de muren.

De likeurverkoper aan de Haeckische Markt was het hartgrondig met Von Osten eens. Boven de toonbank waarop hij zijn periodieke Obstler-bestelling in vloeipapier rolde, schudde hij zijn hoofd: de drukte was krankjorum, het aantal ongelukken dat hij voor zijn winkeldeur had zien gebeuren, was de afgelopen maand hoger dan in alle voorgaande jaren tezamen.

'Anders nog iets?'

'Nee.'

'Weet u het zeker?'

'Nou... heeft u misschien nog een flesje van iets... Italiaans?'

Het werd een grappa, en daarna had Von Osten de Zoo bezocht. Hij keek naar de dieren en naar de mensen en weer naar de dieren, en kreeg toen zo'n vreselijke dorst, heerlijke dorst. In een café in de Friedrichstrasse lachte hij om een grap van de kastelein en dronk meer bier dan goed voor hem was.

Pas op de terugweg naar de Griebenowstrasse, licht beneveld hobbelend op de bok, dacht hij er weer aan: *Copernicus.*

Zou het echt?

De schilder was natuurlijk geen wetenschapper. Hij hoorde, welbeschouwd, bij het verkeerde publiek: sensatiezoekers, dagjesmensen, zondagse wandelaars, opgetutte dames, niet bij de serieuze heren van de wetenschap (waartoe de dierenpsychologie tenslotte behoorde). Von Osten kende hun namen: Stumpf, Ziegler, Claparède, moderne zoekers naar waarheid en vooruitgang, kerels die daarvoor desnoods bereid waren om hun wereldbeeld geheel te herzien. Tot nu toe hadden ze hem allemaal genegeerd, een opgewonden portretschilder zou daar geen verandering in brengen. En toch, hij wist niet waarom – met de onverwachte komst van de Italiaan leken de kaarten opnieuw geschud.

HOOFDSTUK 9

Het verhaal doet de rest

Emilio Kendich, op zijn beurt, besloot om zich na zijn bezoek aan de binnenplaats eerst eens grondig te bezinnen in zijn Charlottenburgse atelier. Even pas op de plaats te maken. Dan pas terug naar de Griebenowstrasse. Dat had niets te maken met het norse gedrag van Von Osten, die hem zo abrupt en zonder lunch de deur uit had gezet. De oude man was duidelijk in verwarring. Dat begreep Emilio wel, er waren tenslotte grote woorden gesproken. Copernicus – waar had hij zijn overtuiging eigenlijk vandaan gehaald? De naam van de middeleeuwse denker had eerst minutenlang in zijn maag liggen kruien – een misselijkmakend gevoel dat hij kende van de momenten voordat zijn hand een perfecte lijn op het doek wist te treffen. Daarna waren de letters in zijn mond tot explosie gekomen. Maar *wat* had hij op de binnenplaats nou eigenlijk precies gezien?

Hij besprak de zaak met de generaal in de salon van

het herenhuis. Zobel bleek ook van het intelligente dier te hebben gehoord en meende stellig – als levenslang paardenkenner – dat het zeker wel mogelijk was. Althans, niet onmogelijk. Generaal Zobel sloot als het om dierenintelligentie ging überhaupt niets uit. 'Zeg nou zelf, de grens tussen mens en dier is toch domweg onbekend?' Soms had hij het gevoel, zo vertrouwde hij Rendich toe, dat zijn hondje Nora de dingen beter begreep dan al zijn officieren bij elkaar, en wat spijtig nou toch dat Rendich niet tijdig op de Exerzierplatz was aangekomen. Volgende keer moest hij Nora meenemen, die kende de route op haar duimpje.

De militair liefkoosde de lange oren van de zwart-witte schaapshond aan zijn voeten en verzonk een moment in bedachtzaam zwijgen. Emilio zag een rimpel in zijn voorhoofd trekken en even had hij het gevoel dat de generaal hem iets kwalijk nam, hij haalde al adem om zijn eerder geuite excuses voor het niet verschijnen op de Exerzierplatz te herhalen, maar nog voor de eerste klank van zijn lippen gleed, nam de generaal weer het woord, tot Emilio's opluchting zonder het geringste spoortje van verwijt: 'En tussen u en mij, mijnheer Rendich: die grens willen we misschien ook liever niet kennen. Want als dieren net zo slim zijn als mensen, slimmer misschien, wat voor wereldorde krijgen we dan?'

Emilio had geen idee.

'Wat denkt u, mijnheer Rendich, waarom weigert men tot nu toe in te gaan op Von Ostens verzoeken om een wetenschappelijk onderzoek? Wat zijn dat voor feiten, die men liever niet onderzocht wenst te zien?'

'Ehm...'

'Ik word daar enigszins filosofisch van. Dan ›
me af: wanneer is iets eigenlijk waar? Als de wetenschap
het heeft bewezen? Als genoeg mensen erin geloven? Of
als de júíste mensen het geloven?'

'Ik...'

'Misschien, mijnheer Rendich, is dit allemaal te diep-
zinnig voor u, maar kan iets ook in stilte waar zijn? In
volledige anonimiteit? Een niet bewezen, niet gezie-
ne onomstotelijkheid, bestaat dat? Nou? Of wordt een
waarheid pas geldig wanneer ten minste één mensen-
oog het opmerkt en benoemt? Met andere woorden: bestaat waarheid alleen dan, als ze waargenomen wordt?
Wat kijkt u wazig, mijn beste?'

Emilio aarzelde. Ja, dergelijke vragen, of iets wat erop
leek, stelde hij zichzelf ook wel eens. Maar dan betrof
het iets anders: de raadselachtige wijze waarop de zogenaamde 'meesterwerken der schilderkunst' werden ge-
definieerd. Kunstcritici brulden soms 'Geniaal!' alsof ze
een natuurwet hadden toegepast, maar Emilio was ervan overtuigd dat een middelmatige voorstelling door
velen subliem werd gevonden omdat die op het juiste
moment en door de juiste persoon zo was benoemd.
En, zo vreesde hij, vice versa: dat een geniaal werk in
volstrekte miskenning verstofte.

'Weet u, Rendich, alles begint met waarneming, niet
zozeer bij de feiten. En dan: benoemen en herhalen. Zo
wordt het vanzelf waar. Dat is tegenwoordig een vak,
wist u dat? Het heet reclame.'

'O?'

'In de krijgskunst kennen wij iets vergelijkbaars: doel-bewust misleiden van de vijand. Desinformatie. Bewe-ringen hebben het meeste effect wanneer ze niet kun-nen worden gestaafd, wist u dat? Op het slagveld werkt het net zo. Maar de beste reclame, dat weet elke zaken-man, is een rapportje van een of andere wetenschappe-lijke commissie.'

Reclame, wetenschap... Emilio kreeg het warm. Hij ging rechtop zitten. Het idee dat er een verband bestond tussen schilderkunst, genialiteit, waarheid, krijgskunst en reclame, dat het op een of andere manier allemaal in een grootse redenering met elkaar verbonden was...

De precieze aard van het verband ontglipte hem, maar hij kreeg opeens een idee. 'Vergezelt u mij dan een dezer dagen eens naar de binnenplaats, Herr General?'

De hoge militair knikte welwillend, zei dat enerzijds al veel eerder te hebben willen doen, maar anderzijds... Hij draaide weifelend aan zijn snor. Hij moest zich zorg-vuldig op Rendichs voorstel beraden. In verband met zijn reputatie – dat begreep de schilder toch zeker wel?

Toen de generaal met zijn hondje vertrokken was, sloot Emilio zich op in zijn zolderatelier, zei tegen Gertru-de hem verder niet te storen omdat hij aan iets groots moest beginnen. Iets van een andere orde, een werk dat een totaal andere aanpak vereiste, die van een groot kunstenaar. Hij pakte zijn kwasten en stelde zich op voor zijn lege doek.

'Soms begin je aan een nieuw werk met slechts een vaag vermoeden van haar grootsheid,' had professor B.

hem op de academie eens gezegd. 'Dan kun je maar één ding doen: beginnen. Sluit je op met je visioen en laat niemand binnen, zeker de werkelijkheid niet: laat die aan de andere kant van de deur haar slachtoffers maar maken. Jij gaat iets onzichtbaars zichtbaar maken, de natuur op haar geheimen betrappen.'

Dus Emilio begon en raakte in de ban van iets. Hij werkte aan één stuk door, merkte niet dat hij honger en dorst kreeg, de lunch en de middagthee bleven onaangeroerd voor de deur staan, en toen hij aan het eind van een lange werkdag het resultaat bekeek, had hij een licht beschonken, tevreden gevoel.

Het huis was helemaal stil geworden. Hij staarde naar zijn doek. Een man, een paard, een schoolbord.

Hij beet op zijn lip. Was dit het?

'Levensechtheid is geen kunst,' had professor B. gezegd, 'dan kopen we wel een raam om doorheen te kijken.'

Emilio knikte in het niets en verbeet zich. Hij moest constateren dat hij weer niet verder was gekomen dan een aardig plaatje. De afbeelding was er, maar het mysterie zat er niet in. Hij gooide zijn kwasten neer en veegde zijn handen af en dacht, zie je wel, ik kan het niet, ik moet hier weg, nu. Hij struikelde over twee dienbladen die voor de deur in de gang stonden, boog zich voorover en schrokte op de trap de kaas van de dikke boterham.

Buiten in de koele schemering kwam hij weer bij zinnen. Hij keek naar zijn met verf besmeurde handen en pas toen drong de betekenis van de woorden van de generaal tot hem door. Reclame, wetenschap. *Hoe* hij dit paard schilderen zou, was nauwelijks van belang. Het ging erom *dat* hij het schilderde. Het verhaal zou de rest doen. Een ijzersterk verhaal, opgetrokken uit de woorden van een generaal – reclame van het beste soort.

HOOFDSTUK 10

Het woord van een man in uniform

Het duurde een dag of tien, toen verscheen de schilder opnieuw op de binnenplaats, vergezeld door een lange heer in het uniform van een Pruisisch militair.

'Herr Von Osten – dit is General Zobel. Herr General – dit is Von Osten.'

Handen werden geschud, hielen klakten tegen elkaar. Het wonderlijke drietal schaarde zich rond het paard: de keurig geklede schilder met bolhoed, de strenge militair vol tressen en de rommelige oude baas in zijn smoezelige jas.

Von Osten leek blij verrast om de schilder weer te zien. 'Frau Piehl!' riep hij naar het raam op de eerste verdieping, 'drie koffie graag!'

Zobels interesse voor Hans was naar eigen zeggen 'puur wetenschappelijk van aard' en 'aangewakkerd door de aanstekelijke verhalen van onze gemeenschappelijke Italiaanse vriend alhier' – hij knikte naar Rendich – 'sinds kort mijn nieuwe artistieke huisgenoot in ons mooie Charlottenburg.'

Rendich glunderde tevreden.

De oude baas draaide speciaal voor het bezoek een kort programma af, een mooie serie, al zei hij het zelf, optellen, aftrekken en kleurherkenning – alles foutloos. De generaal bleek zeer geïnteresseerd. Na afloop sprak hij zijn oprechte bewondering uit. Hij had nog nooit zoiets wonderlijks gezien, en hij was een levenslang paardenkenner – cavalerist!

Dolgraag zou hij nog veel meer willen zien, maar helaas, 'ik mag onder geen beding te laat zijn voor mijn bijeenkomst met de Generale Staf.'

'Misschien een heel klein dingetje nog?' Rendich hield zijn hoofd schuin.

'Snel dan.' De generaal keek nerveus op zijn klokje.

Rendich knikte naar Von Osten. Op de een of andere manier begreep de oude man precies wat de schilder bedoelde. Hij richtte zich tot het paard en vroeg: 'Hans, hoeveel mannen zijn hier?'

Het paard stampte driemaal.

'En wie van ons is de generaal?'

Het paard bewoog het hoofd in Zobels richting.

De generaal draaide verrukt aan zijn snor, sloeg zijn hakken enthousiast tegen elkaar, salueerde naar de oude man.

'Ausgezeichnet! Deze uitzonderlijke training heeft mij meer dan overtuigd.' Toen beende hij weg, de schilder en Von Osten bij Hans achterlatend.

Samen keken ze toe hoe de militair de hoek om verdween. Iemand met jongere oren dan Von Osten had de schilder voor zich uit kunnen horen mompelen dat dit geen *training* was. Geen training, maar een *les*.

⤸

'Deze Zobel,' zei de schilder handenwrijvend, terwijl hij zijn blik door het appartement van Von Osten liet gaan, 'gaat nog deze week over Hans schrijven in het *Militair Weekblad*, let maar eens op. En Von Osten, verdorie, wat is het hier prachtig opgeruimd!'

Na de korte opvoering voor de hoge militair waren de beide mannen naar boven getogen. Von Osten had een nieuwe fles Obstler opengetrokken, herinnerde zich toen de grappa, maar twijfelde: lag dat er niet te dik bovenop?

Ze namen plaats in dezelfde stoelen als de vorige keer.

'Het *Weekblad*? Daarin had ik Hans twee jaar geleden te koop staan.'

'Te koop?' De schilder keek geschrokken.

'Er kwam slechts één bod, uit Wenen. Een rijke edelman, maar helaas, het ging niet door. Een dag voor de overdracht verdronk hij in de Donau.'

'Godzijdank, Von Osten! Wat bezielde u ook. Het belang van Hans is niet in geld uit te drukken.'

'Geld speelde nooit een rol.'

'Mooi. Want als dat artikel er eenmaal is... De generaal heeft het druk, en hij twijfelt nog, maar ik weet zeker dat na vanochtend... hij gaat het doen, let maar op, het kan niet anders dan worden geplaatst, en dan...'

Met zwierige armgebaren tekende de Italiaan het toekomstbeeld dat hij voor zich zag uit in de lucht: Zobel zou een kettingreactie ontketenen. Eerst de militaire pers, dan de dagbladen, het *Berliner Tageblatt* en vervolgens... echte wetenschappelijke publicaties, ontzag tot in de hoogste kringen. Toegang tot de wetenschap en de centra van de macht. De Nobelprijs, de vijfde Duitse op rij.

'Tsja...'

'Gelooft u me soms niet? Laat me u dan dit vertellen: het begint met het woord van een man in uniform. Echt: niets is zoveel waard als dat.'

Von Osten bromde, ja, daar had de schilder waarschijnlijk een punt.

'Ik zeg u dit: Zobel, met zijn onberispelijke reputatie van...'

Opeens vielen de armen van de schilder stil. Als geknakte stokken staken ze in de lucht. Zijn blik was ergens aan blijven haken, iets wat hij bij zijn vorige bezoek niet had gezien.

Von Osten volgde zijn blik en stond grinnikend op, deed drie stappen naar de lage kast. Daar, naast de door Frau Piehl keurig in het gelid geplaatste glazen potjes, lag een witte, langgerekte schedel.

'Dit is Hans. Frau Piehl heeft hem keurig afgestoft.' Zijn oude vingertoppen gleden over het lange witte bot, dat eens een zachte snuit had geschraagd.

'Hans?'

'Een van zijn voorgangers. Op tienjarige leeftijd in

1898 gestorven. Ook een Orlov-draver, een denker, geheel op zijn eigen manier. Al mijn paarden in Schönsee heetten zo, maar met déze Hans is het allemaal begonnen, het hele wonderlijke avontuur.'

'O?' Rendich ging rechtop zitten en keek Von Osten verwachtingsvol aan, de mondhoeken licht naar boven gekruld en het hoofd schuin omhoog, als een kind dat op een verhaaltje hoopt dat zijn gedachten naar elders zal meevoeren, naar een plek waar het mooi en wonderlijk is, zoals een sprookje dat kan.

Maar Von Osten had al spijt van zijn plotselinge openhartigheid. Wat was er met hem aan de hand, vanwaar die loslippigheid? Nu ging de kleine man natuurlijk doorvragen... Schönsee? zou de schilder zeggen met een blik op de familiefoto aan de muur, bedoelt u soms Schönsee bij Thorn? Hij zou het precieze aantal Hansen willen weten, de reden van die naam, enzovoorts, maar wat wilde Von Osten erover kwijt? Niets. Het ging niemand iets aan. Niemand hier in Berlijn wist hoe het vroeger thuis was, op het Pommerse landgoed. Hij sprak er niet over en dacht er niet aan, nooit. Dat beeld van zijn vader, vorige week op de trap, was een uitzondering. Eenmalig, onzin, het deed niet ter zake. Ook niet voor deze Italiaan.

De schilder richtte zijn blik op de schilderijtjes aan de muur. 'Schönsee? Bedoelt u soms Schönsee bij Thorn?'

Zie, daar had je het al. Nu hing de naam van het dorp uit Von Ostens jeugd als een projectiel in de lucht, klaar om te ontploffen. Was hij opeens zestig jaar terug in de schemerige stallen van het landgoed te Kowalewo Pomorskie, de plek waar hij als jongen dag en nacht te vinden was.

De schilder stond op uit zijn stoel, posteerde zich voor de familiefoto in zwart-wit en wees met zijn olijfkleurige vinger een van de afgebeelde figuren aan.

'En dan is deze man zeker uw vader?'

Op de vergeelde foto was het nauwelijks te zien, maar verscholen achter de gevel van het landgoed lagen de stallen, de enige plek waar Von Osten zich als kind veilig waande voor zijn vaders militaire tucht.

'Nee.'

'Nee?'

'Ik bedoel, hij is dood.'

Een warrige brij bozigheid trok langs Von Ostens rug. Het liefst wilde hij zijn handen over zijn oren leggen, zoals hij dat vroeger, verscholen in het hooi, zo vaak had gedaan om het niet te hoeven horen, het gebulder van zijn pa. Net zo wilde hij nu de vragen van de schilder ontwijken, maar dat ging niet meer, ze waren gesteld en hingen tussen hen in naar een antwoord te hengelen.

'Cavalerist, zo te zien?'

In zijn jonge jaren was Von Osten opgevallen als getalenteerd ruiter. Hij kreeg schietles, nam deel aan jachtpartijen, oefende zijn marcheerdrils en volgde zijn vaders uiteenzettingen over krijgsstrategie. Er was een officierstoekomst voor hem weggelegd. Maar toen zijn pa voor het eerst een wapen in zijn handen legde, hoorde hij in zijn hoofd een luid en duidelijk 'nee'.

'Let nu goed op, Wilhelm. Hier zit een extra riem

voor aan het zadel. Daardoor kun je het geweer na het schot meteen laten zakken, kijk, zo, dan valt het niet. In dezelfde beweging pak je je bajonet om het karwei af te maken.'

'Ja, vader.'

Nee, nee, en nog eens nee! Hij wilde iets anders, hij wilde ontdekkingsreiziger worden of toneelspeler of bioloog, maar geen militair, *dat nooit*, al had hij geen flauw idee hoe het aan te pakken, want nee zeggen hoorde in Kowalewo Pomorskie duidelijk niet tot de opties. Dus richtte hij zich op het enige wat hem wel aansprak in al dat militaire vertoon: de paarden, glanzend en goed getraind. Bij hun lieve diepbruine ogen vond hij altijd troost: Johan Sigismund, Frederik Willem, Frederik, Wilhelm, Joost-Nicolaas, Eitel Frederik, Karel graaf van Sigmaringen, Karel Anton en Leopold. Pa had ze stuk voor stuk naar de leden van het geslacht Von Hohenzollern vernoemd. 'Zo eren wij de leiders die de Pruisische suprematie hebben voortgebracht!'

De kleine Italiaan stond ineens vlak voor hem en wees nu naar de witte paardenschedel in zijn hand. Geschrokken zoog Von Osten een sliertje kwijl door zijn baard naar binnen.

'Kan ik...?' De schilder wees glimlachend op de paardenschedel.

'Natuurlijk, natuurlijk, ga uw gang.' Von Osten legde schutterig de witte schedel in de uitgestoken hand van de Italiaan. Via het overleden dier waren de mannen een moment met elkaar verbonden. Langzaam vloeide het verleden uit Von Ostens oude hoofd en weer viel het hem op: het prachtige zwartbruine haar van de schilder. Glans bijna eender als de vacht van Hans maar dan zachter, zonder de ruwheid die zijn vingertoppen zo goed van de paardenmanen kenden. De plukken vielen glooiend over elkaar van kruin naar voorhoofd, met de kleur als van een donkere kastanje.

De schilder pakte de schedel steviger vast, zijn handpalmen beroerden het stoffige bot, zijn wangen kleurden zachtrood.

'Toe maar, mijnheer Rendich,' grinnikte Von Osten, 'voelt u maar eens goed, kijk hier, die bobbels en kuilen in zijn snuit. Dat is nou zo machtig interessant. Ik heb hem wel eens naast mijn levende Hans gehouden. Hun neuzen volgen precies hetzelfde patroon.'

De schilder knikte bewonderend. Von Osten volgde nauwkeurig de aarzelende gang van de olijfkleurige vingers over het stoffige bot, zag hoe zijn glanzende haar tot over zijn wimpers viel, en toen bemerkte hij het voor het eerst: de opvallende schedelwelving vlak boven Rendichs rechteroor. Precies op de plaats waar volgens zijn studie van de frenologie belangrijke menselijke eigenschappen zaten. Zoals *Betrouwbaarheid* of, het was met het blote oog moeilijk te zien, was het *Destructiviteit*? *Vechtlust* en *Hebzucht* zaten daar ook ergens in de buurt.

Hij tuurde met half toegeknepen ogen naar de vreemde bolling onder het zwarte haar van de Italiaan, maar kon het in het halve licht niet goed zien. Hij zou met zijn vingers moeten voelen. En het dan nakijken op het schedelkundig overzicht van Gall, dat tegenover het raam aan de muur hing.

HOOFDSTUK 11

'Everything but talk'

Maar Von Osten keek zijn vermoedens niet na, net zomin als Rendich de oude man vroeg naar de reden waarom al zijn vroegere paarden Hans heetten. Het leek allemaal nauwelijks van belang, de mannen gingen aan het werk, dagen achtereen op de heerlijk zonnige binnenplaats in de Berlijnse zomer. Von Osten leerde Hans nieuwe sommen, Rendich schetste en schilderde, en Zobel rondde op zijn werkkamer in Charlottenburg zijn artikel voor het *Militair Weekblad* af.

De generaal had Rendich tijdens de eerstvolgende poseersessie op het zolderatelier nog wel even flink aan de tand gevoeld. 'Hand op het hart? U heeft de kunsten van het paard zorgvuldig geobserveerd. Staat u er met uw eigen leven voor in?'

Rendich had een officieel gebaar gemaakt, een soort saluut, met zijn kwast in zijn hand. 'Vierhonderd procent, Herr General. Wat u heeft gezien is geen trucage.

Onmogelijk, echt, ik garandeer het u.'

De generaal had een streng gezicht getrokken. 'Let wel: als ik mijn naam straks onder dat artikel zet, leg ik mijn hoofd op het hakblok. En het uwe ligt ernaast – realiseert u zich dat?'

Rendich realiseerde het zich terdege.

Zobel leek gerustgesteld, maar had erop gestaan nog eenmaal te gaan kijken, alleen. Daarna had hij, tot grote vreugde van de Italiaan, het artikel op een zondagavond voltooid, waarna er in de keuken van het herenhuis werd geklonken.

'Het is nu,' citeerde de generaal bij wijze van toost zijn geliefde Von Clausewitz, 'alsof wij tezamen, als twee goede soldaten, niet alleen voor onze eigen idealen strijden, maar ook voor de toekomst van de mensheid als geheel.'

Toen het stuk eenmaal in het *Militair Weekblad* verscheen was het effect onmiddellijk. Al de volgende dag pakte de landelijke pers flink uit. Nu waren het de serieuze kranten, en ze waren niet te stuiten: drie artikelen in de *Berliner*, een opgewonden verslag in *The Staatsburger*, allemaal in diezelfde week waarin ook *The New York Times* een halve voorpagina wijdde aan 'Berlins Wonderful Horse – he can do almost everything but talk!' Er kwam een uitnodiging voor het Zoölogencongres – op naam! Cultuurminister Studt kwam met zijn gevolg op bezoek, uitte publiekelijk 'de allerhoogste bewondering' voor Hans' prestaties en ja, toen begon ook Von Osten zelf er stiekem weer in te geloven, al verhulde hij zijn blijdschap achter nauwelijks verstaanbaar ge-mopper dat dit toch allemaal wel *verdammt* lang had geduurd.

Niet zozeer de wending zelf, maar de snelheid ervan was verbluffend. Alles geschiedde zoals Emilio Rendich het had voorspeld, en in amper een paar weken tijd ver-anderde het project van de oude man in een niet te mis-sen ontwikkeling in de wetenschap – tenminste, voor de onderzoeker die zichzelf serieus nam. Toch kwam het beslissende moment nog eerder dan verwacht: de dag waarop Rendich 's ochtends, vroeger dan gewoonlijk, hijgend en rood aangelopen de binnenplaats op rende.

'Von Ooooosteeeeen!' Zijn stem schalde over de lege binnenplaats; hij had het grote nieuws net een halfuur daarvoor bij Zobel in de deuropening vernomen. 'Het is zover!' Zijn opwinding was te groot om te wachten tot de oude baas voor hem stond.

Op de vierde verdieping sloot Von Osten in het duis-ter van het trappenhuis juist de deur van zijn apparte-ment. 'Een Hans Commissie!' hoorde hij de stem van de schilder tegen de muren van de binnenplaats gal-men. Zijn oude benen waren nog nooit zo snel geweest, hij struikelde de trap af naar de binnenplaats, waar de schilder hem meteen joviaal op de schouder begon te slaan: 'Nu maakt het allemaal niets meer uit, Von Osten! Ook niet dat de Keizer je uitnodiging heeft afgeslagen...'

'Een *wetenschappelijke*...?'

'Helemaal. Ze hebben dertien grote namen gevon-den, die...'

De rest hoorde Von Osten niet meer. Hij zag de lippen van zijn nieuwe vriend lachend doorpraten onder een snor waarvan de punten meer dan anders omhoog leken te krullen. Als dit waar was, dan was hij, Wilhelm Von Osten, aan het einde van zijn leven eindelijk waar hij behoorde te zijn, dan was alles (in weerwil van al die stommelingen die het al die tijd niet hadden willen zien) niet voor niets geweest... *Het ostenisme. Ostenise-ren. Het ostenisatieproces van de...*

'En dit,' Rendich gaf een feestelijke klap op een buitenlandse krant die hij net had uitgevouwen, 'maakt nu dus ook niks meer uit. En ik heb er nog wel zo mijn best op gedaan!' De olijfkleurige vinger van de Italiaan wees op een paginabreed artikel in de *Illustrazione Italiana*. 'Nou, Von Osten, wat zeg je me daarvan? Heb ik geschreven. Ik, een schilder. En ik kán niet eens schrijven!'

'Heb jij óók een artikel...?'

'Ja! Maar het dient geen enkel doel meer, ha, niet meer nodig, overbodig, we zijn er al, we zijn er al helemaal, dankzij onze vriend in uniform!' De vingers van de schilder gingen langs de kolommen van zijn eigen artikel: 'Un cavallo che sa leggere e fare i conti'. En toen hij de laatste zin had vertaald wees hij trots op de foto. 'Gemaakt met dat nieuwe apparaat van de generaal, hoe vind je het, Von Osten, hoe vind je het?'

Von Osten keek verbaasd naar de foto van hemzelf naast Hans, geflankeerd door het bord vol sommen.

Was het Italiaans of Duits waarmee Rendichs stem daarna in zijn oor tetterde? Hij wist het niet meer. Hij hoorde de schilder vaag iets zeggen over de verkoop-advertentie van twee jaar geleden. 'Gelukkig dat je het beestje toen toch niet hebt verpatst!' Iets over diens eigen schilderwerk, dat nu eindelijk ook zijn definitieve bestemming zou vinden. 'Het lachen zal de zogenaamde kunstvorsten nog vergaan!'

Dat begreep Von Osten niet en de rest drong ook nauwelijks tot hem door. Wel voelde hij de armen van de schilder om zijn verbaasde lijf sluiten, gevolgd door een vriendschappelijk kloppen op zijn oude rug. En er sputterde voor het eerst in lange tijd een Bijbelvers in zijn hoofd naar boven. *Want het lot der mensenkinderen is gelijk dat der dieren. Allen hebben dezelfde adem, en de mens heeft niets voor op de dieren...* Herinnerde hij het zich goed? Een van de weinige passages waar hij ooit geloof aan had gehecht.

Zo stonden de twee mannen daar enige momenten in een ongemakkelijke omhelzing op de lege binnenplaats: de schilder druk doorpratend, Von Osten zwijgend. Het nieuws van het aanstaande onderzoek had de beide heren zo in de greep dat ze niet merkten dat buurvrouw Piehl, boven aan de trap van haar appartement, hun omstrengeling geschokt gadesloeg. De ongepaste intimiteit van de mannenomhelzing, midden op de binnenplaats en bij klaarlichte dag, was al merkwaardig genoeg, maar nog vreemder was de theatrale beweging waarmee Rendich zich er uiteindelijk uit losmaakte. Het leek wel of de kleine Italiaan een soort barokke vreugdedans inzette: een fiere stap achteruit, met een langgestrekt been, precies zoals een Russische danser met viltlaarzen het zou doen, daarna plantte hij het andere er met een nadrukkelijke klap naast en zo belandde hij met een kaarsrechte rug tegenover de oude man, kin triomfantelijk ten hemel geheven, en met beide handen omhoog: 'Een Hans Commissie!'

Even leek het of de Italiaan een statige reverence zou laten volgen. Of een glijpas met stap-hop (paardenpas uit de *polka mazurka*), of een huppel uit de *kujawiak* of de *oberek* (de volksdansen die in Kowalewo Pomorskie de oogstfeesten in augustus opvrolijkten). Even was het alsof er vage flarden te horen waren van het boerenstrijkorkest dat zijn aanstekelijke driekwartsen in de oogstmaand over de Pommerse velden had geschmierd, de boerenwalsen waarop Von Osten had gehoopt ooit eens met de prachtige Anya...

Rendich zag de buurvrouw als eerste en zong: 'Ah, la signora Piehl!'

Toen ze haar over de ontwikkelingen vertelden, zei ze niet veel. Maar wat ze zei, daar hadden ze niet meteen van terug: 'Prijs de dag niet voor het avond is.' Ze verdween en liet zich niet meer op de binnenplaats zien.

De rest van de dag verliep niet wezenlijk anders dan de voorgaande, behalve dat het nieuws over de Hans Commissie een vreemde, nieuwe lichtheid in het gemoed van de heren leek te hebben geplant. Rendichs gebaren waren nog zwieriger dan normaal en zijn stem neigde naar een vreemd soort giechelen. Von Ostens zware stappen kregen iets zwevends. En onder hun beider gezichtshuid lagen steeds trillende lachjes op de loer. De mannen waren elkaar ongemerkt gaan tu-

toyeren. En er leek zelfs af en toe een knipoog te zijn –
of had de schilder gewoon een vuiltje in zijn oog?

HOOFDSTUK 12

Voorlopig onderzoek

Het waren niet de minsten die werden aangezocht. Dertien leden in totaal kreeg de Hans Commissie, waarvan zeven getooid met indrukwekkende wetenschappelijke titels. Twee hoge militairen, beiden cavalerist, gedecoreerd en met uitstekende referenties. Een vooraanstaand circusdirecteur met een schat aan ervaring in dressuurtechniek. Twee erkende onderwijsspecialisten. En natuurlijk de directeur van de dierentuin met zijn trouwe assistent.

Professor doctor Stumpf liet zich aan het begin van de onderzoeksdag goed hoorbaar ontvallen dat hij gekomen was om zich te laten overtuigen dat alles, haha, gewoon bij het oude kon blijven. Wie het niet wist, begreep uit het meelachen van de anderen dat hier de grote baas (en voorzitter van de commissie) gesproken had. Maar al snel werd hij minder luidruchtig en ook de overige leden vielen stil. En na de eerste drie proefnemingen (optellen, aftrekken, een eenvoudige breuk) was iedereen zo onder de indruk van het rekenpaard dat Stumpf toevoegde 'ook zeker en absoluut bereid te zijn eerdere inzichten te herzien'.

'Toch nog verstandige taal,' bromde Von Osten, en daarna wilde hij iets veel zuurders zeggen, maar toen de schilder van boven zijn schetsblok een dodelijke blik zijn kant op flitste, slikte hij alle overige voorbarigheden snel weer in.

'Luister eens,' had Rendich hem in alle vroegte op de lege binnenplaats bezworen. 'Wij gaan vandaag beleefd blijven, wat wij er ook van denken. Wij gaan zelfs, als dat moet, knipmessen, want we moeten ze het gevoel geven dat het *hun* ontdekking is, dat is essentieel, hoor je me?'

De schilder had tot driemaal toe 'wij' gezegd, en hem daarbij met zijn prachtige bruine ogen indringend aangekeken.

'Hallo, Von Osten?'

'Eh, ja, wij gaan...'

'Ze moeten denken dat je hen nodig hebt. Niet andersom. Ze moeten denken dat zij belangrijk zijn.'

'Ook al is dat niet zo.'

'Ook al is dat niet zo.'

Tot zijn eigen verbazing genoot de oude man van de aanwezigheid van de dertien specialisten op zijn binnenplaats. Geheel in tegenstelling tot de zondagse vertoningen, die telkens hetzelfde gevoel van zinloosheid en walging bij hem hadden opgeroepen, was het opgewonden geroezemoes dat de geleerden met zich meebrachten niet storend. Integendeel, het klonk hem als mooie, chaotische, opwekkende muziek in de oren. Liederen vol hoop.

'Ongelofelijk.' De circusdirecteur.

'Ik sta versteld.' De onderwijsspecialist.

'Laten we het nog eens herhalen. Ik kan het gewoon niet geloven.' De assistent van Stumpf.

'De oogkleppen zijn goed gesloten?' Stumpf zelf.

'Volledig.' Graaf Zu Castell.

'Maar heren, dit is werkelijk apart.' De dressuurspecialist.

'Boven elke verwachting.' Stumpf weer.

Muziek was het, de melodie had een onbekende swing, met een tempo en grondtoon die een duidelijke belofte inhielden, ook al bleef de professor tot driemaal toe herhalen dat het vandaag alleen nog maar ging om de 'preliminaire vraag'. Von Osten haalde zijn schouders op. Wat deed de naam van een vraag er nou toe als het antwoord zo helder was als glas! De schilder knikte beleefd en had het woord met een vroom gezicht zelfs een keer herhaald: *preliminair*.

Alles liep op rolletjes. Hans gedroeg zich als een zonnetje: beantwoordde alle vragen zonder aarzelen, keurig en foutloos. Von Osten willigde elk verzoek van de heren in, ook toen de voorzitter van de commissie hem verzocht om zich uit naam der wetenschap enige momenten van de binnenplaats te verwijderen. Hij voelde een kortstondig innerlijk steigeren (het was wel *zijn* binnenplaats en *zijn* paard en wat dachten ze eigenlijk wel), maar dat duurde nog geen seconde. Ook Schillings werd enkele malen beleefd gevraagd om 'voor de representativiteit van de resultaten' even uit het zicht van het paard te verdwijnen. De schilder daarentegen mocht met zijn schetsblok overal bij zijn.

～

Het voorlopige rapport was in een paar dagen klaar. Rendich noemde het een klinkende overwinning.

'Haastwerk,' mopperde Von Osten, gesticulerend met het stuk papier. 'Gebroddel en niets nieuws onder de zon.'

'Maar Von Osten, je moet toch toegeven dat het er in druk heel aardig uitziet!'

Het stond er inderdaad mooi.

De bijzondere verrichtingen van Paard Hans hebben niets met training te maken, noch met trucage. Er is geenszins sprake van het gebruik van tekens of signalen, bewust noch onbewust. Het geval van Paard Hans verschilt dan ook in alles van alle voorgaande gevallen van dierenintelligentie, die wij voorheen hebben onderzocht.

En dan die dertien namen met die titels... plus de dringende aanbeveling dat, gezien het belang van de zaak, snel nader onderzoek aangewezen was.

Speciaal voor de feestelijke gelegenheid had Rendich een fles van Duitslands beste sekt meegebracht, Von

Kessler 1893. 'Op de dertien geleerden, die nu eindelijk ook het licht hebben gezien!'

Von Osten hief mokkend zijn glas, maar liet de wijsvinger van zijn andere hand aantekenen dat hij van de heren dus absoluut geen hoge pet ophad. 'Als de mensheid zich in de afgelopen eeuwen geestelijk net zo weinig had ingespannen als deze dertien ijdeltuiten, leefden we nu nog in de bomen!' Het was een schande, zo kort als hun rapport was, en zo weinig toegelicht. Ze hadden hun protocollen niet eens bekendgemaakt! Niet dat hij trouwens meer verwacht had van deze *zogenaamde geleerden*.

'Von Osten, rustig aan. Je hebt vast gelijk, maar we hebben ze nog heel even nodig. Een paar dagen, weken hooguit. Dit is stap twee van drie. Of drie van vier. Hoe dan ook, we zijn er bijna, proost.'

Von Osten knikte, maar het liet hem niet los. En terwijl hij zich nogmaals liet bijschenken vroeg hij zich hardop af wat voor wijsheid dat toch was, waarvoor die academische titels werden uitgedeeld. Was er naast erkende kennis ook niet iets anders, iets veel belangrijkers, waar niemand ooit een decoratie voor kreeg – hij doelde op het soort weten dat hij zelf vaak in zich voelde. Broeder Mendel moest het hebben gevoeld. En Darwin, en wie weet Copernicus ook: een rotsvaste overtuiging, onwrikbaar, koppig, onverbiddelijk als een zeurend knagen waarvan de herkomst niet meteen duidelijk was. Wist Rendich wat hij bedoelde?

Natuurlijk. Rendich was een kunstenaar. Hij had precies hetzelfde. Schilders, maar ook grote schrijvers hadden dit soort kennis in zich, ze waren ermee geboren. Soms daalde het vanuit het niets op hen neer, iets bijna goddelijks, een geur van alwetendheid die soms ook opsteeg uit hun werken – had Von Osten wel eens een schilderij van Fattori gezien? Abbati? Cabianca? Sernesi?

De oude man wist het eerlijk gezegd niet.

De grote romans, dan! Von Osten las toch veel? Nou, die hadden het soms ook, al kon de schilder zo gauw niet op een voorbeeld komen. En in de liefde, ja, daar zag je het ook: een vast gewroet weten dat zich niet liet ontkennen, maar met wetenschappelijk bewijs niks te maken had.

Von Osten stommelde naar zijn boekenkast. Na even turen trok hij een beduimeld exemplaar van *Anna Karenina* tevoorschijn.

'Saai boek hoor,' meende Rendich.

'Ja maar, moment,' zei Von Osten, en hij bladerde wankelend op de benen, het ging hem om de passage met het renpaard van graaf Wronsky! Die wist nog eerder dan zijn ruiter welke manoeuvres er precies nodig waren om de race te winnen. Had Tolstoj er soms een doctorsgraad in de dierkunde voor nodig gehad om dit zo te kunnen schrijven? Wel om de dooie drommel niet!

Hij hield Rendich de bewuste passage voor. De schilder pakte het boek aan en begon hardop te lezen, compleet met zijn Italiaanse accent, en hij maakte er de bewegingen bij van een ruiter te paard, steeds groter en wilder sprong hij op het plankier, eerst draf, dan galop, onderwijl voordragend, en Von Osten stond zo geestdriftig te knikken dat de wijn klotsend uit zijn glas danste.

'Zo is het!' moedigde hij de Italiaan aan. 'Tolstoj heeft geen enkele papieren studie afgemaakt. Gewoon op Jasnaja Poljana de paarden van zijn vader bereden! Net als ik in Kowalewo Pomorskie!'

Rendich stond daar maar met het boek in zijn hand galopsprongen te maken, steeds groter, het hele appartement door, zoals hij de kinderen op de binnenplaats vaak had zien doen. Von Osten leek het niet te zien, verblind door de draad van zijn eigen betoog.

'Zo lang weet ik het dus al. Wat de heren nu menen te onderzoeken. Ik zag het in de ogen van mijn vaders paarden! Wat er allemaal in die schedels zat, massa's ge kooide potentie!'

Bij die laatste woorden schoot zijn benevelde stem uit. Het klonk als een verwarde doodskreet en de dansende schilder schrok zo dat hij struikelde en viel. In de stilte die volgde keken de twee mannen elkaar even aan. En pas in dit korte, roerloze moment zag Von Osten, als in een herhaling, de vreemde drafdansbewegingen van de schilder, gevolgd door zijn paardachtige val. Hij schoot in een onbedaarlijke en langdurige lach om die zotte Rendich met zijn paardenpasjes, die nu op de grond lag als een hulpeloze tor. Hij lachte om zichzelf, zijn leven, om alles waarom hij al die lange jaren niet meer gelachen had. En ook Rendich proestte het uit, rollend over de houten vloer, en toen maakten ze de fles grappa soldaat die de vorige keer niet op was gegaan.

HOOFDSTUK 13

Breuken, ongelijknamig

Na de publicatie van het voorlopige rapport barstte in de pers een venijnige polemiek over Hans los. 'Gefabuleer over een Überpferd', oordeelde het *Deutsches Blatt*.

'Droevig is wel,' schreef de *Berliner Morgenpost*, 'dat de Duitse wetenschap zich hiermee onsterfelijk belachelijk maakt.'

'Met Wissenschaft heeft deze Mumpitz natuurlijk niets van doen!' schamperde de *Reichsbote*. 'We zijn hard op weg richting darwinistische diercultus, net als in de jaren zeventig van de vorige eeuw.'

'Hoezo, onafhankelijke commissie?' vroeg de *Leipziger Neueste Nachrichten* retorisch. 'De leden zijn allemaal lid van het Hans-syndicaat! Zo'n rapportje is natuurlijk goud waard, dat begrijpt elke zakenman, maar dat een bekend vakpsycholoog zich daartoe heeft laten verleiden...'

Het meest teleurgesteld klonk het *Unterhaltungsblatt*

des Vorwärts: 'Slimme Hans verdringt nu helaas de aandacht voor de revolutie, die juist zo hoopgevend aangezwollen was.'

Al die gedrukte opwinding lieten de beide mannen op de binnenplaats langs zich heen gaan. 'Herr Von Osten schweigt noch immer!' constateerde het *Deutsches Blatt* wat dat betreft terecht. Waarom zou hij zich ook in de controverse mengen? Het voorlopige rapport was summier maar duidelijk. Het ontsloeg hem van elke beschuldiging van bedrog. De datum van het tweede wetenschappelijke onderzoek stond vast, half oktober. En de uitkomst eigenlijk ook. Daar ging het om. Nietwaar, Rendich?

'Volle kracht vooruit, Von Osten, en laat ze elkaar maar voor rotte vis uitmaken.'

Ze maakten zich vrolijk over meer folkloristische randverschijnselen van Hans' toegenomen beroemdheid. Zoals een ansichtkaart van Hans en zijn baas, die sinds kort in omloop was. Een houten hobbelpaard genaamd 'Slimme Hans', dat in de Berlijnse speelgoedwinkels was gesignaleerd. En een nieuw type roskam, 'Hans', op de markt gebracht door ene Maleski, producent van ruiterbenodigdheden te Bielefeld. En er was zelfs een frisse likeur met de naam van het wonderpaard. Dit was nou de kracht van reclame. Nietwaar, Von Osten?

Als een razende begon Von Osten de moeilijkheid van de sommen op te voeren. Vijftien oktober was tenslotte al snel. Hij zou ze eens wat laten zien, die zogenaamde geleerden. Nietwaar, Rendich?

De schilder sloeg de hernieuwde ijver van de oude man geamuseerd gade. Echt nodig was het niet, al die extra sommen, maar hij zag het als een goed teken: Von Osten geloofde er weer helemaal in.

Rendich op zijn beurt genoot van de teruggekeerde rust op de binnenplaats, die koele plek die hij inmiddels een beetje als de zijne beschouwde. Hij stelde zijn ezel op in de hoek onder de trap. Hij ging verder met de klus waar het allemaal om begonnen was, er lag nu een flinke tijdsdruk op: het portret van paard en eigenaar. Het vooruitzicht van de officiële erkenning deed zijn wangen glimmen. De kans was groot dat zijn schilderijen straks bijzonder goed verkoopbaar zouden zijn. Vijftien oktober – timing was alles. Hij zou ze eens wat laten zien, Franz, en ook Mary... stop stop stop stop. Waar was hij gebleven?

Zijn eerdere schetsen waren prutswerk geweest. Veel te statisch, er zat geen spanning in, geen actie, het was allemaal veel te geposeerd. En hoe kon het ook anders? Hij was druk geweest met het leggen van strategische contacten, het enthousiasmeren van Zobel en die andere hooggeplaatste commissieleden. En niet te vergeten: met zijn artikel in de *Illustrazione Italiana*.

Hij staarde naar zijn probeersels. Het moest anders, zoveel was duidelijk. Maar hoe? *Wat* hij precies in dit portret wilde vangen wist hij inmiddels wel. Hij had het talloze malen voor zijn ogen zien gebeuren. Het was iets in de houding van de oude man: in de stille seconden die volgden op het opgeven van de som kroop er iets kils in zijn stramme lijf. Een rilling trok over de rug, alsof een onzichtbare zweepslag hem ineen deed krimpen. Zou dat soms vrees zijn, vroeg Rendich zich af, uitslaande vrees dat Hans de opdracht toch niet goed beantwoorden zou? Vreemd eigenlijk; het paard maakte zelden fouten. Maar ook nu weer zag Rendich het kleine drama zich voor zijn ogen voltrekken: na het uitspreken van de opdracht verdween de zelfverzekerdheid uit Von Ostens schouders. Ervoor in de plaats kwam een laffe kromming. Alsof een ineengekrompen, zwetend weten zich van hem meester maakte: dat dit alles toch niet waar kon zijn, dat hij zich al die tijd totaal had vergist...

Precies *dat* maakte het tafereel met de oude man zo schilderenswaardig. Die korte, hevige terugkeer van de twijfel te midden van al dat zekere weten. Hoe peilloos duister het was zag je vooral een ogenblik later, als bleek dat Hans het hem toch weer had gelapt. Dan verraadde Von Ostens opgeluchte zucht dat ongeloof hem, wederom, bijna een hele seconde in zijn wrede greep had gehad.

Niet dat Von Osten hier zelf ooit iets over zeggen zou. Natuurlijk niet, daar was hij de man niet naar, maar Rendich had geen woorden nodig. Hij was een schilder; hij observeerde. In die zin voelde hij zich verwant aan de wetenschappers, al had hij daarbovenop een speciale gave die zij ontbeerden. Zodra hij zich achter zijn schildersezel verschanste, onzichtbaar als een kat in het duister, ontstond in zijn hoofd wat hij noemde 'de stille ruimte'. Hij had er geen verklaring voor, maar zo ging het: als een vacuüm zoog hij de gedachten van de geportretteerde aan, zijn angsten, zijn diepste wensen. En in een flits wist hij dan precies met welke kleur, met welke kwastdruk, met welke lijn hij ziel en zaligheid van deze mens treffen kon. Zijn wezen, met heden en verleden, en zelfs – dat was ook een keer gebeurd, in een angstaanjagend visioen – zijn toekomst.

'En nu de wortel uit 81!'

Rendich moest zich concentreren, vooral niet naar Von Osten luisteren. Alleen kijken naar het lijnenspel, de details. Hij kneep één oog dicht. Probeerde niet mee te tellen met de hoef. En profil, dat was toch de beste positie om de oude baas neer te zetten – zo, dat de kromme lijn van zijn witgejaste rug helder uitkwam tegen de witte muur. De achtergrond zou hij wat donkerder moeten maken, voor het contrast.

'Goed zo, Hans!'

Niet luisteren. Rendich liet zijn kwast een paar keer vlak boven het doek heen en weer zwaaien. Een droge streek, om de juiste toets eerst te voelen in de beweging van zijn hand. Nogmaals volgde hij Von Ostens ruglijn, zette toen een lichte lijn.

'Nu twee vijfde plus drie zesde!'

Hemeltje, dacht Rendich, zo'n breuk weet ik zelf niet eens op te lossen, althans niet zonder er een papiertje bij te pakken.

Hij tuurde over zijn doek naar Von Ostens ruglijn, van stuit tot achterhoofd, krommend in een lange halvemaan schuin boven de paardenhoef. Een en al spanning, verstild voor het paard.

'Eerst de teller, Hans, en dan de noemer!'

Daar kwam het bovenste deel van het antwoord op de som. Rendich keek en telde onwillekeurig mee.

Gespannen stond de oude man voor het paard. Een zucht volgde, langzaam kwam hij uit zijn verstilde houding omhoog. 'Zie je nou, het luie beest *kan* het wel!' De oude man trok een grimas en stak een duim op naar Rendich. Hij wreef over zijn rug. Een dikke vermoeidheid schemerde door zijn glimlach heen.

'En nu de wortel uit 144!'

Rendich trok de aarzelend gezette verfstreek na, snel en stevig ditmaal.

Wat had het voor zin om nu nog zo door te drukken? Al die ingewikkelde staartdelingen en breuken... Om de zelfstandige denkcapaciteit van het paard aan te tonen waren die echt allang niet meer nodig. Het was belangrijk op tijd in te zien wanneer je beter stoppen kon. De oude man was de zeventig al ruim gepasseerd, hij kon zijn krachten beter sparen. Rendich zou het hem straks, als Frau Piehl de koffie bracht, zeggen.

'Die sommen van zo straks, Von Osten, dat zijn toch...?'

'Breuken, Rendich. Ongelijknamig.'

'...maar in welke klas horen die thuis?'

Von Ostens onderwijzerscarrière lag vele jaren achter hem en hij moest even nadenken over Rendichs vraag. Een jaar of tien waren zijn leerlingen geweest, in de tijd dat ze zulke opgaven correct uitschreven. Bleke magere jongens in korte broek, zwoegend boven hun leitjes, tong uit de mond. Als de te moeilijk gewaande opgave toch correct was beantwoord, natuurlijk met behulp van de aanwijzingen van meester Von Osten, leek de blijheid op hun snoeten warmte te geven.

'De vijfde klas, Emilio.'

De kinderen hadden iets meer tijd nodig gehad dan Hans nu en dat was vanwege de tussenstappen: eerst de twee ongelijke delen omrekenen naar een gelijke noemer, dan boven de streep optellen. Al met al duurde het ongeveer een halve minuut voor de goede uitkomst op het bord stond.

'De vijfde? Ongelofelijk.'

Von Osten knikte. Ongelooflijk was het inderdaad. Hoe het onderwijs hem na al die jaren nog steeds als gegoten zat, ook al was zijn enige student inmiddels een paard. Hij zou nog steeds kinderen lesgeven als zijn vader er niet voor had gezorgd dat hij moest stoppen, maar als Hans' leraar stond hij nu op het punt om iets reusachtigs te bereiken – dat was als dorpsonderwijzer onmogelijk geweest. Hij grinnikte, moest hij zijn vader achteraf soms dankbaar zijn?

'Von Osten, luister eens, is het misschien niet even genoeg zo?'

'Genoeg?' Verbaasd proefde de oude man het woord. Hij was dan misschien moe, maar ook: gelukkig, op zijn eigen knorrige manier. Opgetogen over de richting waarin alles nu zou gaan. En dan: zijn hele leven had hij zijn eigen tempo bepaald. Geen vrouw had hem ooit verteld hoe laat hij naar bed moest gaan, of geëist dat hij het zoveelste drankje zou laten staan. Waar bemoeide Rendich zich eigenlijk mee? Hij schudde langzaam zijn hoofd.

'Maar, Von Osten, dat dieren zelfstandig kunnen denken heb je zo toch allang aangetoond. Het wordt straks erg druk. Neem jezelf liever wat in acht.'

'Ik voel me beter dan ooit.'

Toen Rendich weer naar zijn schilderwerk keek, deinsde hij verbijsterd achteruit. De afbeelding die hij daar aantrof, op zijn eigen doek, verraste hem totaal. Het greep hem bij de keel. In een paar lijnen – klassieke schilders zouden het een onaffe schets noemen – zat precies dat ene moment waarnaar hij op zoek was geweest.

Hij deed nog een stap naar achter. Dit was het. Nu verder schilderen? Hij weifelde. Wat hij net tegen de oude man had gezegd, gold dat niet ook voor hem?

Von Osten was alweer druk in de weer met zijn volgende opstelling. En terwijl de oude man nieuwe breuken en worteltrekkingen op het bord schreef, wist Rendich het opeens: nu stoppen was van levensbelang voor het eindresultaat. In het streven naar perfectie kon men de dingen te ver doorvoeren. Te mooi, te af, het was zelden goed – daar kon hij als schilder helaas over meepraten.

Hij stak een hand op. 'Von Osten, ik stop ermee voor vandaag.'

'Hoezo, we zijn net begonnen!'

'Pauze – het zou voor jou en Hans ook goed zijn.'

'We hebben net de koffie... begin jij nu ook al over ontspanning... maar blijf dan ten minste tot de lunch.'

Dat was geen onverstandig idee. Rendich vermoedde dat Frau Piehls eten zwaar en drabbig zou zijn, maar gratis was het wel.

HOOFDSTUK 14

Schedels meten

Als iedereen dan zo graag wilde dat hij zich eens zou ontspannen, had Von Osten wel een idee.

'Sta je mij na de lunch wellicht toe om, in het kader van mijn frenologische studie, de bijzondere vorm van je schedel te onderzoeken?'

Rendich zat in zijn stoel en greep met beide handen naar zijn hoofd. 'Wat is daar zo interessant aan dan?'

Zijn gastheer legde hem het schema van Gall in de schoot en ging met zijn vingers over de getekende vakjes. 'Elk van deze hokjes op een mensenhoofd staat voor een psychologische eigenschap.'

Rendich las hardop: 'Hoop, Verbazing, Liefde, Voorzichtigheid – het heeft allemaal een eigen plekje op onze schedelbol?'

'Helemaal juist, Rendich.'

'Verdomd, zo had ik het nog nooit bekeken.'

'Frenologie is een van mijn andere wetenschappelijke

hobby's, alleen heb ik altijd te weinig tijd, maar nu het met Hans zo op rolletjes loopt...'

'Ik vind het allemaal best. Maar *per favore*, één verzoek: wil je de uitslag van het onderzoek voor je houden? Ik heb een landgenoot die ook aan dit soort dingen deed, en die schedels...'

Von Osten wapperde zijn polsen los. 'Je bedoelt toch zeker niet Lombroso?'

'Geen idee, ik wil de uitslag gewoon liever niet weten.' Hij keek schuin naar Von Osten op, die wijdbeens voor hem ging staan en zijn vingers knakte.

'Och Rendich, die man zat er zo faliekant naast. Criminaliteit als atavisme, kunstzinnigheid als erfelijke waanzin...'

Rendich sloeg een kruis. 'Dat van die kunstzinnigheid, dat zei mijn moeder zaliger ook altijd.'

'Maak je nou geen zorgen, Rendich. Je landgenoot had het volledig mis. De stand van de Italiaanse wetenschap, moet je weten, vergeleken met hier in Duitsland...'

'Jaja, alsof iedereen het hier altijd bij het rechte eind heeft. Ik bedoel, Italië was wel tien jaar eerder met zijn eenwording. Terwijl Duitsland, met al die ruziënde koninkrijkjes...'

'Kun je nu alsjeblieft even stilzitten?'

De schilder boog zich mopperend naar voren. Von Osten zette zijn vingertoppen in het glanzende haar en begon zacht over de hoofdhuid te wrijven, eerst bovenop bij de kruin, toen langzaam naar die plek bij het oor waar hij eerder de opvallende welving had gezien.

Even was het stil, er hing een vreemde spanning in de lucht. Toen zei de schilder: 'Ken je wellicht het wonderlijke verhaal van hoofdcommissaris Von Hinckeldey?'

Von Osten schudde zijn hoofd, afwezig. Wat nu weer? Het waren zeer interessante heuvels en kuilen die hij onder de dikke haardos aantrof, maar hij begreep hun verband met het overzicht van Gall niet direct. En nu kwam de schilder weer met zo'n kletsverhaal.

'Je kent het dus niet?'

'Nee.'

'Maar Von Osten, hoe lang woon je nu in Berlijn! Zobel heeft mij gisteravond over de goede man verteld, heel genoeglijk was het, bij hem in de keuken.'

'Hou je het hoofd nog even stil?'

'Jaja, ik doe mijn best...'

Von Osten liet zijn vingers zacht kloppend over de hoofdhuid gaan en probeerde zich te concentreren.

'Die Hinckeldey dus. Hij moest een verbod handhaven op duels. Wel eens een duel gevochten, Von Osten? Om je eer te redden, 's ochtends in de mistige vroegte op een grasveld met de ruggen tegen elkaar, tien stappen doen, omdraaien en dan pief paf poef?'

Het was prettig dat Rendich zoveel praatte, het doorbrak de spanning die de lichamelijke nabijheid van dit onderzoek opriep. Als hij maar niet steeds zo bewoog.

'Nee? Nou, Von Osten, in Duitsland is men er ook dol op hoor, die opgewonden adelstandjes onder elkaar. Had je niet gedacht, hè? Het lijkt je meer iets voor ons, Italianen, of voor de Fransen nietwaar, zuiderlingen met eergevoel?'

'Eh...'

'Goed: dat duelleren was hier in Duitsland nog behoorlijk in zwang bij de zogenaamde mannen van stand. Maar het mocht niet meer, ze hadden er een wetje tegen gemaakt. En die Hinckeldey moest daarop toezien.'

'Ah ja.'

'Op een ochtend, ergens in 1850 of zoiets, rukt hij er met zijn halve politiemacht op uit om een op handen zijnd duel te verijdelen. En, wat denk je?'

Rendichs achterhoofd vertoonde geen bijzonderheden, maar Von Osten moest zich nu niet laten afleiden door het gekeuvel vanuit de stoel. Tweegevechten, natuurlijk, die waren in zijn kringen aan de orde van de dag. Dat wist toch iedereen, hoe die idioten... Maar hij moest zijn gedachten erbij houden. Want deze bult hier, vlak boven het oor van de schilder, zowel links als rechts, die was opvallend. En uiterst belangrijk. Die kon hem vertellen of de bedoelingen van de schilder...

Schuin over zijn schouder keek hij op het schema van Gall, dat hij op de lage kast had gelegd, dwars over de glazen potjes heen. Hij twijfelde tussen twee van de genummerde hokjes op het overzicht: *Doorzettingsvermogen* of *Achterbaksheid*?

'Tijdens die razzia kreeg de arme hoofdcommissaris zulke grove beledigingen naar zijn hoofd geslingerd dat hij nog maar één uitweg zag. Nou, wat denk je, Von Osten?'

Von Osten keek in de vragende ogen van de schilder. Hij had geen idee waar Rendich het over had, maar de schilder sloeg met zijn hand hard op zijn dijbeen en proestte het uit: 'Raad je het niet? Een duel natuurlijk!' De schilder bulderde het uit in zijn stoel. 'Een duel, Von Osten, terwijl hij zelf juist... Dat is toch...'

De oude man staarde met een verbouwereerd gezicht naar de schilder.

'Von Osten, dat is toch... Zo hardnekkig is die onzin dus... sorry, traditie... Zeg, hoorde je eigenlijk wel wat ik zei?'

Von Osten begon ook maar wat te lachen, maar hij had werkelijk geen idee waarover de schilder zich zo vrolijk maakte. Hij wreef in zijn handen en merkte tot zijn spijt dat de warmte van Rendichs hoofdhuid in snel tempo van zijn vingertoppen vervloog.

'Sorry, Rendich, even nog, het is bijna klaar.'

'Juist, natuurlijk, uiteraard.'

Weer voorover in zijn stoel schokschouderde Rendich nog na. 'De hoofdcommissaris! In zijn eigen val getrapt, hahaha!'

Von Ostens vingers verdwenen weer in het warme, dikke haar. Links, rechts... Hij kon zijn eigen nagels niet eens meer zien, de zwarte plukken bedekten de bovenste kootjes van zijn vingers en hij probeerde te denken: dit is geen warme hoofdhuid met kleine korstjes, dit is een planeet. Het schema van Gall is de landkaart van de ziel... Hij kreeg het warm, sloot even de ogen. Het lome gevoel in zijn vingers, zijn armen, buik... Het was slecht voor zijn concentratie.

Rendich viel na nog een paar hiklachjes stil en boog steeds dieper voorover in zijn stoel. Zijn hoofd kwam bijna tegen Von Ostens knieën en er kwam zacht ge-grom uit zijn keel. 'Hmmmm...'

Zo kon Von Osten er niet meer goed bij. Hij moest bukken om verder te kunnen werken en dat deed hem pijn aan de rug. 'Ehm, iets hoger graag, Rendich?'

Met gesloten ogen veerde Rendich zijn hoofd een stukje terug omhoog en vlijde kreunend tegen Von Os-tens katoenen stofjas. 'Geen onprettig onderzoek, Von Osten, geheel geen onprettig onderzoek.'

Von Osten stond stil met de kruin van de schilder te-gen zijn navel.

'Hmmmmm...' mummelde de Italiaan.

Von Osten wilde een kleine stap naar achter doen om zo de afstand van hun beginpositie te herwinnen, maar voelde al in de eerste aanzet van zijn beweging dat het hoofd van de schilder dan weer naar beneden zou zak-ken. Hij bleef doodstil staan.

'Zeg, Von Osten, we zijn toch nog niet klaar, hoop ik?'

'Bijna, bijna.' Hij zette gauw zijn vingers weer op het hoofd. 'Bijna.'

'Von Osten, zeg, dit is beter dan de kapper.'

Langs zijn handen zag de oude man de rug van de schilder. De contouren van twee welgevormde spieren schemerden door het dunne jasje, van achter de broek-riem rezen ze op langs het schouderblad en verder om-hoog, de nek in, waar hun stugge kracht verdween on-der het glanzend bruine haar.

'Heel... erg... ontspannend.' Rendich maakte weer dat grommende keelgeluid en Von Osten dacht de branding te horen, de branding op een hete zomerdag; zijn bewegingen vonden de regelmaat van een lome, zomerse golfslag, hij voelde zon op zijn vingers, warmte straalde tot diep in zijn oude botten... En toen waren het niet meer alleen zijn vingertoppen die over het hoofd van de schilder wreven, maar de volle palmen van zijn vlakke hand – ook dat zachte binnenste deel, dat meestal, als een gevoelig weekdier, in de kromming van zijn schelp verborgen blijft.

'Man... die frenologie van jou...'

Von Osten stapte geschrokken achteruit. 'We zijn klaar.'

De schilder keek hem teleurgesteld aan.

'Je bent er dus uit?'

'We zijn klaar.' Von Osten draaide zich snel om naar de drankkast. Wat hij in zijn lichaam had gevoeld, had niets te maken met de hersenkaart van Gall.

'Ja.'

'Maar ik wil het dus niet weten. Hoe het met me zit.'

'Goed.' Dat snapte Von Osten heel wel.

Met een glas in de hand gingen ze zitten, zoals gewoonlijk tegenover elkaar. Het haar van de schilder zat in de war en hij zag er slaapdronken uit, zo met die blosjes op zijn wangen.

'Frenologie zei je, toch?'

'Geheel juist.'

'Jammer. Dat het voorbij is.'

Von Osten knikte. Nu wist hij nog steeds niet hoe het zat met die vreemde glooiing op het hoofd van de schilder. Hij wist op dit moment helemaal niets meer. Hij bracht zijn glas naar zijn mond en toen trof hem, vanuit zijn eigen hand, de zoete geur van Rendichs brillantine.

HOOFDSTUK 15

Opperste staat van paraatheid

Emilio Rendich wandelde later die middag zijn gebruikelijke route naar huis. Het vreemde schedelonderzoek, de drank erna, ze gaven zijn lijf een loom gevoel. De schets van het paard die hij die ochtend had gemaakt hield hij, in een dcken gerold, stevig onder zijn arm geklemd.

Eindelijk, het begin was er. Met een paar streken had hij die ochtend iets onzichtbaars zichtbaar gemaakt. Schilder van de ziel; zo wilde hij werken, nu vertoonde alles onmiskenbaar een opgaande lijn: Zobel, paard, commissie, schilderkunst. Zo snel na zijn aankomst in Berlijn zat alles toch maar mooi flink in de lift.

Maar waarom voelde hij zich dan toch zo bedrukt?

Hij was moe. Er was ook van alles mis. Hij moest weer het hele eind lopen, want zijn geld was op. Zijn maand in het atelier was bijna om. Er was geen uitzicht op een alternatief. Hij had nog nauwelijks iets gedaan

aan het portret van de generaal. En Mary...

Maar wat hem bedrukte was iets anders.

Het niveau van kinderen uit de vijfde klas. Vanaf het moment dat Von Osten dat had gezegd, was er een donker gevoel in hem neergedaald. De oude man was zo vreselijk blij geweest; het paard was er voor het eerst in geslaagd om onwaarschijnlijk moeilijke opgaven op te lossen. Uit zijn blote hoofd. Onwaarschijnlijk snel bovendien, sneller dan kinderen van tien.

Sneller dan Rendich zelf...

Natuurlijk, hij was geen maatstaf. Hij wist allang dat hij geen rekenwonder was. Nooit had hij daarmee gezeten, zijn wiskundige vermogens waren nu eenmaal begrensd. Vanaf een bepaalde moeilijkheidsgraad ging het niet meer, moest hij er pen en papier bij halen en in tussenstappen werken, met regels en formules. Voor een schilder kwam dat moment eerder dan voor een wiskundegenie, wat maakte het uit?

Maar het kinderlijke enthousiasme waarmee Von Osten vandaag de nieuwe mijlpaal had verwelkomd... Rendich kon het gevoel niet goed delen. Drie plus twee: daar was hij probleemloos in meegegaan. Hij had zich door het mysterie laten betoveren en in het kielzog van zijn enthousiasme werden nu voorname geleerden naar de binnenplaats getroond. Een sneeuwbal was in beweging gebracht, met dank aan de generaal, en daar was Emilio trots op. Straks, ja straks zou de hele wereld overtuigd zijn van de bijzondere rekenvaardigheid van het paard, dat was mooi – al ging het nu opeens wel erg snel en moest hij flink doorschilderen om zijn geplande graantje mee te kunnen pikken. Vijftien oktober, dan was het zover. Zijn meesterwerk moest ruim voordien klaar zijn, zodat de verf kon drogen en uitharden terwijl de commissie haar werk deed.

Maar die ingewikkelde breuken van vandaag. Het worteltrekken... Twee zesde plus drie vijfde... De wortel uit 144... 26743 gedeeld door 8. Dat waren opgaven...

Kinderen uit de vijfde klas.

Terwijl Emilio zichzelf de trap op sleepte naar de deur van het herenhuis van de generaal, durfde hij het woord dat nu in zijn gedachten opkwam nauwelijks te denken. De sommen die hij het dier vanochtend had zien oplossen, ze waren...

'Godzijdank, mijnheer Rendich, bent u daar eindelijk!'

In de anders zo stille vestibule van het Charlottenburgse herenhuis stond Gertrude hem achter de zware deur ongedurig op te wachten, het hondje Nora nerveus aan haar zijde.

Emilio keek snel op zijn horloge. Het was gewoon zeven uur, hij had geen afspraak dat hij wist, of...

'Heb ik iets gemist?'

Onwaarschijnlijk.

Gertrude schudde haar hoofd, trok hem aan zijn mouw naar binnen, gebaarde nerveus naar de deur van de salon. 'De generaal wacht al uren op u.'

'O?'

Ze wapperde nerveus met haar handen, hief ze toen vertwijfeld ten hemel. 'Mijnheer Rendich, de generaal is de hele middag... Hij noemt het zelf "in verhoogde staat van paraatheid", maar ik... ik noem het wilde razernij.'

'Maar hoezo?'

'En nu zit hij daar maar te roken...'

Emilio wees met zijn vrije hand naar de trap, hij wilde eerst zijn werk in het atelier zetten en liever zo snel mogelijk boven in alle rust nadenken over de reden van zijn bedrukte gevoel, alsof er iets niet klopte, alsof er iets...

Onwaarschijnlijk.

En dan wilde hij doorwerken, maar Gertrude schudde met toegeknepen lippen verwoed nee, ze leek zo in de war dat Emilio niet anders kon dan zijn doek tegen de muur zetten en naar haar luisteren.

'Sinds ik vanmiddag dat poststuk aan hem gaf doet hij zo...'

'Poststuk?'

Ze knikte nerveus. 'Hij maakte het open, was eerst zo blij als een kind. Rende er met twee treden tegelijk mee naar boven, naar uw atelier, gevolgd door Nora... Toen hoorde ik een tijdje niets... en daarna kwam hij naar de keuken, hij vroeg me wel tien keer wanneer u thuiskwam. En toen u er na een uur nog niet was, sloot hij zich daar op...'

Ze wees naar de deur van de salon.

'Ah!' Emilio begon breed te glimlachen. Nu begreep hij het opeens. Natuurlijk, de generaal had vandaag pas het voorlopige rapport in handen gekregen. En hij had het van hem, Emilio, moeten horen. Dat was wel zo netjes geweest.

Hij legde zijn handen geruststellend op haar schouders. 'Ja, Gertrude,' zei hij grijnzend, 'er is fantastisch nieuws. Ongelofelijk, ik weet het al een dag of twee. Ik had het hem natuurlijk meteen moeten zeggen.'

Na zijn klop op de deur wachtte Emilio het antwoord van de generaal niet af: met een flinke zwaai verschafte hij zichzelf toegang tot de salon. 'Goedenavond!' Hij ademde in om een feestelijke uitspraak over het voorlopige rapport te doen, maar de verstikkende sigarenlucht sloeg genadeloos op zijn keel en zijn woorden verzandden in een onbedaarlijke hoestbui.

'Zozo,' klonk het monotoon vanuit de fauteuil, 'uitgeblaft? Ik dacht: kom, ik rook maar eens een van Rendichs tegenprestaties op.'

Emilio wapperde met zijn hand voor zijn gezicht. Hoeveel sigaren had de generaal wel niet gerookt? De salon stond blauw. Van een 'staat van verhoogde paraatheid', zoals Gertrude het net had genoemd, was geheel geen sprake. De hoge militair zat onderuitgezakt in zijn stoel, de benen gestrekt naar voren. Rond zijn lijf hing een sigarenwalm zo dik dat alleen zijn gelaarsde benen duidelijk zichtbaar waren. Van bovenlijf en gezicht was slechts een vaag vermoeden mogelijk.

Voorzichtig ademde Emilio in. 'U heeft gelijk, Herr General, op een prachtig moment als dit vergunt een mens het zich...'

'Dat is maar net hoe je het bekijkt.' De anders zo vriendelijke stem van de generaal klonk afgemeten, geëmotioneerd, beledigd. Of was hij misschien gewoon... beschonken? De rookwolken rond de fauteuil deinden zacht mee op de luchtstroom uit zijn mond.

'Generaal, het spijt me, dit mooie nieuws... Ik had het natuurlijk al veel eerder met u moeten delen...'

Uit de grauwe damp verschenen twee handen. Tien vingers vlijden zich vermoeid op de lederen armleuningen en klauwden de zuchtende militair uit zijn achteroverhellende positie naar voren. Het gelaat dat nu zichtbaar werd deed Emilio, die zo vol zelfvertrouwen naar binnen was gestapt, verstarren.

'Mooi nieuws, zei u?'

Op het schaaktafeltje lag de envelop met het logo van de psychologiefaculteit. Het rapport was ernaast op de grond gevallen. Ze keken er beiden naar.

'Ach ja,' zuchtte de generaal, 'nieuws kan men dát natuurlijk nauwelijks noemen.' Hij schudde zijn hoofd. 'Maar zegt u eens, heer Rendich, bent u een man die op verkeerde paarden wedt?'

De vraag nagelde Emilio aan de grond. Hij wist niet wat te zeggen; waar ging dit over?

'Dat is wat ik van u weten wil, Rendich: bent u een man die belangrijke kansen laat lopen?'

Waar doelde de generaal in godsnaam op? Emilio had de conclusies van het rapport toch grondig gelezen, maar bij de verbeten aanblik van de anders zo vriendelijke generaal begon hij aan alles te twijfelen.

'Ik...'

'Een man die de zaken verkeerd inschat?'

'Heeft u het gelezen, het...'

'Ja, Rendich, wat denkt u dan. Natuurlijk heb ik het gelezen. Veelbelovend, inderdaad. Gefeliciteerd, mijnheer de schilder uit Italië.'

141

'De conclusies...'

'Wat had u dan gedacht? Waren andere conclusies mogelijk? Ik stap echt niet zomaar overal in, mijnheer Rendich. Ik ben toch zeker niet gek.'

'...'

'Dacht u soms dat ik u op uw woord geloofde? Op uw donkerbruine ogen?'

'...'

'Ach mijnheer Rendich. U lijkt steeds één ding te vergeten. Al weken vergeet u het, ja, kijkt u maar niet zo verbaasd. Vanmiddag zocht ik u boven, in het atelier. Tevergeefs, ik had het kunnen weten, u was natuurlijk op de binnenplaats. Ik heb toen onwillekeurig een blik geworpen op uw vorderingen met mijn portret...'

'O! Maar generaal...'

'En mijnheer Rendich, ik moet het u officieel zeggen: u verzaakt de plicht die uw verblijf hier mogelijk maakt.'

'Maar generaal, uw portret is pas...'

'Dat u uw tijd grotendeels aan andere dingen besteedt is tot daar aan toe. Uw fascinatie voor het wonderpaard begrijp ik ook alleszins, die deel ik zelfs, zoals u weet. En ja, proficiat met dit' – hij schopte wat naar het stapeltje op de grond – 'voorlopige resultaat. Maar dat u daardoor een prachtige, eenmalige kans heeft gemist... Als u die zondag gewoon op tijd op de Exerzierplatz was geweest...!'

'...'

'...dan had u misschien wél begrepen wat er op mijn portret te zien moest zijn. Dan had u beseft wat een generaal, aan het einde van zijn carrière, op zo'n doek wenst uit te stralen!'

Emilio's mond viel open. 'Als u... niet tevreden bent met mijn werk tot nu toe, dan kan ik u zeggen: we kunnen echt nog alle kanten op.'

'De aankomst van mijn rekruten was een uniek moment van maximaal contrast: de minst en de meest ervarenen bij elkaar. Slechts viermaal per jaar is het te zien en het duurt maar kort. U had de kans erbij te zijn... de laatste maal voor mijn pensioen. U heeft de kans gemist. Met alle gevolgen van dien.'

Emilio slikte. 'Het spijt me echt vreselijk, Herr General, ik heb het u uitgelegd en ik dacht dat u...'

'En omdat u die kans heeft gemist, heeft u er niets van begrepen. Zoveel is mij wel duidelijk uit de uitdrukking die u mij op het schilderij gegeven heeft. Nee, in plaats daarvan werkt u liever aan...' De generaal, die al die tijd in het luchtledige had gefulmineerd, keek Emilio nu recht in het gezicht. 'Dat u uw kostbare tijd en verf verspilt aan een afbeelding van mijn kleine Nora is al stuitend genoeg, maar wie is die vrouw op dat kleine bruine doek? Mijnheer Rendich, schaamt u zich niet?'

Emilio zweeg betrapt. Ja, hij schaamde zich. Hij had zich inderdaad, tussen de bedrijven door, geamuseerd met een doek van het hondje van de generaal. En met een portret van Mary: haar had hij uit zijn herinnering geschilderd in vele tinten bruin, haar blauwe ogen staken er zo prachtig bij af, en haar lippen...

Hij kon niet anders dan toegeven. Zijn werk voor de

generaal, die hem hier gratis onderdak verschafte, had hij verwaarloosd.

'Ik maak het goed.'

'Dat hoop ik voor u.'

Hoe graag hij ook verder wilde met het doek van man en rekenpaard, hoe urgent het ook was: de volgende dagen schilderde hij aan één stuk door aan het portret van de generaal. En naarmate dat vorderde, ontdooide de ijzige generaal langzaam terug naar zijn normale temperatuur. Emilio's opluchting was groot toen de hoge militair eindelijk tevreden constateerde dat hier nu toch 'een groot strateeg met een schat aan ervaring' voor hem op het doek verrees. De generaal liet zelfs schnapps naar boven komen en toostte op Rendich, die nu met een gerust gemoed zijn tijd verder kon besteden aan zijn werkelijke missie, 'die met het paard'.

Emilio zette het portret van de militair te drogen in een hoek en plaatste zijn paardenwerk weer op de ezel. Maar hij bleef op zijn hoede, gewaarschuwd als hij was door de plotselinge heftige ommekeer in het humeur van de hoge militair. En toen bracht Gertrude de generaal het telegram.

Ben voornemens met echtgenote naar Berlijn af te reizen ten behoeve van tentoonstelling op 15 oktober e.v. Gaarne bericht of een ontmoeting met u en onze Italiaanse protegé tot de mogelijkheden behoort.

Rendich staarde naar de letters. Het papier dat de generaal hem had aangereikt, verslapte van het zweet dat plotseling in zijn handen stond. Of verwelkte het onder zijn verbijsterde blik?

Ja, het stond er echt: protegé, tentoonstelling, *met echtgenote*.

Hij keek de generaal in diens lachende gezicht.

'Franz' belangstelling verbaast u toch zeker niet?'

Het vooruitzicht dat hij Mary al zo spoedig weer zou zien, bracht Emilio hevig in verwarring. Dit kon hij echt niet gebruiken, niet nu hij zich eindelijk vol op het paardenschilderij kon storten, wilde storten, moest storten – er stond inmiddels een forse tijdsdruk op. Hij keek nog eens naar het telegram en realiseerde zich dat het ook nog een bijzondere datum vermeldde.

'Vijftien oktober. Maar...?' De rest van zijn woorden bleef hangen op de lippen van zijn opengevallen mond.

De generaal maakte de zin glunderend voor hem af. 'Dat is *precies* de datum van het nadere onderzoek, Rendich! Ach, is het niet opmerkelijk hoe de wetten der krijgskunst vaak ook in vredestijd opgaan? Zoals Von Clausewitz het bijna honderd jaar geleden al zei: bij elke kentering stuit men op elementen die onbegrijpelijk, ja zelfs buitengewoon eigenaardig zijn.'

Onbegrijpelijk. Buitengewoon eigenaardig.

'Zo ziet u maar weer, Rendich, de geschiedenis levert ons slechts oefeningen in oordeelsvermogen. Nooit de kant-en-klare formules – die zijn, zo blijkt telkens weer, zinloos. Want de dingen hebben nu eenmaal hun eigen dynamiek. Plotselinge mogelijkheden, escalatie, kansen – maar weet men die ook te grijpen? Dat is de vraag en dat, jongeman, leert de oorlog ons. Daar heeft een generaal zijn superieure oordeelsvorming voor.'

Onwaarschijnlijk.

Mary, dacht Emilio. Ja, hij zou haar meenemen naar de binnenplaats van de Griebenowstrasse, haar voorstellen aan de oude man. Natuurlijk zou ze detoneren naast Von Osten en Frau Piehl, met haar slanke handen en haar zijden japon, maar het contrast zou haar schoonheid alleen maar versterken, het zou zelfs de ideale plek zijn om haar portret eindelijk af te maken, in de volle openbaarheid, niet in goedkope houtskool maar met de beste olieverf, tegen de achtergrond van de rommelige stal en naast de grofgebouwde Duitsers.

Hij zou haar de betekenis van het wonderpaard uitleggen. Voor hem, voor haar, voor de hele mensheid.

Franz zou het paardenverhaal eerst natuurlijk niet willen geloven. Maar er was geen ontkomen aan, ook niet voor een kunstvorst uit München: Emilio was erin geslaagd zijn revolutionaire voorstelling te vinden, de verbeelding van een ijzersterk verhaal, en daarmee iets wezenlijks te stellen tegenover Franz' sombere doeken, tegenover zijn hele pessimistische levensvisie. Hiermee viel niet te spotten. Mooier dan dit had hij het nooit kunnen plannen.

'Superieure oordeelsvorming,' ging de generaal verder, 'daarvoor hoeft men geen geleerd man te zijn. Liever niet! Veel oefening, dat is wat een bevelhebber nodig heeft, net als een schilder, haha: weinig abstracte waarheden, veel inzichten die met de werkelijkheid en de innerlijke geest verbonden zijn. Het beroep van leraar of bouwmeester vereist meer kennis dan het onze, nietwaar? Nou, beste man, gauw verder schilderen dan maar, u heeft nu een strakke deadline geloof ik en ik wens u daarom veel succes.'

Bij de deur van het zolderatelier draaide de generaal zich nog eenmaal om. 'Nog één dingetje, mijnheer Rendich. Het kleine bruine schilderij...?' Hij wees naar het kleine doek van Mary in de hoek bij het bed.

Emilio keek hem blanco aan.

'Ik zal u niet vragen wie het is. Ik heb het gezien. En ik moet u vragen, in uw eigen belang en met het oog op uw veiligheid...'

Emilio zweeg beschaamd, wist niet goed wat hij zeggen moest.

'Doe het weg,' klonk het bevel. 'Het geeft geen pas, ze is de vrouw van uw vriend.'

Emilio knikte.

De nieuwe vooruitzichten gaven Emilio vleugels. Hij sloot zich weer op in het atelier en ging vol goede moed aan de slag met het doek van man en paard. Hoeveel dagen had hij nog? Hij moest non-stop werken, had geen minuut meer te verliezen... Het was bijna te veel, te mooi, te beangstigend om waar te zijn: niet alleen zijn schilderijen en het resultaat van het aanvullende onderzoek zouden zich straks op dezelfde dag bij elkaar voegen, maar ook het beteuterde gezicht van Franz.

En Mary...

Hij werd tijdens het schilderen door iets bevangen. Het donkere gevoel waarmee hij de laatste keer de binnenplaats had verlaten, was nergens meer te bekennen en hij was productiever dan ooit. Kennelijk was iets of iemand hem goedgezind. Franz zou straks de onverwachte getuige zijn van de verwezenlijking van zijn onmogelijke project. *Laat de meesterwerken toch aan de meesters over.* Ha! Als Franz zou zien dat 'zijn protegé' erin was geslaagd uitdrukking te geven aan een idee, een ontdekking, een vinding van een orde zo revolutionair, zo wereldschokkend... *Als je er eenmaal voor staat, zul je het niet herkennen.* Ha!

Dagen achtereen werkte hij in afzondering door. Hij leek zichzelf een andere wereld in te schilderen, niks regels van professor B., nergens voor nodig, alles ging als vanzelf, de hele voorstelling die ergens in zijn geest verborgen zat, en die hij tot nu toe niet goed had weten te vatten, ving hij op het doek. De bewondering van de omstanders. De gekrenkte trots van de wetenschappers, de ontzetting van de religieuzen. Het harde werk van het paard, de oude man. En het bleef er niet bij één. Emilio maakte een tweede doek, en nog een, vier, zeven, tien... elk vanuit een ander perspectief, met verschillende materialen en kleuren. Af en toe kwam Gertrude binnen met wat eten of drinken, en soms kwam de generaal. Maar niets kon Emilio uit zijn roes halen, ook niet het steeds instemmender gemompel van de hoge militair achter zijn rug. Ook niet diens melding dat hij al twee kopers had – Emilio was daarin gek genoeg nauwelijks nog geïnteresseerd. Hij was met zijn kwasten en verf in een andere wereld beland – niet die waarin je schilderde om te verkopen, niet die waar je soms het gevoel had zelf door een onzichtbare hand te worden getekend. Nee, dit was een wereld waarin Emilio aan het roer stond. Met pigment en penseel op de top van iets ontzaglijk groots.

Toen de generaal het idee lanceerde om de schilderwerken op de dag van de persconferentie tentoon te stellen in de universiteit van Berlijn, scheen dit voorstel Emilio dan ook niet meer dan logisch toe.

HOOFDSTUK 16

Dankbaarheid

Wie had dat nou kunnen denken? Aan het eind van zijn leven stond Von Osten zich hardop af te vragen of hij zijn vader soms dankbaar moest zijn.

De oude man grinnikte bij de gedachte en schudde woest zijn hoofd: natuurlijk niet! Het idee was belachelijk, hij vervloekte die vent al bijna zeventig jaar. Toen hij nog op het landgoed woonde was zijn walging het heftigst, afkeer vermeerderd met de energie van een adolescent voor zijn immer aanwezige kwelgeest. Als twintiger dacht hij zich aan de greep van zijn pa te ontworstelen door het landgoed te verlaten, een zelfstandig beroep uit te oefenen – onderwijzer, een vak dat hem als gegoten zat. Maar zijn vader bleef alles in het werk stellen om zijn zoon het leven zuur te maken.

Onderwijzer? Wat was dat voor lachwekkende roeping? Zo iemand verdient nog minder dan een stoker op de trein, nota bene het *hulpje* van de machinist! Een

Von Osten onwaardig, Wilhelm, een schande, hij zwoer het te zullen verhinderen! En dat zou hem uiteindelijk nog lukken ook – zoals alles hem altijd lukte, al zette Wilhelm aanvankelijk dapper door. Hij was niet zomaar een onderwijzer. Hij had een ideaal: het drillen op nieuwe leest te schoeien. Niet dat militaire, de methode die thuis en op de diverse kostscholen die hij niet had afgemaakt met zulk gering succes op hem was toegepast. Nee, het moest anders. Dat had hij zelf gezien bij de lessen van zijn zusjes. Hun huisleraar had wel het seminarie gevolgd. Bij hen in de les werd muziek gemaakt, ze declameerden gedichten die hij nog kon opzeggen, in vier talen als het moest.

Hij wilde zo'n zachte variant, waarbij de lesstof speels en voorzichtig de kinderziel zou inschuren. Weg met het gehamer. Hij zou de stamtijden in liedjes gieten. Sommen in melodieën. De tafels van vermenigvuldiging in driekwartsmaat. Drie keer drie is negen: vierkwarts. Zo had hij gewerkt en in de klas had het prachtig geklonken, zijn lokaal pulseerde van de heldere kinderstemmen.

Al snel kwamen er klachten over de jonge leraar en zijn onorthodoxe, verwijfde methoden. Zijn vader werd erbij gehaald – bij alles werd altijd zijn vader erbij gehaald, de man die ertoe in staat was om het allerlaatste lied op aarde te doen verstommen. Vader had Wilhelm gevraagd of het hem misschien was ontgaan dat met het neerslaan van de revolutie van '48 de nieuwigheidjes in het onderwijs ook weer de kop in waren gedrukt. Dat onderwijzers weer gewoon ezeldrijvers waren, niets meer dan dat. Dat Pruisen niet zat te wachten op dat moderne, weke gedoe.

Een antwoord was niet gewenst, maar de jonge Von Osten had het toch gewaagd met een tegenvraag te komen. Waren de rekenprestaties van de kinderen er soms op achteruitgegaan? Zo ja, kon vader dat aantonen? De kinderen waren met sprongen vooruitgegaan.

'We zullen passende maatregelen nemen,' had de landheer slechts gezegd. Samen met het schoolbestuur had hij Kurtie van stal gehaald, de achtste zoon van Krakenauer, een nakomertje en niet al te snugger. Als deze licht achterlijke jongen door Wilhelms belachelijke liedjesmethode mee zou kunnen met de rekenstof, dan was het goed. Dan kon wondermeester Wilhelm gewoon aanblijven en de dingen doen die hem goeddunkten, al zouden ze hem zeker in de gaten blijven houden, dat wel.

De kleine Krakenauer lag zeker twee jaar achter en het was maar de vraag of hij in staat was tot meer dan zijn huidige niveau. Von Osten had even getwijfeld. Toch had hij ja gezegd.

Waren het muzieklessen of rekenlessen geweest? Er waren momenten waarop je het verschil niet goed kon zien, de naschoolse uren waarin meester Von Osten de kleine jongen had onderwezen. Na twee maanden zei het kereltje alle tafels op, in cadans achter elkaar, maar ook de losse sommen. Vol vertrouwen keek Wilhelm uit naar de openbare les, waarin Kurtie zijn kunnen voor het hele dorp vertonen zou.

Toen hij hoorde dat niet hijzelf maar zijn vader als

'onafhankelijke partij' de open les zou leiden, had hij natuurlijk de hele boel moeten afblazen, maar dat was toen geen optie meer. Wilhelm kon alleen nog maar lijdzaam toezien hoe zijn onorthodoxe lesmethoden hem finaal de das omdeden. Want natuurlijk sloeg de kleine jongen dicht bij de geüniformeerde ondervraging en plein public. De jonge meester was van bedrog beschuldigd. De jongen, die de dag ervoor nog zo trots was op wat hij allemaal had geleerd, had zijn mond geschrokken toegeklapt en daarna nooit meer een woord gezegd.

Von Osten was zevenentwintig. Hij was niet alleen zijn baan weer kwijt, maar ook het laatste sprankje respect voor zijn vader. 'Von Osten is nu eenmaal geen onderwijzersgeslacht,' had die tevreden geconcludeerd.

Er zat voor Wilhelm nog maar één ding op: verdwijnen, ver van hier, naar de hoofdstad, dan zou hij wel zien. Op de avond voor zijn vertrek ging hij nog eenmaal langs bij de ouders van kleine Kurt. Zwijgend hadden ze tegenover hem gezeten, en hoewel ze het niet met zoveel woorden zeiden, had hij troost geput uit de indruk dat ze hem niet direct iets verweten. Anya, Kurties grote zus, deed dat wel. Hij zag het in de prachtige ogen die hardnekkig weigerden hem aan te kijken: het was Wilhelms schuld dat haar broertje niet meer praatte.

Vroeger had ze hem vaak langer dan nodig aangekeken, steels glimlachend en hij had bij dergelijke blikken vele soorten van hoop gekoesterd. Hij had bedacht welke barrières hun liefde in de weg zouden staan en welke

153

stappen hij zou moeten zetten om die te slechten. Hij had ook gehoopt dat als hij met Anya zou zijn, het denken aan jongenslijven zou stoppen.

Hij probeerde haar nog iets te zeggen ten afscheid. 'Dag Anya, het ga jullie goed.' Iets beters wist hij niet.

Ze had voor hem op de grond gespuugd.

De dood van zijn vader spoedig daarna kwam als een geschenk uit de hemel. De aanzienlijke erfenis stelde hem in staat het bestaan te leiden van een rentenier. Hij kocht een deel van een nieuwbouwcomplex in het noorden van de stad en dacht er nog even over zelf een school te beginnen, het idee van de verheffing van arme arbeiderskinderen stond hem wel aan. Maar waar moest hij beginnen?

Als huisbaas verveelde hij zich niet, er was de zorg voor een tiental appartementen en daarnaast was er zijn kleine landgoed in Sternberg – met een stevig paard niet eens zo ver weg van Berlijn. Ook hielp hij de kinderen van de binnenplaats soms met hun huiswerk.

Zijn eerste paard kocht hij net nadat de renbaan in de Tiergarten geopend was. Spoedig merkte hij wat hij eigenlijk al wist: hoe slim zo'n viervoeter was. Het dier bleek soms oplettender dan hijzelf: zijn eerste Hans schatte de bochten perfect in, voerde zonder teugel instructies uit als 'links' en 'rechts', kon tot vijf tellen. En soms corrigeerde het dier zijn meester, als die in een vlaag van verstrooidheid het rijtuig de verkeerde kant op stuurde. Op dergelijke momenten ving Von Osten een eerste glimp op van de obsessie die hem de laatste

jaren van zijn leven in haar greep zou houden: dierenonderwijs.

De jaren die volgden vulde hij met het bestuderen
van ontwikkelingen in verschillende soorten wetenschap, heimelijk hopend dat zich hierin ergens, ooit,
nog eens een echte roeping voor hem zou openbaren.
Psychologie, frenologie, dierenonderwijs – zijn pa zou
hem vierkant hebben uitgelachen. Nu zou hij die ver-
rekte ouwe eens wat laten zien. Als onderwijzer zou hij
nooit op dit punt zijn beland. Moest hij zijn vader dus
dankbaar zijn?

Weer twijfelde hij even over die vraag. De middelen
die hem uit zijn erfenis ter beschikking stonden waren
al honderden jaren in de familie. Zijn vader had er niets
voor hoeven doen, behalve wat van hem verwacht werd.
Von Osten daarentegen was hier op eigen kracht gekomen. Met Hans. En met Rendich, zijn nieuwe, onverwachte vriend – het speet hem dat de Italiaan de laatste
dagen niet meer naar de binnenplaats gekomen was.

HOOFDSTUK 17

Oude geluiden

In haar kleine keuken op de eerste verdieping spoelde Frau Piehl de ontbijtkommen af. Ziezo, dacht ze tevreden, een nieuwe dag begint. Een dag zonder Rendich – althans, dat was haar vurige hoop.

Beneden op de binnenplaats begon met het geknars van de tafelpoten op de stenen de nieuwe dag. Ze spitste haar oren. Straks kwam het gekletter van de emaillen emmers, gevolgd door het walsachtige gesleep met de dozen.

De schilder had een aantal dagen verstek laten gaan. De binnenplaats was in die tijd naar zijn oude ritme teruggeveerd. Dit was haar paradijs. De geluiden hervonden hun vertrouwde regelmaat. Zodra ze de kralen van het telraam langs de ijzeren staven naar beneden hoorde kletteren, duwde ze snel haar handen in het sop en rammelde met de vorken en messen haar tegenmuziek, tot de gebromde sommen kwamen. Daarop stopte ze sokken – in een mand naast het aanrecht stonden ze te wachten tot hun partij beginnen zou.

Deze dagen genoot ze er dubbel van: als een oude handschoen pasten de geluiden om haar regelmatige keukengedruis.

'Koffie, Herr Von Osten?'

'En neemt u Rendichs beker maar weer mee.'

Hij had haar desgevraagd gezegd dat de schilder 'druk was in zijn atelier, gewoon druk'. Ze besloot niet verder te vragen. Ze had zijn gezicht gezien en wilde hem niet nog meer van streek maken.

'Natuurlijk, Herr Von Osten.'

Weer boven ging ze tevreden aan de keukentafel zitten, de mand met stopgoed voor zich op tafel, naald en sajet in de aanslag. Met smaak dronk ze Rendichs beker leeg, voelde hoe de hete drank haar lijf verwarmde en aan haar oogleden trok. De zon scheen heerlijk op haar rug en hals. Er was geen houden meer aan, alles moest omlaag, ook haar kin en schouders: de mand met gatensokken werd een kussen waarin haar hoofd dommelend tot rust kwam.

Alles verdween. Alleen de geruststellende geluiden vanaf de binnenplaats bleven, zachtjes op de achtergrond.

Als Frau Piehl een van haar zintuigen behouden mocht, koos ze ontegenzeggelijk haar gehoor. Dat was al zo sinds ze een klein meisje was en met haar ouders en broer aan de rand van het Grunewald kwam wonen, een bos vol heerlijke geluiden die haar op haar dwaaltochten de weg wezen: de roep van de uil, de takjes onder haar voeten, de vogels in de boomtoppen. En soms, vanuit een verre grot, een soort dierlijk hoorngeschal... of was het de aarde die kraakte? Ze hield van het zuigende geluid van haar stappen door een modderig karrenspoor. Verbaasde zich erover dat elke neerkomende voet zijn eigen toonhoogte had: de rechter hoger (*pwimp*) dan de linker (*psok*), alsof de tweede iets afsloot wat de eerste begon, een gevecht om het laatste woord dat zich niet beslissen liet zolang zij liep...

En lopen deed ze, urenlang.

Het was haar bos.

Soms verlangde ze er hevig naar terug. Niet naar haar ouders of naar haar broer. Ook niet naar het huis. Wel naar de plek bij het berkenbosje waar ze zomers met haar blote voeten in het warme zand ging staan, terwijl de wind in vlagen door de hartvormige berkenblaadjes joeg. En naar de klank van de vogels, sommige met een dronkenmansgekwetter alsof een stuiterbal op hun stembanden danste, andere roestig als het deksel van een oud koekblik (*szhieieh, grop*).

In die geluiden was ze thuis. Ze begreep ze, en zij begrepen haar. Alleen de nachtelijke knallen in de vroegte tegen zonsopgang, hard en kort, kon ze niet goed plaatsen.

Pang!

Dan schoot ze zwetend rechtop in haar bed en tikte geschrokken op de rug van Karl, haar broer, vier jaar ouder en communist.

'Wat was dat? Karl! Dat was al de tweede keer deze week!'

Hij wuifde het meestal knorrig weg, 'ga slapen zussie, het is de jacht', hij zou het haar later wel uitleggen, als ze groot genoeg was en het waarderen kon.

Op een nacht, niet lang na haar twaalfde verjaardag, maakte hij haar wakker. 'Zussie, kom. Je bent oud genoeg voor het spel van de jonkers aan het einde van de nacht.'

Hij nam haar door het duister mee naar de bosrand. Verscholen achter een dichte vlier moest ze naast hem op haar buik gaan liggen. Niet praten, alleen kijken, want het tweegevecht, zo legde Karl uit, was een ingewikkeld maar ook bij wet verboden spel, dus als de heren het minste gerucht hoorden dan werd de boel onverwijld afgelast en was het gedaan met de pret.

Heren? Er was niemand te zien!

Vlak voor zonsopgang arriveerden beide partijen per koets. Uit elk rijtuig stapte een goedgekleed drietal: één uitbundig jacquet vergezeld door twee bescheidener, maar niet minder keurig uitgedoste mannen. Een zevende kwam apart.

'Da's de dokter,' siste Karl tussen zijn tanden.

In de nevel schudden ze elkaar de hand: het leek de bezegeling van een geheimzinnige broederschap. Daarna werd uit een van de rijtuigen een mahoniehouten koffertje gehaald. Met veel misbaar werd het zegel verbroken. Er kwamen twee op het oog identieke pistolen tevoorschijn.

Ze keek Karl angstig aan. 'Ze gaan toch niet...?'

Hij lachte een kwaadaardige grijns en legde zijn vinger aan zijn lippen.

De secondanten begonnen nu aan een minutieuze controle: kaliber, lengte, boring, het moest om identieke wapens gaan, fluisterde Karl. Elk der duellisten kreeg de tijd om zijn wapen nauwgezet te prepareren, gadegeslagen door een oplettende secondant van de wederpartij. 'Dat gerommel met slaghoedjes en kruit, dat duurt altijd een eeuwigheid.'

Er werd nog wat onderhandeld over de posities en het zonlicht, de schaduw en de wind. Beide schutters hadden recht op een even scherp silhouet aan de horizon.

'Gaan ze echt...?'

'Ssst.'

Ze geloofde het niet. Hoewel ze met haar twaalf jaren de verfijnde manieren van de zeven edelen niet helemaal begreep, trof haar vooral de beheerste elegantie van het geheel. Het had iets verwijfds, iets bijna geparfumeerds. Wat had dit septet van keurige heren in de ochtendnevel met de dood te maken?

De twee jacquetten werden door hun secondanten naar hun plaats geleid. Schrijlings namen zij hun positie in, met de schuttersarm gebogen tegen het lijf gedrukt. Een korte hoofdknik, de secondanten traden terug.

Een doodse stilte daalde neer in de mist. De eerste schutter (het privilege van de beledigde partij) richtte zijn wapen.

'Nu opletten,' zei Karl nauwelijks hoorbaar.

Net voor het eerste schot klonk, kneep ze haar ogen dicht. Een scherpe lucht van salpeter en sulfer steeg op.

Toen ze haar ogen weer opende, hing er een dikke rookwolk boven de mist. Tegenover de schutter stond zijn tegenstrever onbeweeglijk rechtop.

Was hij niet geraakt?

Nu werd het wapen op de ander gericht. Om en om, ieder drie keer, zo zijn de afspraken, da's de code van het duel, had Karl gezegd.

Hij, die net gemist had, rechtte nu zijn rug, werd schietschijf, en gaf geen krimp.

'Dag Ehrenmann,' bromde Karl.

Weer kneep ze haar ogen dicht en wachtte op het tweede schot. Het kwam niet. In plaats daarvan ontstond onder de secondanten een hevig rumoer.

Een stopteken werd gegeven. Vanaf de zijlijn werd op hoge toon opheldering geëist: waarom was het eerste schot gemist? De eerste schutter wees verontschuldigend naar zijn wapen, maar zijn kennelijke suggestie dat daar iets mis mee was, werd onbevredigend geacht. Demonstratief controleerden de beide secondanten het pistool; na wat opgewonden gerommel bleek er niets mee aan de hand.

Nu was het aan. De eerste schutter werd streng bevraagd. Had hij soms expres gefaald? Kon met zekerheid worden uitgesloten dat het geen verdachte misser was geweest?

De jongeman ontkende hevig maar men geloofde hem niet. Hoe was het mogelijk, met deze afstand, dit wapen, na wekenlange training met nota bene hetzelfde pistool? De tweede schutter bevestigde desgevraagd dat hij de kogel inderdaad ruimschoots boven zijn hoofd langs had horen gaan.

Even stond iedereen stil. Er waren blikken, er was

kort overleg. Toen werd het unanieme oordeel geveld: een tegenstander sparen tijdens een tweegevecht is een belediging voor de moed van de wederpartij. Een affront voor de hele *Ehrenstand* en van een onverteerbare lafheid: vergrijp van de derde orde, zie de codex. Zo'n daad werd stante pede bestraft met een schot in het hart.

Toen ze de jongeman op zijn knieën zag zakken en het bloed door het witte hemd onder het jacquet door naar buiten sijpelde, was het haar zwart voor de ogen geworden. 'Trek het je niet aan,' snoof Karl toen ze thuis weer bij zinnen kwam. 'Dit is gewoon de schaduwzijde van hun privileges.'

'Maar waarom...'

'Het gaat de jonkers om de eer.'

'...moeten ze dan ook echt dood?'

'Herstel van de orde van schaamte en eer geschiedt op het scherpst van de snede.'

'Maar...'

'Het maakt niet uit, zussie. Ze zijn toch een uitstervend soort. Zo gaat het gewoon wat sneller.'

'Maar *waarom*?' had ze volgehouden.

Karl had zijn schouders opgehaald. Toen ze hem vragend bleef aankijken, had hij gezegd: 'De kleinste reden is genoeg. Een belediging, een verkeerde blik. Maar meestal, zo moet je weten, zus, steckt ein Frauenzimmer dahinter.'

In de jaren die volgden werd ze van een meisje een jonge vrouw. De stem van haar broer brak, daalde en verdween: hij vertrok naar Rusland. De buurjongen fleemde kortstondig om haar aandacht. De ruzies tussen haar ouders werden harder en hoger van toon, tot ook díé stilvielen. Haar vader stierf plotseling en ze zou haar hele verdere leven met haar moeder hebben geleefd, als op haar achtentwintigste niet Heinrich verschenen was, die haar als zijn bruid had meegenomen naar Berlijn, ver van de geluiden van het bos. Alleen de knallen had ze in haar dromen nog vele malen gehoord. Dan schoot ze zwetend rechtop en zag de mooie jongeling weer neergaan in het gras.

'Een goedemiddag!'

'Hallo!' riep ze terug, nog half in slaap en op goed geluk. Ze richtte haar hoofd op uit de sokkenmand en keek om zich heen. Er was helemaal niemand, ze was alleen in haar keuken. Toen realiseerde ze zich dat de groet niet voor haar was bestemd. Hij kwam ook niet van hier, maar van beneden op de binnenplaats.

Een antwoord klonk. 'Och Rendich, je laat me schrikken, ik had je niet verwacht!' De verheugde stem van de oude man.

'Ik blijf maar even. Iets brengen, en meteen terug. Ik ben hard bezig, zo hard bezig, het vordert goed, ongelofelijk goed, alleen...'

'Heb je al geluncht, Rendich? Ik roep Frau Piehl, ze maakt iets voor je, geen enkel probleem, we kunnen...'

'Nee! Geen moeite, alsjeblieft. Ga toch verder met je drukke programma, ik kom, nogmaals, alleen iets brengen. En nu ik hier toch ben: ik zou graag nog iets bekijken, heel even maar, een kleine studie, een schets van een minimaal maar belangrijk detail. Ik heb het nodig om de voorstelling in één keer in te vullen, perfect af te maken...'

'Een detail?'

'Iets in je houding. Verhouding, tot het paard, het doet er niet toe. Doe alsjeblieft weer net alsof ik er niet ben.'

'Alsof je er niet bent...'

'Heel graag. Het is belangrijk, voor alle schilderijen die ik onder handen heb, ja, het is zelfs essentieel.'

'O.'

'Ik ga dan gewoon weer even hier, onder de trap...'

'Goed dan. Hans... de wortel uit 144... delen door twee... plus vier... macht twee... min zestig... delen door tachtig... plus twee vierde... gelijknamig maken... eerst de teller... dan de noemer... en nu optellen... juist! En dat is hetzelfde als? Goed! Onthoud die één... daar gaan we... één plus één is... Goed. Plus twee is... Mooi. Plus vier is... Juist. Plus acht is... Plus zestien... En wat is nu de volgende in deze rij? Braaf dier. En nu – wacht. Rendich, waar ga je heen... Rendich!'

'Ben al klaar! Maar voor ik ga zet ik dit schilderijtje nog even boven, dat vind je toch wel goed?'

'Ik loop mee.'

'Niet nodig.'

'Ik loop mee.'

Het werd stil op de binnenplaats. Frau Piehl stond op. Het was koud, de zon was bijna weg. Buiten stond het paard alleen op iets te kauwen. Waar was de oude man?

En de Italiaan? Ze liep naar beneden, aaide het paard. De vertrouwde binnenplaats van voor ze in slaap was gesukkeld, had iets vijandigs gekregen. De mannen waren boven. Ze ging de trap op om zo neutraal mogelijk te vragen of ze hun iets brengen kon.

De deur van Von Ostens appartement stond op een kier. Ze hoorde mompelen: 'Blijf nou nog even.'

En nu klonk ook die andere stem. 'Nee, ik moet gaan.' De gebaren van de Italiaan zag ze met haar ogen dicht voor zich.

Hij had haast, helaas. Zijn schilderijen, er was nog zoveel te doen en zo weinig tijd... Dat zelfs zijn vriend uit München kwam!

'Eén drankje maar, Rendich. Ontspannen, weet je wel?'

...heel blij dat hij nog wat laatste indrukken op had kunnen doen om zijn werk af te kunnen ronden. Dat het fantastisch werd. Hij had niet één, maar verschillende werken gemaakt, misschien wel te veel, Von Osten. Maar in al die veelheid... er ontbrak nog iets. Met name aan het laatste, het grootste en belangrijkste doek. Het doek van baas en paard tezamen...

'Toe nou Rendich, het is nog vroeg.' Mijn god, het klonk bijna als een smeekbede!

Nee bedankt, helaas, hij moest het hele eind nog lopen... maar wat dacht Von Osten hiervan: de schilderijen zouden op de dag van de persconferentie allemaal op de universiteit tentoongesteld worden! De generaal had het bijna voor elkaar met de mensen van de faculteit. Leek dat Von Osten geen fantastisch mooi idee? Dan zou Von

Osten aan een lange tafel zitten, midden tussen de geleer-
den, en vragen beantwoorden van de internationale pers.
En alle vier de muren van de ruimte zouden bedekt zijn
met schilderijen van Rendichs hand, afbeeldingen van
Von Osten en zijn paard op deze binnenplaats...

Zou ik er dan ook ergens op staan? vroeg Frau Piehl
zich af. Meteen schaamde ze zich voor haar ijdelheid.

'Dat is mooi nieuws, Rendich.'

Von Ostens stem klonk verdrietig, verslagen bijna.
Had hij wel gehoord wat Rendich allemaal had gezegd?
De schilder ratelde door.

De generaal had morgen een afspraak met de profes-
sor om het allemaal te regelen. Er was nog veel te doen!
Emilio zou Von Osten natuurlijk op de hoogte houden.
En wat fijn dat het hier ondertussen zo goed ging, de som-
men waren wel erg ingewikkeld, maar Hans deed het
steengoed, buitengewoon, zelf snapte de schilder er in-
middels niks meer van, haha, maar Hans... die was wer-
kelijk een genie!

Frau Piehl verstond niet wat Von Osten hierop zei,
maar er lag iets intens droevigs in zijn stem.

Nee dank, echt, nogmaals, hij hoefde vandaag echt
niets te drinken, niets te eten, hij had haast, het werk
moest af, de tijd drong, hij kwam alleen iets bestuderen,
en ja, iets brengen en dat was nu gebeurd, hij wist ook
wat hij weten moest, en nu moest hij gauw weer gaan,
dag en tot snel en wat fijn dat ik dit kleine portret even bij
je onderbrengen kon.

'Zien we je dan morgen, Rendich? Of snel daarna?'

Frau Piehl verstond de rest niet, maar ze wist genoeg:

met zachte stappen snelde ze de trap af en deed alsof ze iets te doen had bij de hondenkar.

Rendich kwam het eerst naar beneden, gevolgd door de oude man. De Italiaan verdween onder de poort door de straat op, zonder nog eenmaal om te kijken.

Frau Piehl had de oude man nog nooit zo teleurgesteld gezien.

HOOFDSTUK 18

Onwaarschijnlijk

Eerst wist Emilio bij binnenkomst in de schemerige vestibule van het herenhuis niet zeker of hij het wel goed zag. Het was toch nog geen vijftien oktober? De deur van de salon op de beletage stond op een flinke kier. Een stuk donkerpaarse jurk was zichtbaar, waar een muiltje onderuit piepte. Toen hoorde hij een bekende basstem, een smakelijk lachsalvo denderde ter reactie – de generaal in een goed humeur. In de stilte die volgde tinkelde de belletjesstem.

Zijn lichaam wist het meteen, al in de eerste seconde. Maar zijn hoofd bleef in de donkere hal nog even redeneren dat het niet kon, ze waren nog in München, de generaal zou hem toch zeker iets hebben gezegd?

Beneden zijn hoofd vol argumenten werd zijn lijf warm, blij en benauwd tegelijk. Hij wankelde op zijn benen, een scheut vuurde door zijn onderbuik via zijn liezen naar zijn wangen en terug. Pijn, angst, voorover-vallen, alles tegelijk, mijn god, ja, ze was het echt, nu wist zijn hoofd het ook.

In de stille hal schatte hij zijn kansen in. Gertrude was nergens te bekennen; hij kon nu nog, ongezien, naar de trap sluipen zodat hij de rest van de avond als een muis op zijn atelier kon zitten.

Door de kier in de deur was te zien hoe haar voet omhoog wipte en iets hoger bleef hangen; ze had haar ene been over het andere geslagen. Daar stond hij dan. Nee, dacht hij, niet nu, nog niet. Franz niet, en alsjeblieft! Mary al helemaal niet. Hij had nog maar vijf dagen... vier... nee, twee! Net nu alles op zijn plaats zou vallen was ze opeens hier...

Op de binnenplaats was het zo makkelijk geweest om te geloven dat hij haar was vergeten. Nu zag hij op een paar meter afstand ook haar onderarm, haar levende onderarm en de prachtige lange vingers rond de steel van het glas sekt, het been met het gemuilde voetje eraan dat zachtjes heen en weer wiegde, en hij wist: van vergeten was geen sprake. Gedachten bonsden door zijn hoofd. Hoe lang zouden ze hier blijven? Misschien logeerden ze hier wel. Wegwezen, en wel meteen. Franz met zijn vragen, Mary met haar... Mijn god, wat een geluk dat hij net haar portret had weggebracht!

'Goedemiddag, mijnheer Rendich!'

'O! Gertrude, je laat me schrikken.'

'Er is bezoek, er wordt op u gewacht.'

Nu was er geen ontkomen meer aan. Emilio haalde adem en begon zichzelf moed in te spreken: kom op, man, de vlucht vooruit. Ruimte creëren, overrompeling door hartelijkheid.

Voorzichtig zette hij zijn schetsblok tegen de muur van de vestibule, haalde diep adem en klopte op de openstaande deur om die na een halve seconde zelf verder te openen, met een flinke zwaai en een blij verrast gezicht.

'Nee maar, wat een verrassing! Als mijn ogen me niet bedriegen, mijne heren en dame, dan zijn dit mijn lieve vrienden uit München!'

De drie aanwezigen veerden als in één beweging op uit hun fauteuils: de generaal, Franz en Mary. Maar hij zag alleen haar: in het echt was ze betoverender dan hij haar ooit zou kunnen schilderen.

'Emilio, kerel, wat ben jíj vroeg thuis vandaag!'

Hij kreeg geen tijd om op de generaal te reageren: Franz pakte hem bij de schouders en schudde hem heen en weer. 'Grote goden, Zobel, wat heb je met mijn kleine vriend gedaan? Hij ziet eruit alsof hij meer dan zeventig uur geen slaap heeft gehad.'

De generaal trok Emilio los uit Franz' greep. 'Deze kleine kunstenaar, beste mensen,' zei hij, 'werkt dag en nacht, zeven dagen per week, als een beest, ik zie hem vrijwel nooit.'

'Ongezellig!'

'O, maar ik neem hem niets kwalijk, hoor. Ik ben trots op hem. Het is fabelhaft wat hij onder handen heeft.'

'Zo.'

'Het is me een verhaal... een wonder, jullie zullen het eerst niet willen geloven.' Hij knipoogde naar Emilio. 'Of misschien ook wel.'

'O? En wat mag dat zijn? Een portret van de Keizer

misschien? Of de tsaar met zijn hele gezin?' De spot in Franz' toon was moeilijk te missen.

Emilio voelde zich klein worden en had spijt dat hij net, toen hij in de vestibule stond te weifelen, niet gewoon achteruit de deur uit was gestapt. De generaal schoot hem te hulp met een sussend gebaar.

'Toe zeg, onze Italiaanse vriend is moe. Kom zitten, beste Emilio, dan schenkt Gertrude je eerst wat in.'

Hij liet zich in een fauteuil duwen, recht tegenover die van de gasten, die nu ook weer in hun zetels zakten. Het viel even stil, en Mary glimlachte naar hem, maar hij durfde nauwelijks naar haar te kijken. Hij hield zijn blik strak op de arrogante grijns van Franz, op het nadrukkelijke gebaar waarmee hij de handen onder zijn kin vouwde en zei: 'En wordt de dame niet eens meer naar behoren begroet?'

'O!' Emilio sprong op. 'Hoogst onbeleefd, perdonami.'

Mary reikte hem haar hand, die hij voorzichtig kuste en toen hij opkeek... was dat een blik van verstandhouding? Die stond haar mooier dan het duurste sieraad dat hij voor haar had kunnen kopen.

Haastig ging hij weer zitten, sloeg zenuwachtig zijn benen over elkaar, informeerde zo neutraal mogelijk naar de reden van Franz' bezoek. De gezondheid van de kleine Mary, de verbouwing van de villa, en of zijn Griekse studiereis al tot nieuwe werken had geleid?

Franz maakte een afwerend gebaar. 'Emilio, wat een vragen allemaal. Zeg, zijn dat verfspetters in je haar, of kleine stukjes stro?'

Tijd, dacht Emilio. Hij had tijd nodig om bij te komen van deze overval en dan zou het gaan, zoals gepland. Hij sloeg zijn glas in twee teugen achterover, verzocht een uur om zich op te frissen, zodat hij op gepaste wijze aan tafel kon verschijnen 'zonder ongewenste pigmenten in het haar', en beende de salon uit.

Hij zeulde zijn laatste schetsen de trap op, zette ze boven met deken en al op een ezel. Mary... hij moest zorgen dat hij straks niet tegenover haar zat.

Zijn verwarring verbaasde hem. Focus, daar ging het om. Nu, en ook straks aan de dis – als de onvermijdelijke vragen kwamen. 'En, wat heb je de afgelopen weken zoal uitgespookt in het atelier dat ik voor je geregeld heb?'

Emilio zou rustig antwoorden dat hij naast portretten bezig was met iets groots.

'Zo? Je betreedt dus toch het rijk van de meesters? Laat zien.'

Emilio zou kalm uitleggen dat dat helaas nog niet mogelijk was. Over een paar dagen misschien, op de dag van zijn expositie, dan wel.

'Zelfs geen tipje van de sluier?'

Een titel. Hij moest zijn werken titels geven. Dat maakte het concreet en hielp de aandacht een beetje af te leiden.

Hij trok de deken van zijn laatste studie van vandaag. Er kwam een glimlach terug op zijn gezicht. Zijn lichaam ontspande, ja, hij was absoluut op de goede weg. Deze streken waren raak, hij had de spanning in het lijf van de oude man goed gevat. Het moment van twijfel trof de kijker recht in het gezicht. Eindelijk! Precies zoals hij het al die tijd had bedoeld, oefening baart kunst. Beneden zaten ze op hem te wachten. De generaal, Franz, Mary... Zoals ze hem aangekeken had... *Onwaarschijnlijk*. Het vreemde woord had onderweg weer bij elke stap door zijn schedel gegalmd en ook nu was het er weer. Het was een leeg woord, feitelijk betekende het niets. Dat hij vanavond met Mary zou dineren, had hij dat soms vanochtend gedacht? En kijk nu toch...

Hij ging op zijn bed zitten en voelde hoe moe hij was. *Onwaarschijnlijk*, er waren in de geschiedenis zoveel onwaarschijnlijke dingen gebeurd, althans, zo leek het. Dat de aarde rond was en om de zon draaide: wie had dat vijfhonderd jaar geleden gedacht? Dat je geluid kon opnemen op een plaat, om het daarna weer af te spelen – dat had niemand dertig jaar geleden geloofd. En glas, doorzichtig materiaal gemaakt van zand, nu heel normaal, maar ooit...

Het was maar net op welk moment je de zaken bekeek. *Onwaarschijnlijk* – het was iets totaal anders dan onmogelijk.

Hij bekeek met toegeknepen ogen zijn nieuwste schets. De ruglijn van Von Osten, die hij zo goed getroffen had. De licht gebogen hals, de vooruitgestoken kin met de baard. De hele houding deed nog het meest denken aan die van een schildpad. Alles balde samen in een spanningsboog die leidde naar dat ene punt: de geheven paardenhoef boven de keien.

Als het hem lukte om deze impressie, de essentie ervan, over te brengen naar de bijna voltooide doeken die hij hier inmiddels had staan... Hij wreef in zijn handen. Het was nog zoveel werk. Waarom moesten ze uitgerekend vanavond langskomen om hem lastig te vallen? Net nu hij op het punt stond om de boel af te maken, en hoe. Verdomme, hij móést vanavond schilderen. Hij zag heel duidelijk voor zich hoe het verder moest, welke streken waar, zoveel tijd was er niet meer en nu zat hij vast aan dit diner. Kon hij er met goed fatsoen onderuit? Zeggen dat hij onwel was? Als hij zich goed concentreerde, zou hij hier vanavond, alleen in dit heerlijke atelier, het schilderij kunnen afronden, hij had de binnenplaats niet meer nodig. Hij kende het tafereel uit zijn hoofd, kon het blind oproepen, met alle geluiden en geuren die erbij hoorden. Zélfs als hij wist dat beneden Franz en Mary op hem wachtten.

Hij legde zijn handen op zijn oogkassen en ademde diep in.

In het duister zag hij de voorstelling zich verder ontrollen, precies zoals hij het zovele malen op de binnenplaats had gezien: als Hans de juiste oplossing had gegeven, veranderde Von Ostens hals van een lichte kromming in een rechte lijn. Zijn adempijp ontdeed zich van overtollige, vastgehouden lucht. De bebaarde kin werd licht geheven, en dan rechtte zich de oude rug. En volgde de diepe, opgeluchte zucht.

Elke keer weer.

Opeens spert Emilio zijn ogen open en veert met een gruwelijke vloek van het bed. Schopt daarbij een fles om die aan de rand van het bed stond, maar hij merkt het niet. Want een verschrikkelijk inzicht treft hem als een bliksemslag: *dit is de beweging die al die tijd de paardenhoef heeft geleid.*

Rustig blijven, dacht Emilio terwijl zijn hart als een razende tekeerging. Koelbloedig nadenken. Kan het waar zijn? Is het mogelijk dat een dier signalen oppikt die zo minuscuul zijn dat zelfs een geoefend schildersoog ze pas na wekenlang turen ziet, en dan ook nog achteraf? Signalen waarvan de oude man zich zelf niet bewust lijkt te zijn, of...

Was het mogelijk dat de oude man een oplichter was?

Hij schudde zijn hoofd. Nee, uitgesloten.

Hij liep naar zijn schets, ijsbeerde ervoor heen en weer, mompelend dat het niet kon, zeg nou toch zelf, zeg nou zelf, zeg nou verdomme zelf –

'Dat is pas onwaarschijnlijk!'

De figuren op het doek, Von Osten, Schillings, de mensen in het publiek, hij had ze zo vakkundig gepenseeld, en nu zwegen ze. Ze hielden hun blik strak gericht op dat ene punt ergens beneden in het doek: Hans' geheven hoef.

'Zeggen jullie ook eens wat!'

Hij moest rustig blijven. Dit kon gewoonweg niet, dan hadden anderen het ook gezien. Hij was alleen in de war omdat hij Mary had gezien.

Ja, dat was het.

Hoe was het verdomme mogelijk dat de aanblik van een vrouw een man zo in verwarring brengen kon!

Er werd op de deur geklopt, maar de bescheiden knokkels hadden precies hetzelfde ritme als de ijsberende voeten van de schilder op het plankier, dus hoorde hij niets anders dan zijn eigen aansporingen, die hij tot het doek richtte, alsof hij zichzelf en zijn geschilderde figuren moed insprak: 'Waarom zou ik nu opeens gaan twijfelen? De bevindingen van de commissie waren toch duidelijk? Niks geen trucage! Niks signalen! Ik lig perfect op koers. Ik moet alleen bedenken hoe het straks zal zijn – als die praatjesmaker beneden inziet wat ik in mijn mars heb! Ik lieg gewoon een beetje over mijn portrettenbusiness. Ik zeg hem wel dat het loopt, best al veelbelovend loopt, waarom zou je je altijd maar door de waarheid laten hinderen? Kom op, Emilio, roep eens wat titels. *Wonder op binnenplaats? Rekenpaard? Wegwijzer naar het onbekende* dan? *Onwaarschijnlijk?*'

Onwaarschijnlijk. Daar was het weer, dat woord. Verdorie, en het ging ook niet meer weg, steeds harder galmde het in zijn hoofd met een holle, bijna beschuldigende klank, alsof hij, domme Italiaanse schilder, het al die tijd had moeten zien.

'Maar het *is* niet onmogelijk!'

De figuren in verf hielden zich muisstil. Alleen de blik van Frau Piehl... had hij die zo geschilderd? Zo vol medelijden, spottend bijna, alsof ze altijd alles wel geweten had.

Hij hoorde weer niet de zachte klop op de deur. Herhaalde in zichzelf dat het gewoon niet waar kon zijn. Mocht zijn. Hij zag niet hoe de deurklink bewoog. Voelde niet hoe zijn knieën het begaven, zich vouwden, zijn rug zich kromde. Hoe zijn handen zijn hoofd vastpakten en zijn lichaam op de grond voor het doek in elkaar zakte. Hoorde niet het ruisen van de lange paarse rok. 'Emilio...' Ze zat opeens gehurkt voor hem. Haar prachtige zwarte ogen, haar ronde gezicht, de lieve kleine lijntjes langs haar mond.

'Emilio, het diner wordt zo opgediend.' Haar stem klonk als een zacht aangestreken snaar. Hij durfde niet op te kijken, schudde alleen maar zijn hoofd.

Al die monsterlijke gedachten – ongevraagd waren ze zijn hoofd in gekomen en poseerden daar nu als bewijs, als een inzicht dat zich niet meer ontkennen liet.

Het kwam allemaal door haar.

Hij wilde nog maar één ding: verdwijnen, weg. Verzwolgen worden. Zijn gedachten, zijn brein, zijn lijf, zijn angsten en wensen, en dat hij ooit had bestaan. Waar kon dat beter dan in de zachte holte van haar mond?

'Maar Emilio, wat...?'

Hij overlaadde haar met kussen, brandend van verlangen om in haar te verdwijnen, zijn hele wezen, zijn naam, en elke gedachte die hij ooit had gehad, ieder spoor van hem dat op aarde had bestaan.

Ze keek verbaasd. Glimlachte toen en liet zich door hem op zijn bed tillen. 'Die afstandelijke Italiaan is opeens erg...'

'Sssst.'

Ze liet hem begaan.

God, dacht hij. Laat die monsterlijke gedachten door haar aanrakingen worden uitgewist. Vaag ze weg tussen haar lippen, in de palm van haar handen, zorg dat ze verdwijnen onder de zachte druk van haar vingertoppen, tussen de haartjes van haar huid, in de holte tussen haar borsten, in het kuiltje in haar nek, in de zachtheid tussen haar benen, in godsnaam! Laat heel mijn lichaam in haar vergaan, in deze daad van verboden liefde. Ik vraag u, met het vurigste verlangen dat ik ooit heb gekend: om zelf voor altijd te worden uitgewist.

Hoe ze daarna weer beneden waren gekomen herinnerde Emilio zich niet. Op de trap had hij in verwarring steeds maar gemompeld dat het niet zo kon zijn. Hij had iets onduidelijks gestameld over 'de waarheid' en 'er niet meer omheen kunnen' en 'de arme oude man'.

Ze had hem halverwege de trap tegen de muur gedrukt, en gefluisterd: 'Kom, Emilio, zo oud is Franz nou ook weer niet.'

Hij schudde zijn hoofd. 'Mary. Het spijt me, ik wilde dit altijd al en ik wilde het niet. En nu is het toch gebeurd. En Franz...'

'Laat Franz er maar liever buiten.'

'Het maakt niet meer uit, Mary.'

'Laat hem erbuiten, dan is er niets aan de hand.'

Wat was ze mooi, de wereld kon nu gewoon kapot. Hij wandelde achter haar aan de salon in, en door de schuifdeuren naar het eetvertrek. Hij had de indruk dat hij werkelijk al niet meer bestond, niet meer in staat nog na te denken, had geen enkel gevoel. Geen spijt of schuld tegenover Franz. Geen schroom tegenover de generaal. Hij was in een groot niets beland. Zag alles door een dikke waas. Had wel nog de tegenwoordigheid van geest om zich voor te nemen aan de rijk gedekte tafel zo veel mogelijk te drinken.

'Nou Emilio, je zult wel zo fris zijn als een parelhoen, mijn god, wat duurde dat lang.'

'Scusi.'

'De generaal heeft me net verteld waar je allemaal mee bezig bent.'

'O.'

Mary liet zich met stoel en al door haar gastheer tegen de tafelrand schuiven, daarna gingen de drie heren ook zitten.

'Goed zo, Zobel, lekker strak, dan kan ze tenminste nergens heen.'

De generaal keek geschrokken opzij en sprong weer op. Hij probeerde snel zijn fout te herstellen, wrikte Mary's rugleuning naar achter. Emilio probeerde uit alle macht niet naar haar beleefde glimlach te kijken, gevolgd door een knipoog naar hem.

De glazen werden gevuld.

'Laten we het nu dan eindelijk hebben over onze Italiaanse schilder. Hoe gaan jouw zaken hier inmiddels, in het wilde Berlijn?' Franz keek Emilio aan. 'Ik hoor van de generaal heel interessante dingen. Vreemde dingen ook.'

Emilio keek afwezig voor zich uit. 'Berlijn. Stad vol kansen.'

'Juist. En die pak jij ook? En dan heb ik het dus niet over toverpaarden, hè.'

'...'

'Zeg eens wat, hier zit ik!'

Emilio reageerde niet. Er gingen wat blikken over tafel, en toen nam godzijdank de generaal het woord. En dat deed hij uitgebreid, zodat Emilio alleen nog van zijn wijn hoefde te drinken, grote slokken, precies zoals hij zich voorgenomen had. Hij hield zijn blik zo veel mogelijk op Gertrude gericht. Ze stond bij de deur en kennelijk had ze begrepen dat hij voortdurend bijgeschonken wilde worden. En terwijl de alcohol zijn versufte lichaam verder ontspande liet hij zich meevoeren door de stem van de hoge militair. Hij hoorde vreemde flarden van een wonderlijk verhaal. Een prachtig, ongelofelijk verhaal over een onwaarschijnlijk slim paard, en net als Franz en Mary hing hij aan de lippen van de generaal, overtuigender had deze geschiedenis nooit geklonken. Ook Franz knikte geïntrigeerd en Mary was vol enthousiasme en lachte alweer zo prachtig naar hem. Onder tafel voelde hij haar voet zoekend tegen zijn dij. Het paardensprookje paradeerde in mooi aangeklede zinnen over tafel. De generaal legde overtuigend uit hoe het allemaal zat. Hoe de schilder en hij strategisch hadden samengewerkt. Hij blies de loftrompet over Emilio's schilderijen. Hoe mooi ze wel niet werden, bijna af... net op tijd... en Gertrude schonk en schonk... het woord van een man in uniform maakte alles weer in orde. Emilio's ogen vielen bijna dicht, hij hoorde niet eens meer dat zijn werken al vijf serieuze kopers aangetrokken hadden...

De glazen dansten voor hem op tafel. Hij zakte onderuit op zijn stoel en voelde Mary's voet tussen zijn dijen en alles werd vaag, heel vaag... Zijn eerdere revelaties over de hoofdbewegingen van de oude man leken er totaal niet meer toe te doen. Hij was hier niet, toch?

'...hij ook mijn vriendenkring nog kan portretteren, nee, hij is me in het geheel niet tot last, integendeel...'

'...er veel plezier in deze ijverige schilder op weg te helpen, ik ben ook maar alleen in dit grote huis tenslotte, en straks met mijn naderende pensionering...'

'...blij dat ik dankzij hem een begin heb gemaakt met schrijven over dit wonderpaard, zou wel eens een mooie aanzet kunnen zijn tot een nieuwe bezigheid...'

Nu durfde hij, onderuitgezakt op zijn stoel, ook gewoon Mary aan te kijken. Waarom eigenlijk niet? Hij hield van haar. Wat was ze mooi, zo uitdagend als ze daar zat, ze was van hem, hij wilde haar, en zij hem. Wat was ook alweer het bezwaar tegen dit prachtige, overweldigende gevoel?

Toen werd alles zwart.

's Nachts waren er levensgrote pratende schilderijen. De doeken van Franz, de werken die hij zo verachtte, ze dansten om hem heen en lachten hem bulderend uit, riepen *onwaarschijnlijk!* en *onmogelijk!* en *onzin!* En zelf was hij een paard. Mary fluisterde, op hem gezeten: 'Mijn lieve afstandelijke Italiaan. Wees toch gewoon een dier! Die weten veel meer dan je denkt.'

HOOFDSTUK 19

Hakblok

Toen Emilio de volgende ochtend wakker werd onder een oud tafelkleed op de stenen vloer van de gereedschapsschuur, herinnerde hij zich eerst helemaal niets. Iemand moest hem hier hebben neergelegd. Iemand had ook zijn spullen naast hem neergezet. Zijn jas lag ruggelings over zijn koffer, als een dronkenman: één arm reikend naar de grond, alsof daar ergens nog een fles met een bodempje stond.

'Gertrude?' Zijn mond was droog en zijn ene oog zat dicht.

Ze was bij het kippenhok en kwam aangesneld, fluisterend dat hij héél snel moest gaan. Het mocht niet meer zo vreselijk uit de hand lopen als gisteravond. Hij had allang weg moeten zijn.

'Uit de hand?' Emilio richtte zich op, in zijn rechteroog en de kas eromheen een stekende pijn.

Gertrude reikte hem een vochtige witte zakdoek met

broderie. 'Misschien bent u later weer welkom, heeft de generaal gezegd. Als de andere gasten weg zijn, en alles een beetje is afgekoeld. Maar nu... alstublieft, mijnheer Rendich!'

Afgekoeld? Hij hield de natte zakdoek tegen zijn oogkas en keek haar niet-begrijpend aan.

De vuistslag – langzaam kwamen flarden van de vorige avond terug in zijn hoofd. Franz had uitgehaald nadat hij iets had gezegd. Maar wat? Hij wist het niet meer. Hij herinnerde zich Mary's voet tussen zijn dijen. De wijn. Zobels prachtige verhaal over het wonderpaard. En daarvoor – het schoot als een siddering via zijn liezen omhoog – hun ontmoeting in het atelier...

Hier stokten zijn gedachten. Hij sloeg zijn handen voor zijn gezicht, hapte met zijn lippen in de muis van zijn hand, alsof zij het was, zijn vingers gleden weer over haar ronde schouders, via haar zachte bovenarmen naar haar welvende ribbenkast en verder, neerwaarts, naar haar zachte buik, verscholen tussen twee licht uitstekende heupbotten. Hij schoof weer zijn handen onder haar billen, tilde haar bekken op, voelde haar nagels in het vlees van zijn bovenarmen.

'Mijnheer Rendich? Toe nou! U mag hier niet zijn!'

Nee, er was geen ontkomen meer aan. Hij had het zo bont gemaakt dat hij op niemand meer kon rekenen: Franz noch de generaal. Sinds het vervloekte inzicht over het wonderpaard en het moment dat Mary binnen was gekomen, was zijn toekomst feitelijk voorbij geweest. De rest zou simpelweg in een paar zinnen samen te vatten zijn.

Gertrude drukte hem een stuk brood in handen. 'Echt, mijnheer Rendich, ze denken dat u allang weg bent, ga, ik vrees dat u anders...'

'De generaal?'

'Is al vertrokken. Hier, uw jas en uw koffer. De schilderspullen.'

'Franz?'

Ze schudde haar hoofd en duwde hem zachtjes naar de deur.

Op de stenen trap voor het herenhuis stak de koele lucht fel in zijn pijnlijke oog. In het ochtendlicht was het glashelder wat hem nu, als een gewetensvol man, te doen stond.

Toen hij de binnenplaats op stapte, was het er weer: het gevoel dat hij zelf een schilderij in stapte, alsof hij elders werd getekend – precies zoals de eerste keer dat hij hier aangekomen was. De verbaasd-blije lach van de oude man deed pijn aan zijn gewonde oog.

'Rendich? Ben je vandaag toch gekomen? En waarom al die spullen, ga je verhuizen?'

Emilio sleepte zich naar de trap van het appartement van Frau Piehl en ging op de onderste trede zitten. Hij wees naar boven. 'Ik zou wel zo'n koffietje lusten.'

De oude man kwam naderbij. 'Mijn god... hoe kom je aan dat blauwe oog?'

'Een lang verhaal.'

Daar snelde de goede buurvrouw al toe met in koud water gedrenkte lappen. Emilio liet zich de verzorging welgevallen en dronk, tussen het zachte deppen door, kleine slokken. Heerlijk, die geruststellende woordjes die ze tot hem sprak. Hij sloot ook zijn andere oog. Het kon hem niet lang genoeg duren. Het minuscule sprankje hoop dat hij nog had wilde hij zo lang mogelijk intact houden. Als het paard toch zelfstandig rekenen kon, dan had hij alleen het probleem met Franz: groot, enorm, maar te overzien.

'Wilt u misschien even liggen, mijnheer Rendich?' vroeg Frau Piehl bezorgd.

Hij schudde zijn hoofd.

'De koffer, moeten we die zolang boven zetten?' vroeg Von Osten.

De schilder antwoordde met gesloten ogen. 'Nee, ik blijf niet lang, ik moet door.'

'Door?'

Emilio knikte. Hij wist precies wat hem vandaag te doen stond en in welke volgorde. Maar eerst moest zijn vermoeden hier bevestigd worden. Ontkracht. Bevestigd. Ontkracht, mijn god, wat een hoofdpijn.

'Dank u, Frau Piehl. Het gaat zo verder wel.'

'Houdt u zelf die lap er dan nog even tegenaan?'

Ondanks zijn vermoeidheid en hoofdpijn was het hem, ook met één oog, onmiddellijk duidelijk. Zo duidelijk dat hij niet begreep dat hij het niet eerder had gezien: na het opgeven van de som was de spanning in Von Ostens lijf de aanwijzing voor het paard om te gaan stampen. En te blijven stampen, tot Von Osten zijn kin, bijna onzichtbaar, een fractie oplichtte. Na zijn opgeluchte zucht volgde onverwijld de reactie van het dier: hoef aan de grond. Klaar, goed zo Hans, wortel.

Elke keer weer.

De schilder begroef zijn gezicht in de natte witte lap. Er was geen ontkomen meer aan: de gevolgen drongen in hun volle omvang tot hem door. Zijn revolutionaire schilderwerk – het was niets meer waard. Zijn artikel in de *Illustrazione Italiana* – hij had zich er onsterfelijk belachelijk mee gemaakt. En de generaal, met zijn artikel in het *Militair Weekblad*... Emilio had hem ertoe aangezet. De man had hem vertrouwd. Zijn goede naam te grabbel gegooid. Hoe kon hij hem ooit nog onder ogen komen?

Alles was kapot.

Ook zijn portret voor de goede Zobel, waar inmiddels vervolgopdrachten uit voortvloeiden. Hij kon het nu allemaal vergeten. Gisteren nog, die prachtige tafeltoespraak die de generaal had gehouden over de bijzondere vermogens van het paard... en Mary... Franz – hij had zijn vriend, die hem zo goed geholpen had, verraden.

Het was zo simpel. Onbewuste dressuur. Waarom had niemand dit eerder gezien?

'Mijn hoofd ligt op het hakblok.'

'Hé, Rendich, kerel, wat bazel je nou?'

Von Ostens bezorgde glimlach verjoeg Emilio's gedachte dat de man het allemaal opzettelijk had gedaan. Dat hij een oplichter was en het paard hierop had getraind. Onmogelijk. Kijk hem daar nou staan, de arme man, zijn levenswerk stond te wankelen, maar hij wist niets van de afgrond waar hij voor stond. Emilio kon nog maar één ding voor hem doen: zijn val dempen, hem beschermen met de waarheid, voorkomen dat hij onderwerp zou worden van de vreselijkste spot en hoon. Hoe moeilijk het ook was, hij moest het nu doen: de droom van deze man aan diggelen slaan en dan zorgen dat alles afgelast werd, nog net op tijd.

'Von Osten, ik vrees dat ik een ernstig vermoeden met je delen moet.'

Gisteren, nog geen etmaal geleden, was hij op deze zelfde plek een en al overtuiging geweest. Vol van de plannen voor de expositie van zijn revolutionaire schilderkunst op de universiteit. Hij ging het regelen! Het was zo goed als rond! En nu, amper vierentwintig uur later, richtte hij zich als een gewond roofdier op van de traptree, witte lap tegen zijn hoofd. 'Von Osten, het spijt me, maar...'

De oude man aankijken was niet te doen. Dus sprak hij verder tot zijn keurig gepoetste zwartleren stappers.

'Von Osten, ik kan er niet omheen.'

'Zal ik dokter Dietmann...?'

'Helaas, geen dokter helpt hier meer aan.'

Het werd heel stil op de binnenplaats. Emilio onthulde, mompelend tegen de ongelijke stenen waarop hij stond, zijn giftige ontdekking. Zijn blik en zijn kleine, verontschuldigende armgebaren richtte hij omlaag. En pas toen hij uitgesproken was keek hij op, hulpeloos, schuldbewust, recht in het gezicht van de oude man. Die glimlachte niet meer. 'Maar...' was het enige wat hij kon uitbrengen.

Rendich knikte zwijgend.

'Dus...' stamelde de oude man.

'Ja.'

'Maak jij me nu ook voor bedrieger uit?'

Emilio kromp ineen. 'Nee, Von Osten, nee! En ik vind dit ook niet leuk, er staat voor mij ook iets op het spel.'

De oude man keek de schilder niet-begrijpend aan. Schudde zijn hoofd. Toen begon hij te praten. Met geheven vinger, in staccato zinnen zei hij precies dat wat Rendich de vorige avond zelf tegen zijn schilderijen had gezegd, met dezelfde argumenten die Rendich ook zo verschrikkelijk graag wilde geloven: dat dit scenario nog veel onwaarschijnlijker zou zijn. Want als Hans al die jaren zijn sommen had opgelost met behulp van minuscule bewegingen – kleine signalen, onbewust bovendien, wat een onzin! – dan was daarmee de bijzondere kunde van het paard nóg bewezen. 'Het is te stupide voor woorden, denk nou eens na, de anderen, zoals Schillings en Zobel en de verbijsterde leden van de commissie: zij hebben toch ook steeds de juiste antwoorden op hun sommen gekregen? En jij zelf dan, op de eerste dag, weet je dat soms niet meer?'

De naam Zobel was gevallen. De gedachte aan de generaal deed Rendich ineenkrimpen. 'Ook al is het onbewust, het is toch dressuur, Von Osten,' fluisterde hij. 'Hans kan niet rekenen en ik zeg je, voor je eigen bestwil: het onderzoek moet worden afgelast.'

De sfeer werd grimmig.

'Ben jij gek geworden? Het onderzoek nadert, ik heb werk te doen. En jij ook. Je wilt je werk toch klaar hebben voor de dag van de persconferentie?'

'Nou...'

'Ga dan naar huis, man. Ziek uit met je blauwe oog en laat mij met rust. Er wordt niets afgelast.'

Verder discussiëren was zinloos. Rendich pakte zijn spullen. 'Bedankt, Von Osten, bedankt, Frau Piehl.' Hij verdween onder de poort. Dat hij geen huis meer had om naartoe te gaan, leek hem onder de gegeven omstandigheden nauwelijks vermeldenswaard.

De Exerzierplatz bleek maar een paar straten vanaf de binnenplaats naar het noordoosten en Emilio wist het dit keer feilloos te vinden. Hij trof de generaal alleen in diens kantoor, over een stapel documenten gebogen.

'Herr General?' fluisterde hij vanuit de deuropening.

Verstoord keek Zobel op. Eerst leek het of hij een geestverschijning zag, toen sprong hij op van achter zijn bureau, sloot gehaast de deur en duwde Rendich naar een hoek.

'Wat heb ik u gisteren nou gezegd!' Zijn ogen spuwden vuur.

'Eh...' Emilio schoof een paar passen opzij.

'Ga weg bij dat raam! Wie heeft u hier gezien?'

Rendich deed een stap opzij, belandde verbaasd half achter de gordijnen. 'Niemand, Herr General. Maar er is helaas iets wat u weten moet.'

De generaal leek zijn haren wel uit zijn hoofd te willen trekken. 'U weet niet half hoe graag u had gewild dat u hier vandaag *niet* gekomen was!'

Emilio liet zijn hoofd hangen. 'Ik wil het niet over Mary hebben,' zei hij zacht.

'Dat had u eerder moeten bedenken. U laat me geen keus.'

Emilio zette dapper door. 'Herr General, ik kom voor iets anders. Ik had u dit gisteren meteen moeten vertellen, maar pas nu heb ik de bevestiging. En ik kom u waarschuwen...'

De generaal ontplofte. 'U komt mij waarschuwen? Begrijpt u niet in welke hachelijke positie u zich bevindt?'

Bij het zien van het furieuze gezicht van de generaal aarzelde Emilio even, maar zette door. Hakkelend biechtte hij het inzicht op dat hem gisteren in het atelier voor zijn schilderijen had getroffen.

'Uw naam staat onder het artikel waarmee alles in werking is gesteld. De gevolgen zullen dus mede voor u zijn. Dat gun ik u niet. Daarom ben ik hier.'

'Ik had u gisteren toch gezegd dat u verdwijnen moest?'

Nee, dat herinnerde Emilio zich niet.

'Uit het zicht moet u. Na alles wat er gebeurd is...'

Emilio begreep dat hij er een paar woorden aan wijden moest. Dat hij in zijn wanhoop had toegegeven aan zijn verlangens voor Mary was, zo noemde hij het zelf, onvergeeflijk. 'Maar,' zo probeerde hij het gesprek weer naar het paard te manoeuvreren, 'daar kom ik nu niet voor. Want u begrijpt ongetwijfeld, generaal: de pijnlijke consequenties van mijn ontdekking zijn ook voor u. Voor uw reputatie, en die van de heer Von Osten.'

'Als ik u was, zou ik me echt meer zorgen maken om mezelf.'

'Herr Zobel, alstublieft. Dat de oude man geen waarde hechtte aan mijn beweringen kan ik begrijpen, hoewel ik ook hem juist voor verdere schade behoeden wil.'

'Heel attent.'

'Ik begrijp uw cynisme, Herr General. Maar ik wil proberen erger te voorkomen. Ik geloof dat dat kan, als we snel handelen.'

'U had gewoon moeten verdwijnen, zoals ik u gisteravond heb gezegd.'

'Het nadere onderzoek moet worden afgelast. Nu het nog kan. En mijn schilderijen...' In Emilio's stem klonk een snik. Hij kon er niets aan doen, hij dacht aan zijn prachtige werken die bijna voltooid op het zolderatelier bij de generaal stonden: onbereikbaar, zinloos, waardeloos geworden.

'Ze waren bijna af. Ze zouden op de universiteit... En uw portret... En uw artikel... en...'

'Verdammt noch mal,' onderbrak de generaal hem resoluut. 'Rendich, benimm dich! Dit is niet het moment om te gaan snotteren als een kind. In oorlog is alles simpel, maar het simpelste is ingewikkeld! Geen enkel strijdplan overleeft het eerste contact met de vijand.'

'Maar...'

'Goed dan, het paard. Moet u het daar echt over hebben? Uw krijgt uw zin. Ten eerste: u denkt toch zeker niet dat ik dat artikel in het *Militair Weekblad* zomaar geschreven heb? Dat ik over één nacht ijs ben gegaan?'

Zoiets, herinnerde Rendich zich, had Zobel hem al eerder gezegd.

'Denkt u nou echt dat ik u al die tijd zomaar op uw

bruine ogen heb geloofd? Dat ik bereid was mijn reputatie te grabbel te gooien omwille van wat informatie van een, met alle respect, *Italiaanse paardenschilder*? Dat ik niet even de moeite zou nemen om mijn eigen onderzoek te doen? Wat zegt u, Rendich, ik hoor u niet?'

'Eh, nee, generaal.'

'Juist. Ik heb dus mijn eigen contacten aangeboord, beste vriend. Want als ik mijn naam onder een artikel zet, dan ben ik grondig. En ik kan u dit zeggen: willekeurige of onwillekeurige bewegingen, hoe u het ook noemen wilt, het maakt allemaal geen donder uit. Want het kán simpelweg niet de verklaring zijn.'

'Maar ik heb het vandaag bevestigd gezien.'

'Denk na. Hoe kan een paard, Rendich, uit al die bewegingen in de chaos om hem heen, in godsnaam juist de allerkleinste knikjes als teken opvatten? Kom op jongen, dat is absurd.'

'Maar...'

'U vergeet namelijk één ding.'

Zoiets, bedacht Emilio, had de generaal ook al eerder gezegd.

'Hans heeft de vragenstellers geregeld verbeterd. Ja, beste vriend, daar kijkt u van op, nietwaar? Laat me u dan hieraan herinneren: ik ben, samen met graaf Zu Castell, nog een keer naar de binnenplaats gegaan, de dag voordat ik mijn artikel verzond.'

'Zu Castell... lid van de Voorlopige Commissie?'

'Ik heb u destijds alleen gemeld dat het overtuigend was, genoeg om mijn artikel te publiceren. Maar nu zal ik u eens wat sterks vertellen. Het was op een zondagochtend, ik was – het moet maar gezegd – nog licht beneveld van de vorige avond en niet bijzonder helder van geest. De binnenplaats van de Griebenowstrasse lag er verlaten bij, de oude man was er niet, maar een buurvrouw heeft ons geholpen. We konden onze gang gaan. U moet weten: graaf Zu Castell gaf het paard de opdrachten. Hij zat daarbij achter een kleed: geheel onzichtbaar voor het paard en ook voor mij.

Vijf plus acht plus drie. Die som legde de graaf op een gegeven moment aan de goede Hans voor. Nogmaals, Rendich, hij was voor Hans onzichtbaar. Wat volgens hemzelf de juiste uitkomst van zijn som was, kan dus geen enkele rol hebben gespeeld. Maar ik... ik stond wel degelijk in Hans' blikveld. En ik was, zoals gezegd, niet helemaal helder, ik had die ochtend enkele momenten van... ach, laten we het "verminderde concentratie" noemen. En zo kon het zijn dat ik meende dat de uitkomst van die bewuste som tien moest zijn in plaats van zestien, ja, ik was daarvan met mijn zatte kop zelfs ten diepste overtuigd! Fout natuurlijk, maar daar gaat het nu niet om! Ik herinner me mijn intense teleurstelling toen Hans na tien keer gewoon door bleef stampen: elf, twaalf, dertien...'

'Dus...?'

'Een torenhoog gevoel van spijt kwam over mij. Bij elke hoefstamp te veel vloekte ik innerlijk, verdomme Hans, nee, fout, fout, fout! Terwijl ik zelf fout zat... En bij veertien concludeerde ik dat ik bij een dergelijke foutmarge niet bereid was om mijn artikel naar het *Militair Weekblad* in te sturen. Ik realiseerde me ook, Rendich, hoe teleurstellend dat voor u zou zijn, als ik u dat later die avond vertellen zou. Ja, Rendich, dat bedacht ik allemaal, en toen hoorde ik van achter het laken de stem van Zu Castell kraaien: "Heel goed, Hans! Zestien!" Zestien? Mijn verwarring was groot. Toen realiseerde ik me dat Hans mijn dronkenmansrekenkunst... *verbeterd* had.'

'Maar...'

'En zo zijn er meer gevallen geweest waarin Hans het simpelweg beter wist dan de vragensteller zelf. Ja, daar kijkt u van op, nietwaar?'

'Ik...'

'Dus wat mij betreft: u kunt uw theorietje op dezelfde plank te ruste leggen als waar al die andere zogenaamde verklaringen liggen te verstoffen: hypnose, onwillekeurig fluisteren, magnetisme en neurostralen... Allemaal klinkklare onzin.'

'Maar echt, generaal, vanochtend heb ik het weer heel duidelijk gezien...'

'En daarna heb ik meteen Haeckel bezocht. Gewoon op zijn kamer op de universiteit van Berlijn. Toch zeker niet de minste, deze geleerde, een heldere geest, kan nog heel mooi schilderen ook. U zou wat van hem kunnen leren. Wilt u weten wat de goede man tegen me zei? Hij zei dat een rekenend paard goed past in zijn overtuiging. Dat het menselijk intellect niet wezenlijk verschilt van dat van andere zoogdieren. Dat het slechts gradaties zijn van dezelfde essentie. Anders niet! Dat de bijzondere prestaties van Hans hem dus geenszins verbazen, in wetenschappelijke zin.'

'Maar...'

'Dus als u, mijnheer Rendich, de behoefte heeft om zich met dat lelijk gehavende hoofd van u ergens zorgen om te maken, dan zou ik zeggen: richt u zich op een veel groter probleem. Een reëel probleem dat u momenteel heeft.'

'...'

'Ik neem toch aan dat u ervan op de hoogte bent hoe mannen van bepaalde kringen in dit land plegen om te gaan met kwesties van familie-eer?'

'Ik denk niet...'

'Ach, had u nou maar gewoon gedaan wat ik u gisteren heb gezegd. Verdwijnen, dat was zoveel beter voor u geweest. Zoveel beter. U kijkt zo vreemd, moet ik het soms voor u spellen?'

'Maar Franz...'

'Ik vind het ook niets voor hem, maar dit is hoe hij het aanpakken wil. Misschien omdat hij net is verheven tot de adelstand. Ik heb geprobeerd hem van zijn plan af te brengen, ik heb hem gezegd, kom op vriend, de schilder is nog altijd gewoon maar een molenaarszoon, niet eens *satisfaktionsfähig*... Geen waardige partij... Excuseer, Rendich, zo heb ik u genoemd, maar ik had het beste met u voor. Franz ging er niet op in. Ik weet niet wat ik op dat vlak nu nog voor u kan doen. Uw enige hoop is nog dat u een tijdje... verdwijnt. Grondig dit keer. Zodat ik tegen Franz, die mij heeft gevraagd zijn secondant te zijn en u de aanzegging te doen, op geloofwaardige wijze kan volhouden dat ik écht niet weet, waar u verblijft.'

HOOFDSTUK 20

Kippen

Von Osten veegde stuurs het schoolbord schoon. Drie reeksen wilde hij vandaag nog doen, maar het korte bezoek van de schilder had zijn zonnige stemming verjaagd. Toen hij de Italiaan eerder zo verweesd de binnenplaats op had zien lopen, met zijn koffers en de hele santenkraam... hij had zeer ongebruikelijke gedachten gehad. Er was iets warms door zijn oude buik gegolfd. Zou het mogelijk zijn dat Emilio in de Griebenowstrasse logement vragen zou?

Toen had hij het blauwe oog gezien. Rendich had zich daarover niet nader willen verklaren. In plaats daarvan had hij zich als een mak schaap aan de goede zorgen van Frau Piehl onderworpen en daarna was al die onzin gekomen.

Dressuur – zo had Rendich de prestaties van Hans genoemd, net als hij die allereerste zondag had gedaan. Ditmaal had hij zijn woordkeuze niet ingetrokken. Integendeel, hij had het beredeneerd, onderbouwd, en bleef erbij. Daarna was hij vertrokken, in een gemoedstoestand die Von Osten het best als overspannen beschrijven kon.

Die zogenaamde onbewuste bewegingen waar de schilder het net over had gehad...? De oude man zette beide benen stevig op de grond. Hij moest zijn kleine vriend het voordeel van de twijfel gunnen, al was het maar een kort moment. Zijn blik gleed schichtig langs de gevel. Had het raam van Piehl steeds al opengestaan? Toen hij niemand zag ademde hij in en schepte zijn kin een paar keer vooruit in de lucht. Nek, kin, naar voren – zo? Een lichte krak in zijn rugwervel. Nee, het was anders. Rendich had met beide handen boven zijn hoofd gezwaaid, alsof hij een hoge hoed dubbelhands oplichtte, een die met onzichtbare touwtjes vastzat aan zijn kruin, want in de beweging was zijn pratende gezicht zeker een paar centimeter omhoog en schuin naar voren gegaan. Zo: Von Osten tilde zijn armen langs de oren omhoog, precies zoals hij het Rendich had zien doen. Tegelijkertijd schoof hij zijn hoofd schuin omhoog. Nek. Kin. Naar voren. Nee. Nee, nee, nee, dit was hem totaal lichaamsvreemd. Als hij inderdaad, zoals Rendich vanochtend tot vijf keer toe met toenemende stelligheid had beweerd, miljoenen keren deze beweging had uitgevoerd, onbewust, dan zouden zijn spieren die nu herkennen.

Kippen, dacht hij opeens. Op het landgoed, meer dan zestig jaar geleden. Daar joegen alle jongens tezamen – de meisjes vonden het zielig – met deze nekbeweging op hoge toon *toktok-tokkend* achter de loslopende beestjes aan. Even was het of hij op de binnenplaats het gelach van de groep kinderen horen kon. Hij had er zelf zo vaak aan meegedaan. Hard en schel galmde het nu tegen de hoge Berlijnse binnenmuren: zijn eigen holle lach om de absurde verzinsels van de kleine Italiaan.

Waar was hij gebleven? Hij griste zijn logboek met de sommen van tafel. Brommend begon hij door het schrift te bladeren, op zoek naar de volgende reeks opgaven. De bladzijden ritselden langs zijn duim, bliezen koele lucht in zijn gezicht. Er steeg een geur uit op van methodische, gedisciplineerde arbeid, terwijl Rendich... Aan de overkant van de binnenplaats stond zijn schildersezel er, half verscholen onder de trap van Piehl, verlaten bij. Von Osten voelde woede opkomen. *Onbewuste, minuscule bewegingen*, wat wist de schilder er nou helemaal van? Om zich na een paar weken opeens de air van een paardenkenner aan te meten? *Met de geschiedenis mee*, jaja, de Italiaan deed er beter aan om zich bij zijn schilderwerk te houden. Had er ooit werk van hem in de salons gehangen? Had hij wel eens iets van substantie verkocht? Was hij met zijn paardendoeken toegelaten tot de Berlijnse Kunstacademie, de Secessie? Nou dan.

De aanblik van zijn logboek bracht rust. Ook dit boekwerkje was alweer bijna vol. Boven had hij er zo nog twee, samen goed voor tien jaar rigoureus onderzoek. Het resultaat van duizenden uren werk gleed door zijn vingers. Kijk hoe keurig hij al die jaren de resultaten had opgetekend: achter elke som *Richtig* of *Falsch* en waar op de eerste pagina's nog wel eens een F stond (gevolgd door het aantal pogingen dat Hans nodig had gehad om er alsnog een R van te maken), trof je verder bladerend vrijwel alleen nog maar kapitale R's aan. Prachtig, hoe het in dit logboek in één oogopslag zichtbaar was: Hans' vorderingen in de tijd.

Het was de hang naar excellentie. De geur van vooruitgang, daar was Rendich op afgekomen. Waar anders was die te vinden dan in Berlijn? Tevergeefs had hij zijn inspiratie in het ouderwetse München gezocht, en daarvoor in Parijs, bij de impressionisten. Stomme Fransen. Bij Sedan totaal in de pan gehakt met hun duffe legertje kletsmajoors. Wat kon je er ook van verwachten? Hun wijn was lekker, dat wel.

Berlijn. Voor het eerst in lange tijd voelde hij zich trots. Zijn borst zwol op: zijn voeten hadden een leven lang op stevige Pruisische grond gestaan. De grond van Copernicus voedde ook zijn hersenen, zodat deze hele onderneming met Hans...

Houding en discipline, dacht Von Osten. Dat hebben ze in het Zuiden niet. En Duitsland... Pruisen... De ene na de andere Nobelprijs viel het land ten deel. *Onbewuste bewegingen*, maar natuurlijk niet. Wat een onzin – dat wilde hij denken, of misschien zei hij het zelfs hardop. Het was niet meer helemaal duidelijk, want een vreemde duizeling trok door zijn hoofd en toen door zijn hele lichaam. Hij greep zich vast aan de rand van het tafeltje, het schrift viel op de grond. De trage klanken die van onder zijn tong naar buiten kropen leken van iemand anders, de stem van zijn vader, galmend, ver weg.

Weet jij dat wel zeker, Wilhelm?
Alles werd helblauw als de lucht. En toen was er alleen nog de hardheid van de stenen, de zwarte kou van de binnenplaats die door zijn stofjas heen stak. Een vlammende pijn in zijn heup, buik en rug en toen de natte, lauwe paardenlippen – ze schuurden zacht langs zijn nek en wang, hij hoorde de smakjes van de paardenmond, rook de haveradem die over zijn wang vleugde. En voor alles zwart en geluidloos werd, dacht hij nog: is dit dan soms die liefde waar men het wel over heeft?

'Herr Von Osten, bitte bitte, denkt u dat u kunt opstaan?'
Een zachte, koele hand rustte licht op zijn voorhoofd.
Worteltrekken, dacht de oude man. Mama.
Rendich?
Hij opende zijn ogen. Hij kende dit gezicht; het was alleen nog nooit zo dichtbij geweest. In het middaglicht zagen de wangen er roomzacht uit, met die glanzende donshaartjes, en de ogen zo heel erg... helblauw.
'Anya...'
Von Osten sloot zijn ogen weer, voelde de hand van zijn voorhoofd glijden en zuchtte.
'Herr Von Osten, ruhig mal, ik laat sofort de dokter voor u halen.'
Protesteren had niet veel zin.
Tree voor tree ondersteunde Frau Piehl hem naar de vierde verdieping, onderwijl bemoedigende woordjes prevelend. 'Dietmann komt zo.' Ze begeleidde hem naar zijn bed. Hij liet haar begaan.

'Hou vol, Herr Von Osten, hou vol.'

Hij plofte achterover in de kussens en dacht alweer helder. Hij moest te allen tijde voorkomen dat Dietmann hem rust voorschreef. Of erger nog: nadere onderzoekingen in een hospitaal. Er was niets aan de hand, gewoon wat suikergebrek, het was domweg...

Hij schoot rechtop: hij moest voorkomen dat Rendich met zijn praatjes dat onderzoek afgelastte!

Frau Piehl duwde hem terug. 'Doe uw ogen maar dicht.' En terwijl zij op de rand van zijn bed over hem waakte, sukkelde hij weg in een warm visioen over een kleine jongen en een paard, beelden die hem meetrokken in een onrustige slaap, tot hij zwetend wakker werd en niet meer wist wat hij was: mens of dier? En toen stond opeens de geneesheer daar, met al zijn beter-weten.

'U mag van geluk spreken, Herr Von Osten, dat u niets gebroken heeft. Op uw leeftijd...'

'Herr Doktor, ik ben gewoon stom geweest. Vanochtend niet ontbeten, gisteravond niet gedineerd. Kwestie van bloedsuikers – dat is alles.' Zijn stem, merkte hij, klonk vervelend zacht.

Dietmann was niet onder de indruk. 'U moet echt beter voor uzelf zorgen, nietwaar, Frau Piehl?'

In de deuropening naar de zitkamer stond ze zwijgend te knikken. Wat deed zij nog hier?

Von Osten sloeg de deken van zich af. 'En ik liep daar nota bene met een zak vol suikerklonten. Voor Hans.' Het klonk al wat zelfverzekerder, maar de arts hield vol.

'Eten is één ding, Herr Von Osten, maar als u het mij

vraagt: u maakt veel te veel uren. U bent geen twintig meer. De boog kan niet altijd gespannen staan.'

Daar had je het gedonder weer: ontspannen. 'U heeft gelijk, dokter, zoals altijd.'

'En u drinkt te veel. En wat betreft uw paard...'

'Slavische luiheid, daar lijdt Hans aan.'

'Het dier is te mager. Hij krijgt kale plekken. Ik zag hoefsplit.'

'Met alle respect, dokter: u bent geen dierenarts en dat paard komt al jarenlang helemaal niets tekort.'

Toen Dietmann eindelijk zijn zwartleren koffertje had ingepakt en de trap af was gestommeld, bleef Frau Piehl met haar heup tegen de deuropening geleund staan.

'U heeft de dokter gehoord, buurvrouw: ik moet rusten,' zei hij vanaf zijn bed.

'Heeft u misschien nog iets nodig?'

Hij ontkwam er niet aan haar met veel omhaal van woorden voor haar zorgzaamheid te bedanken. Pas toen verliet ze, in haar rokken achteruitstappend, zijn appartement.

Hij ging rechtop zitten, zag zijn wilde baardkop in de spiegel, zwaaide zijn benen over de rand van het bed en zat zo even stil. Het ging. In de woonkamer stond op een gedekte tafel een fata morgana van fruit, vers brood, koude braadworst en zelfgemaakte jam. Hij stommelde naar de tafel en stak een appel in zijn zak. Het kaartje, vast van Frau Piehl, gooide hij ongelezen weg.

HOOFDSTUK 21

Nader onderzoek

De professor bevestigde knorrig dat het onderzoek gewoon door zou gaan. Nee, hij zag geen enkele aanleiding om de gemaakte afspraken te herzien. Integendeel, en dat had hij ook al aan Zobel gezegd, die hem, heel toevallig, vandaag eveneens benaderd had. Ja, inderdaad. En de Italiaanse schilder was ook al bij hem op bezoek geweest. Wat wond iedereen zich toch op. Nu hij Von Osten dan toch sprak, wilde de professor het graag nog even van de oude baas zelf horen: de vijftiende oktober, dat kwam nog steeds gelegen? Fijn. Dank voor de bevestiging. Dan houden we het daarbij. De geleerde had het erg druk. Tot ziens.

Von Osten keerde opgelucht terug naar de binnenplaats. Zie je wel. Wie luisterde er ook naar een schilder? Hij voelde zich slap in de benen, was blij dat hij niet ook nog naar het huis van de generaal in Charlottenburg hoefde, waar Rendich atelier hield. Hij hoopte dat de Italiaan snel bij zinnen kwam en zijn schilderijen zou afmaken zoals gepland. En dan ook weer naar de binnenplaats terug zou keren.

Maar Rendich kwam niet terug. Zijn afwezigheid was wennen. Soms hoorde Von Osten zijn zangerige stem in zijn hoofd, hij miste het gespring van de hak op de tak.

'...maar dat nu toch zo'n Amerikaanse, die Duncan, hier in Berlijn zo'n dansschool opricht, zo'n losse, waarbij ze gewoon op blote voeten...'

'Ik heb nu weer zo'n man gezien op schoenen, daar zaten wieltjes onder. Hij zwierde over de Kurfürstendamm en daar hing ook een affiche van, je gelooft je oren niet, *damesboksen*.'

Sinds Von Ostens val leken de dagen uitputtender dan voorheen. Maar hij weet zijn vermoeidheid niet aan zijn gebrekkige gezondheid. Het lag aan de fikse uitbreiding van het aantal uren onderricht dat in deze laatste dagen nodig was om op tijd het gestelde doel te bereiken: deelsommen van zes cijfers. Wat dat betreft was het misschien beter dat Rendich wegbleef. Het aanbod van dokter Dietmann om nogmaals langs te komen sloeg hij af. 'Niet nodig, ik heb die vreemde pijnen niet meer gehad,' loog hij oprecht.

Hans was die dagen weerspannig. Alsof het dier, net als zijn baas, ergens diep in zijn hart voelde dat de leden van de commissie zijn meester gestolen konden worden, met hun dubbele titels en aanspraken op waarheid en wijsheid... Alsof dat het exclusieve domein van de wetenschap was. Alsof alleen inzichten die langs hun gedecoreerde meetlat waren gelegd iets waard waren. Bah, hij probeerde er niet te veel aan te denken. Beter van niet, dan werd hij weer boos en daar had Hans last van, het dier maakte al meer fouten dan gewoonlijk, had zijn baas zelfs een keer gebeten. Toen had Von Osten hem een serie strafsommen opgegeven en hij kreeg pas weer iets lekkers toen alles weer foutloos ging.

Frau Piehl haalde het godzijdank niet in haar hoofd om hem de les te lezen, of wat dan ook te doen om hem nodeloos af te leiden. Ze zat vanuit haar raam soms naar hem te gluren, maar verder was ze er gewoon als ze er moest zijn. Bracht ongevraagd maaltijden, die soms best redelijk smaakten. Als hij die ophad, viel hij steevast in zijn stoel naast het raam in slaap. Rond middernacht schrok hij dan wakker van de kou, graaide het lege glaasje uit zijn schoot en zette het op tafel. Mompelde 'welterusten' tegen de lege fauteuil waarin zijn vriend Rendich zo vaak gezeten had en sleepte zichzelf naar zijn bed, waar hij sliep als een stuk pokhout. En de volgende morgen begon alles weer van voren af aan, tot het eindelijk vijftien oktober worden zou. Al die tijd liet Rendich zich niet op de binnenplaats zien. Het leek wel alsof hij van de aardbodem verdwenen was.

～

Het 'nadere onderzoek' werd uitgevoerd door slechts twee jongemannen. Tot Von Ostens niet geringe verbazing hadden ze er een beginner op gezet: een assistent uit het psychologisch laboratorium van professor Stumpf. Zijn naam was Oskar en het jeugdvet zat nog op zijn wangen. Von Osten kon het eerst niet geloven: moest dit veel te zelfverzekerde broekie het eindrapport over zijn wonderpaard in goede banen leiden? Bijna had hij er iets van gezegd, iets nors, iets zuurs, *zelfs dit paard is ouder dan jij*, maar gelukkig was Schillings aanwezig om hem met zijn bezwerende blik in te tomen.

Ook Zobel kwam even langs, vol lof over het paard. Von Osten had hem zelfs boven uitgenodigd, waar de hoge militair in Rendichs stoel een schnapps gedronken had. Ze klonken samen op het aanstaande succes en dat had vreemd gevoeld: Rendich moest op die plek zitten. Von Osten bedankte de generaal keurig voor zijn artikel, dat alles in gang gezet had. Hij had de militair ook gevraagd of hij wist waarom Rendich nog steeds verstek liet gaan. De schilder verbleef toch bij hem op zolder?

Daar leek de sympathieke generaal even van te schrikken. Er volgde wat ontwijkend gemompel. Hij had geen idee waar de schilder was. Maar misschien was het beter als hij wegbleef. Hij had vreemde ideeën, de laatste tijd.

De oude man voelde niet de geringste behoefte om in te gaan op de insinuaties omtrent de vreemde miscalculaties van zijn artistieke vriend. Een vergissing was menselijk, nietwaar? 'Hij zal later nog wel komen,' sloot hij het onderhoud af.

De onderzoekers zetten een grote katoenen tent neer op de binnenplaats; Hans mocht niet onnodig door de buitenwereld worden afgeleid. Het dier wilde er niet naar binnen, dus verzochten ze Von Osten om er even bij te komen, wat hij braaf deed – hij had zich heilig voorgenomen goed mee te werken en al met al verliep het heel voorspoedig. Hij vond het prima dat ze zijn schoolbord en telraam gebruikten. En de schildersezel, die als de stille getuige van de korte vriendschap tussen Von Osten en Rendich werkeloos onder de trap stond, deed 's middags handig dienst bij het ophouden van de grote vellen met notities.

In de schemerige tent gingen de geleerden geconcentreerd aan de slag. Ze waren, zeker in het begin, uiterst voorkomend en beleefd. Von Osten moest het toegeven: de jonge Pfungst was een heldere, methodische knaap en hoewel misschien betweterig en een tikje arrogant, ook bevlogen en oprecht geïnteresseerd in de bijzondere vermogens van het paard. Ze werkten hard. Elke keer als de oude man de tent binnen kwam, rook het muffer onder het katoenen doek.

Bovendien had Pfungst een prettig gevoel voor humor. Sinds het vertrek van Rendich was er op de binnenplaats niet meer veel te lachen geweest. Maar Pfungst was een onverbeterlijke grappenmaker. 'Von Osten, Schillings, dit dier kan zelfs gedachten lezen, kijk maar eens hier.' Hij bedacht er zelfs een paar heuse 'experimenten' bij: 'Denk eens aan een zeven', 'Denk eens aan een drie', droeg hij Schillings dan op. 'Kom op, Hans, waar denkt deze meneer nu aan?'

De volgende ochtend waren de lolbroeken er weer op teruggekomen. *Hans kan gedachten lezen, Von Osten,*

wist je dat? Als je maar recht voor hem staat en geconcen-
treerd genoeg nadenkt!

Toen ze bleven volhouden was hij, aan het begin van de tweede dag, toch nog bijna boos geworden, al zijn goede voornemens ten spijt. Wat dachten ze nou, er waren grenzen aan wat geloofwaardig was, hij was toch niet gek? Maar uiteindelijk hield hij zich in en liet hij ze maar. Het waren avontuurlijke jongens, een grapje moest kunnen en het belangrijkste was – het was duidelijker dan ooit tevoren – dat het nu allemaal definitief ging worden.

Hij dacht aan het vervolg, dat nu aanstaande was, precies zoals de schilder het hem die eerste maandag had voorspeld. Hij zou een begrip worden. *Ostenisme. De wetten van Von Osten. Osteniseren.*

Was het dan voor de kleine man echt zo moeilijk om zijn ongelijk toe te geven? Zou hij de laatste dag misschien toch nog komen?

Na drie intensieve onderzoeksdagen hielp iedereen, ook Von Osten, gebroederlijk met het opruimen van de tent. Terwijl het katoenen doek werd opgevouwen vertelde Schillings over zijn laatste Afrika-reis en nodigde de onderzoekers uit bij hem thuis foto's te komen kijken. Pfungst pochte dat Stumpf net in Amerika was geweest. Wisten ze dat er in Amerika ook zo'n wonderpaard was? Hij heette Beautiful Jim Key, ze hadden hem in april op de openingsdag van de Louisiana Purchase Expo ten tonele gevoerd als 'the smartest horse in the world'. Daarna waren aan Jim wel meer dan zesenvijftig krantenartikelen gewijd! Schillings had wat geschamperd. Die Amerikanen overdreven altijd zo! Daarom ging hij dus liever naar Afrika. De mannen knikten instemmend.

Opeens had Von Osten er genoeg van. Hij wilde alleen zijn. 'Laat maar, Pfungst, dat vegen regel ik later wel met Frau Piehl. Jullie hebben nu belangrijker dingen te doen.'

Het afscheid was beleefd. Von Osten zei dat de mannen gerust konden terugkeren als ze nadere onderzoekingen wilden doen. 'Ook zonder aankondiging bent u altijd welkom. Ik ben immers vroeg in de benen.' Zijn hartelijke toon verbaasde hem zelf ook.

Rond de mond van de jonge onderzoeksassistent verscheen toen opeens weer dat arrogante lachje. 'Dank, maar niet nodig. Wij ronden het onderzoek nu verder af in het laboratorium.'

Dit kon Von Osten niet goed plaatsen. Hans in een laboratorium? Daar zou hij zeker geen toestemming voor geven, hoezeer het hem ook speet. Realiseerde de onderzoeker zich dat wel?

Weer dat schuine lachje. De kennersblik van de professionele jongeling met de wereld in zijn hand. Met getuite lippen begon hij in telegramstijl te spreken. 'Niet nodig. Paard wordt gesimuleerd. Gecontroleerde omstandigheden.'

Von Osten begreep er niets van, maar durfde niet verder te vragen. Paard simuleren?

Pfungst wilde alleen nog kwijt dat er vijfentwintig uiterst kiene studenten klaarstonden om de proefopstelling in het laboratorium te ondersteunen.

Von Osten begreep ook dat niet goed, maar zweeg nederig. Wat zouden die vijfentwintig studenten in dat laboratorium moeten doen dan, zonder paard? Peinzend liep hij met de mannen mee naar de poort naar de straat, waar hun laadkar stond.

'Kan ik de heren nog ergens mee helpen?'

'Dank, het gaat. U moet nu echt om uw gezondheid denken.'

Dat was weer alleraardigst van ze.

Een paard simuleren? had Von Osten op de trap nog een laatste maal gedacht. Hij kon zich er niets bij voorstellen, behalve misschien de benevelde paardenpasjes van Rendich van laatst, haha. Wat jammer nou dat hij niet was gekomen. Het onderzoek was de afgelopen dagen perfect verlopen. Hans had zelfs opgaven in het Frans beantwoord, alle breuken foutloos en nu was het *Schluss*. En over een paar dagen zou het eindrapport er liggen. Hij sjokte de trap op naar boven.

In zijn appartement op de vierde verdieping keek hij toe hoe beneden de heren hun spullen op de grote kar sjorden en de zware last de straat uit trokken. Hij was moe, verlangde naar een welverdiend glas. Wat zou het prettig zijn als nu Rendich...

Zijn afwezigheid was misschien te verklaren vanuit het idee van eergevoel. Dat scheen in de zuidelijke landen bijzonder sterk ontwikkeld te zijn. Von Osten dacht terug aan Rendichs geklets over duels – nee, tijdens het frenologische onderzoek had hij daar helemaal niets achter gezocht. Maar het bleef natuurlijk toch een Italiaan. Misschien bood dat verstopgedrag een uitweg voor zijn schaamte.

Vreemd. Hij dacht dat hij Rendich een beetje kende, en de schilder hem. Von Osten zou hem nooit, maar dan ook nooit, aan de buitenwereld verraden, hoe vreemd zijn ideeën ook waren. Hij had er met niemand over gesproken, zelfs niet met Zobel of Frau Piehl. En waarom zou hij? Een misser was menselijk. Hij was de schilder boven alles dankbaar. De onderzoekers waren hier tenslotte bezig geweest dankzij *hem*.

Hij kon hem vertrouwen. Hij was toch zijn vriend? Von Osten werd bevangen door een onbehaaglijk gevoel. Hij had de schilder totaal verkeerd ingeschat. Hij had hem gezien als een kunstenaar met een waarlijke interesse voor de wetenschap, met geloof in de weg vooruit. Als een man met gezonde ijverzucht – Hans was toch ook een heel klein beetje *zijn* ontdekking? En als een man met oog voor – hij slikte even bij de gedachte – de waarde van een prille vriendschap.

Hij schoof het raam open. Hij had behoefte aan frisse lucht, wilde dergelijke gedachten niet in zijn huis en stak zijn hoofd naar buiten, zogenaamd om de onderzoekers met hun kar beter te kunnen nakijken, maar eigenlijk om de gedachten over de schilder naar buiten te laten waaien, weg.

En wel verdraaid.

Net op de hoek van de Wollinerstrasse, juist voordat de onderzoekers met hun zware kar uit het zicht wilden draaien, kwam daar een schichtige kleine heer aanlopen. Hij voegde zich bij de jonge geleerden, die nu de kar neerzetten, om zich heen keken en hem hartelijk begroetten.

Zag Von Osten dat goed? Hij sperde zijn ogen open – hij zou toch zweren dat dat Rendich was. Maar natuurlijk niet, dat kon niet zo zijn – en toch leek de kleine gestalte als twee druppels water op de schilder. Alleen dat uniform...

Met ingehouden adem keek Von Osten toe hoe, op de hoek van zijn eigen straat, de onderzoekers de net gearriveerde man iets uitlegden. Het was alsof ze hem iets verschuldigd waren, alsof het zo afgesproken was. En de kleine man, die met zijn donkere haar zo vreselijk veel op Rendich leek, luisterde aandachtig en knikte instemmend, steeds enthousiast, en toch ook een tikkeltje bezorgd. En hij wees een paar keer knikkend naar een zwart-witte schaapshond. Von Osten rende naar beneden, maar erg snel ging dat niet, en toen hij eindelijk op straat stond was iedereen, inclusief de man die zo op Rendich had geleken, nergens meer te bekennen.

HOOFDSTUK 22

Sternberg

'Vort,' sprak Von Osten zichzelf de volgende ochtend op de rand van zijn bed toe. Hij schudde zijn benen in de broekspijpen en stommelde op zijn nuchtere maag de trap af, weg uit het appartement. Daar hadden hem de hele nacht duizelingwekkende vragen besprongen. *Wat moest Rendich daar gisteren op de stoep? Waarom had hij in godsnaam een militair uniform aan? Speelde hij onder één hoedje met Pfungst? Zo ja, hoezo? Was het hem wel? Wat had hij nou eigenlijk gezien?* Pas tegen de ochtend was hij in slaap gevallen.

Beneden was de binnenplaats verlaten: het was zondag, iedereen zat in de kerk, ook de kinderen. De stilte was heerlijk, de stalroutine bracht zijn geest weer tot rust. Het lome geschep in het hooi, het vullen van de trog, het verversen van het water. Het schoolbord, de wortels, de suiker en het telraam, alles precies als anders. Het paard porde zijn wit-roze neus in Von Ostens

Met beide handen pakte hij het paardenhoofd
 duwde het terug, omhoog, en toen stonden ze
ns met de gezichten vlak tegenover elkaar. Hij hield
 paardenkaken in zijn handen, vingers rustend in de
keelgang, en keek in de prachtige bruine ogen. Heel even
leek het of hij de paardenlippen kussen zou. Het volgende moment gleden zijn armen om de hals, lag zijn oor tegen de warme vacht.

Die geur, de harde zachtheid van het glimmende
zwarte haar... Hij sloot de ogen. Een voorbode van de
aanstaande triomf golfde door zijn lijf. Nog maar een
week! Dan zou Pfungst zijn bevindingen op papier hebben. Het was alsof hij het rapport al aanraken kon, zijn
gelijk zwart op wit in inkt gedrukt.

Opeens verschaalde de smaak van de naderende
overwinning op zijn tong. De stilte van de stal suisde
hard in zijn oren. Een ijzige kou trok van zijn nek langs
zijn rug. *Vanaf dat moment zou alles zinloos zijn.* Leeg-
te zou overblijven, stilte, en eenzaamheid. Paard, sommen, stal – zinloos als de dood. De binnenplaats leek
opeens harder te zwijgen dan ooit. *Wat zou er nog zijn
om voor te leven?*

Maar dit waren idiote gedachten. Waar hij het allemaal voor deed was toch duidelijk: omwille van de
waarheid natuurlijk. En om ze de loef af te steken. Die
ijdele intellectuelen met hun pompeuze instellingen, de
bastions die hem nooit hadden willen toelaten, de zogenaamde officiële kringen der wetenschap. Zijn ontdekkingen met Hans waren een grote lange neus naar hen,
en in hun kielzog naar zijn dode vader. De wereld zou

straks op zijn grondvesten schudden, met het graf van zijn vader erbij, zo zat het, als hij daar nu opeens aan ging twijfelen, zelfs hier in deze stal, dan had Schillings toch gelijk: dan moest hij er nodig tussenuit.

Sternberg. Het kleine landgoed, een paar dagen maar. Alleen de reis zou hem al goeddoen. In het open rijtuig zouden al die idiote gedachten uit zijn schedel weg wapperen op de wind, hij kon het al bijna voelen: zijn oude lichaam wiegend op de bok, veilig schuddend op Hans' regelmatige draf. Sternberg – de naam klonk als een verre zucht. Het idee scheen hem met de seconde aantrekkelijker en kon opeens geen uitstel meer velen. Haastig haalde hij een paar spullen uit zijn appartement.

'Ben met Hans enkele dagen naar het landgoed', schreef hij op een briefje voor Frau Piehl. 'Vriendelijk verzoek om tijdens mijn afwezigheid voor het nodige zorg te dragen.' Hij deponeerde de krabbel samen met zijn sleutelbos in haar brievenbus. Spande Hans voor het rijtuig, sjorde zijn koffer in het bagagerek, klom op de bok en keek nog eenmaal om.

De verlaten blankhouten schildersezel stond op zijn vaste plaats en zond, van onder zijn hoekje bij de trap, een stil verwijt.

Rendich. Was de Italiaan zelfs te laf om zijn spullen op te komen halen? Hij was hier toch gisteren in de buurt geweest? Het was gewoon onbeschoft om je zo van de ene op de andere dag niet meer te laten zien.

Voor de oude man wist wat hij deed, lag ook de schildersezel in het bagagevak. Charlottenburg – op weg naar Sternberg was het nauwelijks om.

Nu kreeg de rit wel een ander, verontrustender karakter. Charlottenburg was geen bestemming om achterover-leunend naartoe te rijden, met een hand losjes men-nend, ogen half gesloten, gezicht in de bries... Hij was op weg naar de schilder, om opheldering te vragen. Het plezierrijtuig werd een strijdwagen. De zweep kwam uit de houder en Hans, die na al die maanden binnenplaats geen enkele aansporing behoefde, kreeg er driedubbel van langs. Von Osten zette zijn voeten stevig op de bo-dem, drukte zijn ellebogen op zijn knieën, kneep zijn knuisten om de teugels. Hij stuurde zijn paard in een wijde lus langs de buitenste rand van de stad, dravend over de Fehrbelliner, via de Bernauer Strasse en langs Stettiner Bahnhof. En dan westwaarts, langs de Ula-nenkazerne, door de kleine Tiergarten en over de Gotz-kowsky-brug: een lange omweg om te bedenken wat hij straks tegen Rendich zou zeggen.

Betoverd door de wonderlijke kleuren van het glas-in-lood was hij gewoon via de half openstaande be-nedendeur de vestibule binnen gestapt. Er was geen dienstmeisje te bekennen, hij had zich langs de houten leuning de brede roodbeklede trappen op getrokken, door het zwijgende huis, helemaal naar de vijfde ver-dieping. Daar, achter de gesloten deur van een zolder-kamer, was geschuifel te horen en gebrom van een man-nenstem.

'Rendich?' Von Osten stond na te hijgen. Deze witte zolderdeur durfde hij niet zomaar open te duwen.

Nu hoorde hij ook een ander stemgeluid, met een

heel ander timbre. Hij luisterde scherp, de adem ingehouden, de schelp van zijn oor tegen het hout. Waren
dat vogeltjes?

Ter hoogte van zijn buik zat een sleutelgat, Von Osten
moest diep door de knieën zakken om zijn rechteroog
zo te manoeuvreren dat de bron van het geluid zichtbaar werd.

Tussen de schilderijen, voor een tafel bij het raam,
stond een licht gebogen mannenrug over iets heen.
Twee gejaste armen bewogen sierlijk, langzaam, alsof ze
kostbaar deeg kneedden.

Was dat Rendich?

Op het rode, glanzende kleed voor hem op tafel...
Von Osten kreeg het warm van wat hij zag. Zijn boven-
beenspieren trilden in hun ongemakkelijke, gehurkte
positie. Hij drukte zijn oogkas dicht tegen het hout. De
tafel was half aan het zicht onttrokken, maar daar lagen
overduidelijk benen, lange, ranke damesbenen en de
schilder boog zich verder voorover... De tenen begonnen kleintjes te bewegen. Er was zacht gegrom, er klonk
een gilletje en besmuikt gegiechel.

Von Osten zocht in zijn gehurkte positie met beide
handen steun tegen de deur. Zijn oude knieën deden
pijn, hij viel bijna voorover. Was dit...?

Het slot van de deur bleek niet tegen zijn gewicht be-
stand.

'Wat...!?'

Toen Von Osten het atelier in tuimelde draaide de
man bij het raam zich met een ruk om. De vrouw op de

tafel gilde en veerde uit haar liggende houding omhoog. Ze graaide in de rode glansstof, probeerde snel haar naaktheid te bedekken, die een moment eerder nog zo vorstelijk over de tafel was gespreid.

'Nou ja zeg, wie...?' Verstijfd stond de man bij de tafel, met in zijn hand een punt van het rode laken. Toen beende hij met grote verongelijkte passen op de ongenode bezoeker af.

Von Osten was zo mogelijk nog verbaasder: dit was Rendich niet. Hij probeerde op te staan, maar het lukte niet om overeind te komen, hij zat vast, de schildersezel was in de val tussen zijn voeten opengeklapt. Onhandig probeerde hij zijn benen ertussenuit te wurmen, onderwijl excuses prevelend: 'Excuseert u mij alstublieft. Ik was op zoek naar een eh... vriend. Ik was in de buurt en dacht... och ik schaam me diep, ik moet me in het nummer hebben vergist.' Hij wreef over zijn pijnlijke rug.

'En wie zocht u dan wel?'

'Emilio Rendich.'

'Ah!' Het leek of de onbekende man opeens iets begreep. Zijn blik verzachtte. Hij reikte de oude man zijn hand en hees hem omhoog, greep in dezelfde beweging een kleine houten caféstoel die vlak naast de deur stond en zette die voor Von Osten neer.

'Gaat u zitten, alstublieft.' Zijn boosheid had plaatsgemaakt voor iets wat op mededogen leek.

Von Osten ging zitten en wreef over zijn pijnlijke knie, een en al hulpeloosheid. 'Het was niet mijn bedoeling...'

De onbekende man liep naar het raam, waar de

vrouw, een meisje, nog steeds op de tafel zat. Ze hield de uiteinden van het doek met twee handen tegen haar kin en de man probeerde haar gerust te stellen, zei iets over 'een onschuldige paardenliefhebber' en 'de beste bedoelingen'. Daarna verdween ze achter een kamerscherm.

De man pakte een tweede stoel en nam naast hem plaats.

'Mijnheer Von Osten, nietwaar? Ik herken u van de schilderijen. Excuses aanvaard, u heeft zich niet vergist: Emilio Rendich heeft hier inderdaad gewoond.'

'O? Is hij... verhuisd?'

De man schudde zijn hoofd. 'Ik kan u daar helaas niets over vertellen.'

Het meisje werd uit wandelen gestuurd met een tientje. Ze lachte alweer, al was haar neus nog rood en hield ze haar blik tot Von Ostens opluchting zedig op het plankier gericht. De man sloot achter haar de deur. 'Heerlijk diertje,' mompelde hij dromerig, en toen tegen Von Osten: 'Het valt voorwaar niet mee om goede modellen te vinden, dat heeft Emilio u misschien ook wel eens verteld?'

'De heer Rendich schildert paarden,' zei de oude man sip.

'Paarden, ja... Maar ook wel eens iets anders, er is vraag naar.'

Er viel een vreemde stilte. Von Osten vroeg zich af of hij het antwoord op zijn vraag wel wilde weten, maar stelde hem toch: 'Mijnheer, waar kan ik Emilio Rendich vinden?'

De man schudde zijn hoofd. 'Het spijt me zeer, ik kan u echt niet verder helpen. De generaal wil er ook niets over kwijt. Sterker nog: hij wil er niets meer over horen. Zo heeft hij het gezegd.'

'Maar...'

'Het enige wat ik weet is dit: Emilio Rendich woonde en schilderde hier. Er is iets voorgevallen. Iets onherstelbaars, en nu is hij weg.'

'Ruzie? Is hij terug naar Italië?'

De man schudde zijn hoofd. 'Alles wat ik voor u kan doen is dit: u de schilderijen laten zien die Rendich inderhaast achterliet.'

Inderhaast achterliet?

De man begon wat door het vertrek te rommelen, verdween achter ezels, trok hier en daar doeken tevoorschijn, mompelde wat. Von Osten wist zich geen raad met de situatie. Waarom was Rendich opeens verdwenen, zonder gedag te zeggen, vlak voor de verschijning van het eindrapport? Hij voelde weer steken in zijn zij, moest zich aan zijn stoel vasthouden omdat er weer een duizeling van zijn hoofd naar zijn rug trok.

De man keek hem bezorgd aan. 'Gaat het wel?' vroeg hij. 'Heeft u last van de verfgeur?'

Von Osten probeerde rustig te blijven. 'Het gaat wel. U heeft hier een mooi atelier.'

De man zette een doek voor hem neer. Von Osten zag eerst de signatuur, bijna onzichtbaar rechtsonder, in zwart op donkerbruin. De dunne letters, het bekende handschrift, de naam van zijn vriend, bij de aanblik ging een rilling door zijn oude lijf.

'Mijnheer Rendich had een bijzonder schilder kunnen zijn, al is dit werk niet af.'

'Had...?'

De man wees op de hals van een anonieme dame in het publiek. 'Dit beverige lijntje zegt u misschien niets, maar het is de onderschildering voor een parelsnoer. Aan dat soort dingen zie je het: niet af.' Hij rommelde verder in het atelier, onderwijl doorpratend: 'Niet dat het me stoort. Ik hou er juist van. Het *non-finito* geeft een werk vaak net de vermeende onverschilligheid, die gratie en elegantie verlenen, een zeker... je-ne-sais-quoi.'

'Maar waar ís Rendich?'

'Een onvoltooid schilderij is vaak het product van een gestold groeiproces. Soms ruikt het ook naar geldnood. Maar bij deze werken...' Tegen de achtermuur zette hij een aantal doeken op ezels. Steeds was de voorstelling dezelfde: binnenplaats, Hans, Von Osten, telkens in een andere compositie, formaat, stijl en graad van voltooiing.

'Zoveel...?' Von Osten had geen idee dat Rendich zo productief was geweest.

'...bij deze werken is er volgens mij iets heel anders aan de hand.'

Het grootste schilderij, van monumentale afmetingen, trok de meeste aandacht: een met grote precisie geschilderde mensenmassa, dicht opeengepakt op de hele linkerzijde van het doek. Wat had Rendich de uitdrukkingen op de gezichten prachtig weten te vangen! Concentratie, ontzetting, ongeloof... daar stond Schillings, boven aan de trap, en Frau Piehl... Alle ogen staarden levensgroot naar een punt schuin beneden, rechts onder in het doek: daar waar ongetwijfeld de hoef van het paard komen moest.

'Zo jammer dat de centrale figuur in de voorstelling ontbreekt.'

Waar het paard zou moeten staan onderbrak een vuilwitte uitsparing het doek. Een grauwe vlek in het linnen, ingewassen met dunne lichtbruine verf. De prachtig geschilderde omstanders zonden hun geïntrigeerde blikken naar een vage witte wolk.

'Ik heb het vermoeden dat dit,' de schilder wees met zijn vinger naar de vlek, 'het paard had moeten worden. En dit,' zijn vinger ging vanaf de imaginaire paardenrug omhoog, 'is de plek waar u zou komen.'

Von Osten knikte, verbaasd.

'Of u vóór of achter het paard moest, dat kunnen we in deze toestand niet zien. Al heeft de schilder het wel enkele malen geprobeerd, kijk maar: afgekrabd en overgeschilderd, wel een keer of drie, maar om een of andere reden is het hem steeds niet goed gelukt.'

Op een ander werk, aanmerkelijk kleiner van afmeting, stonden slechts drie figuren afgebeeld: generaal Zobel, Rendich en Von Osten. Ook hier waren de blikken van de mannen gefixeerd op een nog nauwelijks zichtbare paardenhoef en weer was de oude man slechts een vage schets, beperkt tot lichte streken in de witte doodsverf. Alle andere figuren waren wel tot in de finesses van hun oogharen ingepenseeld.

Zo stond er nog een hele rij onaffe doeken, en steeds was het van hetzelfde laken een pak: de omgeving en de omstanders waren prachtig uitgewerkt in een gedetailleerde, realistische stijl, maar man en paard hadden niet meer dan een paar potloodstreken gekregen in een grijze uitsparing in het linnen.

'Het lijkt misschien raar, mijnheer Von Osten, maar zo gaat het vaker. Een schilderij wordt begonnen om iets te onderzoeken: een artistiek probleem, een pose, een compositie of een sociale kwestie... Het kan van alles zijn. Gaandeweg, als het onderzoek vordert, boeit vooral de kennis zelf. Dan is het voltooien van het kunstwerk niet meer zo interessant. De lol raakt eraf, de schilder wordt afgeleid, en dan... Het is jammer dat we het hem niet meer kunnen vragen.'

Niet meer kunnen vragen?

'Maar moet u dit dan eens zien.'

Het laatste schilderij was oogverblindend. Totaal anders dan de vorige: de binnenplaats was verlaten, alle toeschouwers waren verdwenen en paard en man stonden samen op de keien tegen een muur. Man en paard keken elkaar aan en het was alsof ze zo van het doek konden stappen, zo levensecht had Rendich ze daar neergezet, in een saamhorigheid tussen mens en dier die Von Osten diep ontroerde.

'Wat... mooi!'

Het was niet meteen zichtbaar. De man wees het voor Von Osten aan, in de linkerbovenhoek van het doek. Schuin onder aan de trap van Piehl, op de onderste trede, had Rendich zichzelf getekend. Een bescheiden lijntje in potlood, meer was het niet, maar toch was het onmiskenbaar Rendich die daar zat, in een soort galakostuum, vertwijfeld starend naar een onzichtbaar punt in de verte, een plek ergens buiten het doek. Elders, in een wereld die niet bestond.

Von Osten rilde.

De schilder tikte met zijn vinger op de tekening van de schilder.

'Ik heb er lang over zitten dubben. Maar nu zie ik het zo: hier zit een schilder, hulpeloos bevroren in zijn eigen potloodlijnen. Zijn modellen zijn levensecht, maar hij... slechts een schets. Is dat niet meesterlijk? Hoe hij daar zit, gestold in zijn onmacht. Nooit heb ik het duidelijker gezien: het onpeilbare verdriet van de schilder om het verstijven van zijn scheppende hand.'

'Ik had geen idee...'

'Het is spijtig dat dit meesterwerk zal worden vernietigd.'

'Vernietigd?'

'Naar het schijnt.'

'Wie zegt dat?'

De man haalde zijn schouders op.

'Maar Rendich vergist zich!' riep Von Osten uit. 'In alles!'

'Wat bedoelt u?'

'Het voert te ver. Iets met kleine bewegingen, ik bespaar u de details. Er is nog tijd... maar dan moet ik echt *nu* met hem praten.'

'Ik kan u niet helpen.'

'Weet dan niemand in dit huis, waar hij is?'

Nu had de man genoeg van het bezoek. 'Ik kan u verder niet helpen, heb ik gezegd. Kom, Gertrude laat u uit.'

HOOFDSTUK 23

De kelder

Maar Gertrude was nergens te bekennen. Dus liep Von Osten alleen de stille trappen af, beduusd over wat hij zojuist had gezien en gehoord. Om de paar treden wreef hij over zijn knieën, die pijn deden van de val in het atelier.

Zijn hoofd tolde. Wat was er de afgelopen dagen allemaal langs hem heen gegaan? De feiten: Emilio had zijn doeken in de steek gelaten en was verdwenen. En dat terwijl hij nog maar een paar dagen geleden zo opgetogen was geweest over zijn werk en vol haast om alles af te maken... Daarna hadden ze hem dagen niet gezien, tot hij met een blauw oog weer was opgedoken, helemaal in de war, bazelend over minuscule bewegingen... Von Osten was behalve verbaasd vooral boos geweest en teleurgesteld. Zijn opluchting was groot toen bleek dat het bizarre verhaal geen indruk maakte op de academici: het onderzoek zou gewoon doorgaan en was, ook zonder de schilder, perfect verlopen.

Maar nu maakte hij zich ernstige zorgen. De Italiaan zou in zijn gekrenkte trots toch geen domme dingen hebben gedaan? Waarom had hij dat bizarre uniform aangehad? Was hij soms in vreemde krijgsdienst gegaan? Waarom had die schilder op zolder er niets over willen zeggen?

Misschien was de generaal hier ergens, misschien kon die voor opheldering zorgen...

Hier en daar gluurde hij door een deur.

'Hallo?'

Alle vertrekken waren verlaten.

'Is daar iemand?'

Het huis hulde zich in een samenzweerderig zwijgen. Er was alleen het zachte kraken van de houten traptreden, hij daalde de etages af terwijl zijn bezorgdheid om zijn kleine vriend groeide, liet in zijn hoofd de verschillende mogelijkheden passeren: terug naar Italië? Een plotselinge geliefde... Zelfmoord...

Hij merkte pas dat hij een trap te veel had genomen toen hij plotseling in een schemerige kelder stond. Door het duister zag hij niets. Even stond hij stil, wilde zich omdraaien om de trap weer op te gaan, terug, naar de uitgang. Toen hoorde hij een schuivend geluid. Zag een schim bewegen. En voor hij het wist, keek hij recht in de geschrokken ogen van Rendich.

'Rendich, wat...' Von Osten wist niet hoe hij het had. Vreugde, opluchting, verbazing, het stroomde allemaal door zijn lijf.

De schilder trilde op zijn benen. Hij leek wel doodsangst uit te staan. Hij trok de oude man een hoekje om, een klein donker vertrek in, en fluisterde wanhopig: 'Heeft de generaal...?'

Von Osten schudde zijn hoofd. 'Waarom zit je hier je tijd te verdoen?'

Rendich boog verdrietig zijn hoofd. 'Het maakt niet meer uit. Het is nu spoedig allemaal voorbij.'

'Waar was je?'

'Mijn bedoelingen waren goed, Von Osten.'

Nu zijn ogen aan het halfduister gewend waren, werd hij een soort slaapvertrek gewaar. Rendichs spullen stonden naast een bed. Wat deed hij hier, in dit warme hok naast de tikkende verwarmingsketels?

'Rendich, ik weet niet wat je hier doet, maar er is niet veel tijd. Het is allemaal prima gegaan, als je het weten wilt. Het hele onderzoek was een succes. Dus ik weet niet wat je je allemaal in je hoofd haalt, maar straks als dat rapport er is, dan is het echt te laat. En dat terwijl jouw schilderijen...'

'Von Osten, ze zullen je...' De schilder hapte in de lucht, alsof de woorden die hij zocht voor zijn lippen zweefden. Het leek wel of de Italiaan verdronk, verstrikt in mediterrane waterplanten. Waar kwam zijn ontreddering vandaan?

'Ze wilden het onderzoek niet meer staken...'

'Luister eens eventjes, beste vriend. Dat is nu allemaal geweest. Ik heb je schilderijen gezien.'

De schilder sloeg zijn handen voor zijn gezicht. Hij zakte jammerend neer op het bed dat in het kleine vertrek stond.

'Maar Rendich, je werken zijn prachtig! Ik heb er geen verstand van, maar je collega boven zegt dat er een meesterwerk tussen zit. Denk dus nu eens logisch na!'

'Had ik dat nou maar eerder gedaan...'

Von Osten had met de kleine man te doen, ineengedoken op zijn bed, maar werd ook ongeduldig van de zielige toon. 'Kom op, concentreer je en wees rationeel. We zijn er bijna, nu niet verzaken. Weet je nog, jouw eerste ontmoeting met Hans, aan het begin van de zomer?'

Rendich knikte bedeesd.

Von Osten kreeg weer hoop. Hij wilde het nog steeds samen doen, met Rendich, hij moest hem bij zijn positieven brengen. Hij dacht weer als een jonge onderwijzer, die wist dat hij omzichtig te werk moest gaan, niet te dicht erbovenop. Inzicht dat zelf is verworven, beklijft tenslotte het best.

'Toen loste het dier *jouw* sommen op. *Jij* fluisterde ze in zijn oor. Nietwaar, Rendich?'

'Ja.'

'En hoe werkte dat, denk je?'

De schilder zat voorovergebogen tegenover hem op het bed, handen tussen de knieën, armen gestrekt, moedeloos. *Als een schooljongen*, dacht Von Osten ontroerd, *een die net doet alsof het hem niets schelen kan.*

'Ik zal je wel helpen, Rendich. *Niet* met die bizarre minuscule bewegingen, dat is uitgesloten, want ik wist zelf de oplossing niet eens. Jij had die som in Hans' oor gefluisterd, weet je nog? En Hans loste die op!'

Rendich liet zijn hoofd op zijn gestrekte armen vallen en knikte moedeloos. 'Ik weet het nog precies, Von Osten. Als de dag van gisteren.'

'Mooi.' Von Osten pauzeerde even. Hij wist als geen ander hoe lastig het was om je ongelijk toe te geven.

'Dus, Rendich?'

De schilder keek op naar de oude man. Dit was het moment waarop hij alles zou kunnen opbiechten. *Luister, Von Osten, ik wil dat je het van mij hoort. Ik ben eerst naar Zobel gegaan. Die wilde me net als jij niet geloven. Daarna ging ik naar Pfungst... Die vond het interessant, een heel originele vondst, het zou wel eens de definitieve oplossing van het raadsel kunnen zijn... Hij riep Stumpf erbij, ik zei dat ze het onderzoek moesten afgelasten om niemand te beschadigen – Zobel niet en zeker jou niet. Ze zeiden nee, dat zou te ver gaan, dat kon nu niet meer. Maar ze zouden mijn idee opnemen in de onderzoeksopzet en dan zou de waarheid vanzelf bovenkomen, ze zouden zien of die minuscule bewegingen die ik dacht te hebben waargenomen een algemeen menselijk verschijnsel waren die bij elke vraagsteller en elke omstander waar te nemen was. En o, ze waren vol begrip. Ze begrepen de gevoeligheid, ze waardeerden het enorm dat ik gekomen was. Ze beloofden ook dat ze mijn naam niet zouden noemen als bron... Dat vroeg ik ze nadrukkelijk, Von Osten, en nee, ze vonden het geen enkel probleem en nu is mijn laatste daad, Von Osten, jou alles opbiechten en om vergeving vragen...*

Dat had hij moeten zeggen. Maar in plaats daarvan begon hij te huilen en Von Osten pakte hem bij de schouders. 'Maar het is allemaal prima gegaan, Rendich! Perfect zelfs. Hans... hij heeft alles foutloos gedaan. Echt, als ik hem zo bezig zie, dan geloof ik het zelf soms nauwelijks, maar het is gewoon zo. Een denkend dier, stel je voor, Stumpf en Pfungst kunnen er echt niet omheen. Over een week zullen we de wereld versteld doen staan... met dank aan jou, Rendich. Kop op! Het is nog niet te laat om je schitterende schilderijen af te maken, ik heb ze net gezien, die schilder, hoe heet hij? Hij noemde je briljant...'

Bij het compliment van zijn vakbroeder veerde Rendich even omhoog, toen zakte hij terug in een somberheid nog dieper dan daarvoor. Hij verborg zijn gezicht in zijn handen. Zijn zwarte haren vielen naar voren, over zijn vingers, en hij zuchtte diep. 'Ik gun jou dit niet, oude man. Dat maakt het allemaal zo...' Hij bleef stil zitten, voorovergebogen op de rand van het bed, het hoofd zwaar rustend in de handen, zacht heen en weer wiegend. 'Ik vind het zo... zo...'

Von Osten legde zijn hand op het hoofd van de schilder. Hij dacht aan die andere keer dat ze zo hadden gestaan, toen hij zijn schedel had onderzocht.

'Geloof je nou echt nog steeds in die bizarre kleine bewegingen?'

Emilio knikte. 'Ik kan gewoon niet anders.'

'Maar fouten toegeven is de weg naar ware kennis.'

'Mijn schilderijen...'

'Het is nog niet te laat. Als je gewoon doorwerkt hangen jouw werken over een paar dagen bij de presentatie van het rapport aan de muur.'

Rendich slaakte een hopeloze zucht en zweeg.

'Denk gewoon na over wat ik je heb gezegd. En ga snel aan de slag.' Hij pakte zijn ontredderde vriend met beide handen vast. 'De kwestie is – je moet de waarheid onder ogen durven zien. Het kan nu nog. Maar dat moet je wel zelf doen – helemaal zelf.'

Rendich keek recht in het blij knikkende gezicht van de oude man. De zinnen die hij net had gedacht kwamen hem weer op de tong, maar het had geen enkel nut meer, het spel was uit. Hij zuchtte bedroefd. 'Von Osten, ik wil geen ruzie.'

'Ik ook niet, Rendich, allerminst! Over een dag of vier zal ik terug uit Sternberg zijn, en dan...' Hij keek de ontredderde schilder in de schemer aan en stroomde over van tederheid. Hij moest hem redden. De schilder moest hier weg, uit deze duisternis.

'Rendich, ga met me mee.'

De schilder schudde zijn hoofd.

Von Osten stapte beschaamd achteruit. Er viel een gespannen stilte. 'Laten we het hier maar bij laten.'

'Goed.'

'Maar doe me een plezier: maak je schilderijen af.'

Ze schudden elkaar in de schemerige gang de hand. De warmte van Rendichs hand trok eerst in Von Ostens arm, toen door zijn hele lijf. 'Alles komt goed, Rendich, dat weet ik zeker.'

Op de bok kon Von Osten weer ontspannen, achterover in de wind. Nu naar Sternberg, ogen dicht, Hans kende de weg. Op het ritme van de paardendraf schudde zijn buikvet losjes heen en weer, een vreemd, kietelig gevoel in zijn oude lijf. In de golf van warmte die door zijn lichaam spoelde wist hij precies wat er na het rapport zou zijn. Straks, als alles gedaan was, het rapport verschenen en Rendich zich weer op de binnenplaats durfde te laten zien, zou Von Osten zich een werkelijk grootmoedig vriend betonen. Hij zou de schilder in zijn oude armen sluiten. Liefdevol zou hij de Italiaan omhelzen, herhalen dat het niet erg was je eens te vergissen. Hij zou hem door zijn zwarte haar strijken en hem op schoot nemen als een kleine schooljongen, inclusief dat hele gebutste eergevoel van hem. In de vergevingsgezinde onderwijzersarmen van meester Von Osten zou de kleine Italiaan veilig ontwaken uit de verlammende schrik van zijn grote vergissing.

HOOFDSTUK 24

Frauenzimmer

'Ik blijf nog even zitten,' zei Frau Piehl na afloop van de zondagsdienst tegen haar man. 'Een lege kerk is zoveel beter dan een volle.' Heinrich knikte, hij was haar fratsen wel gewend. Zonder iets te zeggen stapte hij met hun twee oudste jongens het gangpad in. Ze keek toe hoe haar mannen zich gedrieën in de mensenbrij voegden en via de grote kerkdeur de witte, zonovergoten dag in spoelden. Het middenpad werd leeg en stil. De zon vlijde door het gebrandschilderde raam prachtige kleurenbundels op het koude altaarsteen.

Daar had zo-even nog pastoor Kraft gestaan. Hij had gemeend wéér iets over Von Osten te moeten zeggen. Ze had geprobeerd niet naar zijn fulminaties te luisteren, althans niet naar de inhoud ervan. Gelukkig was de wollige kerkakoestiek daarbij behulpzaam geweest: vanaf het altaar stegen de priesterlijke tirades direct omhoog de stenen koepel in, om daar op grote hoogte en buiten bereik van de geestelijke zelf tot een onverstaanbare galm te worden vervormd, een onontwarbare kluwen geluid die betekenisloos langs de koude muren naar beneden droop, de banken in.

'Werktuig van de duivel.' De paar woorden die ze wel opgevangen had, wilde ze meteen weer vergeten.

Ze stak een kaarsje aan en knielde stilletjes in de voorste bank. Ze dankte de Heer dat alles weer als voorheen worden zou. Het onderzoek op de binnenplaats was afgerond. De tent was opgeruimd. Iedereen was vertrokken. Het was voorbij, alles ging weer terug naar normaal: daarvoor zei ze haar Schepper op haar knieën dank. En maak alstublieft ook, Heer, dat de Italiaanse schilder nog lang wegblijft. Zo lang als maar kan. Eeuwig. Langer. Voor mij. En voor de oude man. Alstublieft. Amen.

Langs het kerkhof liep ze naar huis. Door haar hoofd zong de naam van haar dode dochtertje, haar naam die niemand kende, ook Heinrich niet. Bij de struiken waar, naar werd gefluisterd, de ongedoopte kinderen begraven lagen, hield ze stil en zei een kort, zelfgemaakt gebed.

Toen ze terugkwam op de binnenplaats viel het meteen op: Von Ostens rijtuig was weg. Hans was niet in de stal, de deur was vergrendeld. Ook de schildersezel was verdwenen, hij stond niet meer op zijn vaste plaats onder haar trap. Ze wist het zeker: vanochtend toen ze naar de kerk liep had ze hem nog zien staan. Misschien hadden haar gebeden geholpen? Ze sloeg een kruis. Maar waar was Von Osten?

Binnen wachtte zijn briefje op haar. Ernaast de sleutel van zijn appartement; de vierkante kop woog zwaar in haar handen terwijl haar ogen over zijn onregelmatige hanenpoten snelden. 'Voor het nodige', luidde zijn korte gekrabbelde verzoek aan haar.

Ze keek om zich heen, de stille binnenplaats rond. Een paar dagen maar, probeerde ze te denken, hij was toch wel vaker een paar dagen weg? Ze keek nog eens naar het briefje. *Voor het nodige.*

Gek, meestal wist ze precies wat dat was: nodig. Dan aarzelde ze ook nimmer om het meteen te doen. Maar nu, op de uitgestorven zondagse binnenplaats en met het vooruitzicht van zijn dagenlange afwezigheid, wist ze opeens niet meer goed wat het woord beduidde.

～

De volgende ochtend zag ze voor het eerst geen reden om de maandagse was te doen. Ze liet de stapel vuil goed voor wat hij was, liet de tobbe onder het aanrecht staan. Ze wist dondersgoed dat de rest van de week alles in de soep liep als ze verzaakte. Maar was het echt *nodig*?

Ze zat maar wat. Haar vingers vielen stil. Verweesd lagen ze in haar schoot, haakten niet aan het nieuwe gordijn en schikten geen zelfgeplukte bloemen in de vaas van haar moeder. Het vuile en kapotte goed lag tevergeefs op haar verstelkunst te wachten. Haar keukenraam bleef dicht.

Waarom zou ze het openen, nu tussen de vier muren

alle gerucht was verstomd en zelfs het gezang van de vogels in de lucht erboven verdwenen was?

Haar lichaam had niets meer om op te dansen. De geluiden waren verstomd.

Alleen de sleutel van Von Ostens appartement, op de hoek van de tafel, zong nauwelijks hoorbaar een onweerstaanbaar lied.

Zonder na te denken liep ze naar de andere kant van de stille binnenplaats. In zijn lege appartement kwam ze weer tot leven, ze zag werk, zette de ramen tegenover elkaar open, stofte de glazen potjes met botjes en muizenembryo's af en plaatste ze in het gelid. Ze draaide wat aan de witte paardenschedel zodat die haar niet zo aankeek vanuit de lege kassen. Ze stofte het jeugdige portret van Von Osten af en het familiekiekje waarop hij een kleine jongen was. Ruimde de glazen en de flessen op, ordende de keuken. Ging in zijn slaapkamer op het bed liggen. Rook aan de lakens en het sloop. En toen zag ze, naast het nachtkastje geschoven, het kleine schilderij, half verscholen onder een oude deken.

Voorzichtig schoof ze het tevoorschijn en zette het voor zich neer.

Het doek, nauwelijks groter dan een dienblad, was het geschilderde portret van een zittende vrouw. Het was geheel opgetrokken uit donkerrood en bruintinten: de houten stoel, de hooggesloten jurk, de roos in haar hand op schoot, het met een speld bijeengehouden dikke bruinzwarte haar. De wenkbrauwen en zelfs de licht vaneenwijkende lippen – alles was zinderend bruin, behalve het randje van de witte tanden (een aarzelend begin van een glimlach) en de beide ogen die, helder lichtblauw als twee waterige diamanten, uitdagend de wereld in blikten.

Frau Piehl had de vrouw op de afbeelding nog nooit gezien. Eén ding was zeker: zo zag een dame eruit. Een felle steek van misselijkmakende jaloezie ging door haar onderbuik.

Aan de muur hing een kleine, verweerde spiegel. Ze wist niet goed waar ze meer van schrok: haar eigen rode, verweerde wangen of de brede groeven om haar mond? Met haar vingers drukte ze de losse plukken haar tegen haar slapen. Ze liep naar de keuken, ruwde met een paar korrels zout haar lippen – in een mum waren ze net zo rood als de karmozijnzure mondverf die ze wel eens in de winkels had gezien. Ze trok haar schort af en moffelde het weg onder de gootsteen, bij de lege flessen. Ging weer zitten, in dezelfde positie als de vrouw op het doek. Keek nog eens in de spiegel.

Ja, zo zag een dame eruit.

Ze sloot haar ogen en zag zichzelf op de hoge trap van het landhuis, met een parasolletje in de hand. Klaar om naast de oude man in het rijtuig te stappen, te wuiven naar het voor hun vertrek uitgelopen personeel. Haar twee prachtige blauwe ogen, twee waterblauwe diamanten tussen alle tinten bruin, mysterieus oplichtend als de hoeders van een vreemd geheim, om nooit prijs te worden gegeven... die hield ze gesloten, die waren van haar.

Opeens snerpte het harde, doordringende geluid van

een bel. Frau Piehl schrok op: was dat hier?

Ze hield zich stil. Als ze zich niet verroerde, zou het overgaan.

Nogmaals de bel. Kort, schel, ongedurig.

Ze stond op, sloop een paar stappen naar het raam en keek schuin naar beneden, zodat ze zelf onzichtbaar bleef.

Op straat stond een onbekende dienstbode met een wit voorschort aan. Even twijfelde ze. Maar voor zich in haar hoofd ook maar het begin van een gedachte kon vormen, klonk weer de bel, ongedurig, dringend, wanhopig.

Ze schoof het raam open en boog naar voren.

'Ja?'

De jongedame keek opgelucht omhoog. 'Hallo, Von Osten? Frau Von Osten?'

Frau Von Osten. Verbluft staarde ze naar het meisje, dat bedremmeld naar boven keek. De aanhef galmde na tegen de muren van het huizenblok. Frau Piehl dacht nog eenmaal aan de parelogen op het schilderij. Toen werd haar hoofd leeg.

'Mevrouw, alstublieft,' drong het meisje beneden aan. 'Ik heb een bericht voor uw man.' Ze stond nerveus van de ene op de andere voet te wiebelen.

Hij is mijn man niet! wilde Frau Piehl naar beneden roepen, maar ze slikte de woorden in en rechtte haar rug. Streek met haar hand haar rok glad, kuchte eenmaal en sprak, met de stem van een jonge koningin: 'Welwel, jongedame, komt u dan maar boven.'

Terwijl ze de verende voetstappen hoorde naderen

op de trap, keek ze nog eenmaal naar de vrouw op het doek, prentte zich haar oogopslag in en schoof haar toen snel terug onder de lage kast.

'Goedendag, mevrouw?'

Het bleke schepsel stond hijgend te aarzelen in de deuropening. Frau Piehl gebaarde dat ze plaats kon nemen maar thee bood ze niet aan – dat zou in deze verhouding niet passen, toch? Zelf nam ze plaats in haar fauteuil, in dezelfde houding die ze net zo goed op het schilderij had bestudeerd.

'Zeg het eens.'

'Mevrouw, uw man...'

Frau Piehl voelde haar rug warm worden. 'De heer Von Osten is naar Sternberg,' hoorde ze zichzelf zeggen. 'Over een paar dagen is hij weer terug.'

Was zij dat, dit hooghartige stemgeluid? Het was toch geen leugen, wat ze net had gezegd? Ze wreef haar rok glad over haar bovenbeen. Haar lippen brandden van het zout.

Het meisje keek haar vragend aan. 'Sternberg?'

'Ons landgoed,' voegde Frau Piehl toe en schrok ervan – overschreed ze hier een grens? – maar wuifde toen naar de foto achter haar.

'Kind, zeg me eerst eens even wie je bent.'

Het meisje zuchtte. 'Ik heet Gertrude. Ik werk voor generaal Zobel, weet u wel, mevrouw?'

'Uiteraard,' zei Frau Piehl beledigd, 'wat denk je, de generaal behoort tot de uitgebreide kennissenkring van mijn man. Waar gaat het over, als ik vragen mag?'

Het meisje keek wanhopig. 'Het spijt me, mevrouw. Het is nogal... delicaat.' Ze leek erg in verlegenheid gebracht.

'Is het een bericht van de generaal?'

Het meisje schudde nauwelijks zichtbaar haar hoofd.

'Niet? Maar zeg eens, wat is hier eigenlijk aan de hand?'

'Het spijt me, mevrouw Von Osten. Het spijt me heel erg. Ik kan u niet alles vertellen, ik ben maar een dienstbode, ik weet eigenlijk niets, al zie ik heel veel. Het gaat om een...'

Het meisje slaakte een diepe zucht.

'Nou?'

'Het is een bericht van de heer Rendich.'

Frau Piehl voelde hoe haar neus optrok. 'Die... schilder?'

Het meisje knikte en legde een verzegelde envelop op tafel. Frau Piehl herkende de signatuur van Emilio Rendich.

'Mijn man, en deze schilder...?' Ze keek het meisje vragend aan.

Die schudde geschrokken haar hoofd. 'Mevrouw, het is niet wat u denkt. Uw man heeft er niets mee te maken. Het is Rendich, en die Münchense vriend van hem...' Het meisje hapte naar adem. 'Ik weet niet hoe ik het moet zeggen, het is heel geheim, ik...'

'Zeg het maar gewoon, kind.'

'Frau Von Osten, kent u misschien de uitdrukking: es steckt ein Frauenzimmer dahinter?'

Die nacht lag Frau Piehl tot de vroege ochtend wakker. Heinrich lag met zijn rug naar haar toe, zijn zware adem klonk zoals die al meer dan twintig jaar geklonken had. Ze was blij dat hij niet meer naar haar taalde, al jaren niet meer, het slapen met hem was eigenlijk net als vroeger met haar broer Karl in het ouderlijk huis aan de bosrand, het bos met al die heerlijke geluiden, wat miste ze dat hier in Berlijn, deze nacht meer dan ooit.

Alleen de knallen, de knallen in de vroegte, nee die miste ze niet.

Ze wilde simpelweg dat alles voorbij was, terug bij het oude. De binnenplaats weer een anonieme plek, waar de oude man zijn lesprogramma draaide. Gewoon, zonder bezoekers. Kansloos, zoals het begonnen was, en alleen voor haar. Zonder Italiaan. Maar iets in haar wist dat het zo niet geschieden zou. *Es steckt ein Frauenzimmer dahinter.* Dat had het meisje gefluisterd, precies zoals haar broer jaren geleden.

Was het fout geweest, wat ze had gedaan? Ze had niet echt gelogen, althans niet in het begin. Ze was gewoon meegegaan met de suggestie die de vreemde situatie had gewekt. Het spel van de echtgenote was pas van haar afgevallen toen haar eigen man en kinderen weer thuiskwamen om te eten. Ze had zwijgend met ze aan tafel gezeten, aardappelen, kool en worst, Frau Piehl had er zelf weinig van geproefd.

De brief van Rendich, die het meisje voor Von Osten had gebracht, had ze toen al geopend, gelezen en veilig opgeborgen in de secretaire van de woonkamer – in dezelfde lade als waar het certificaat lag van 'doodgeboren kind Piehl'.

HOOFDSTUK 25

Post van psychologen

Na zijn korte bezoek aan Sternberg was Von Ostens welkom thuis in de Griebenowstrasse, drie dagen later, hartverwarmend geweest. Frau Piehl had zijn woning tot een waar paleis omgetoverd met verse bloemen, een zelfgehaakt gordijntje en versgebakken brood. De stal van Hans was grondig uitgemest.

Om elf uur bracht de goede buurvrouw, zoals gewoonlijk, zijn koffie bij de stal. Ze zag er monter uit, het viel zelfs de oude man op: ze had een andere haardracht, iets met een moderne wrong.

'Frau Piehl, het lijkt wel alsof ik weken ben weggeweest. Is de schilder nog geweest?'

Ze schudde schichtig haar hoofd, ging snel weer naar boven, ze had veel werk te doen.

Niet veel later liep een jonge geüniformeerde beambte met een grijs postpak in de hand langs de genummerde brievenbussen van Griebenowstrasse 10. De oude man liep snel de binnenplaats over om het pakket aan te nemen. Zou dat...?

'Woont hier een Von Osten?'

De oude man knikte. 'Das bin ja ich.'

Het pak met het poststempel van het Psychologisch Instituut voelde zwaar in zijn handen. Het was zijn naam die daar stond. 'Von Osten', met een sierlijk handschrift geschreven, het leek opeens aan iemand anders te refereren, aan een man van gewicht... de voornaamheid die opeens om de letters hing – waar kwam die zo plots vandaan?

Als hij niet opeens zo vreselijk zenuwachtig was geworden, had hij de postbode toegevoegd: 'Onthoud die naam – die van *de wetten van!*' In plaats daarvan knikte hij minzaam en dankte de postbesteller beleefd. Heel even was er de gedachte aan de botheid van de heren onderzoekers: ondanks al zijn gastvrijheid hadden ze gekozen voor de onpersoonlijkst denkbare aanbiedingswijze: per post. Maar om echt boos te worden trilde zijn lijf te veel.

Hij drukte het pakket tegen zijn stofjas en liep de binnenplaats over. Wat zou het heerlijk zijn als zijn pa, de oude landheer, hem ergens vanaf een wolk kon zien. Als hij kon toezien hoe zijn kleine Wilhelm nu op het punt stond om de wereld te veranderen.

Hij klom zijn vier trappen naar boven en liet zich hijgend in zijn stoel zakken, het rapport op schoot. Zijn witte huid stak af tegen het donkerbruine pakket. Zacht wreef hij over het ruwe papier en luisterde naar het raspende geluid.

Waar zou Rendich zijn?

Niet eerder had hij zo gewenst een moment met een ander mens te kunnen delen. Misschien zou hij straks op de stoep staan. Ze zouden samen door het rapport gaan, de conclusies becommentariëren, mijmeren over wat nu zou volgen en samen drinken op dit late succes.

Morgen. Dan zou een van die onderzoekers vast wel even langs waaien – om de verdere planning te bespreken, van de persconferentie, dat soort zaken. Of zou dat pas later zijn, als iedereen de kans had gehad om de inhoud tot zich te nemen? Hoe ging zoiets eigenlijk?

Zo zat Von Osten daar de hele ochtend. En ook de hele middag bleef hij zo zitten, en zelfs toen het al begon te schemeren en in het vertrek de gaslamp moest worden ontstoken, zat hij nog zo: bewegingloos als een vissende reiger.

᭥

Toen er de volgende ochtend op Von Ostens deur werd geklopt, was het eerste wat hij dacht: Rendich. Hij opende zijn ogen en zag eerst het plafond, toen de ravage om zich heen: van een van de twee leren stoelen was nauwelijks meer iets over, lege flessen lagen kriskras over de grond, glassplinters glinsterden in een plas rum op de houten vloer. Hij voelde zijn armen en benen niet, alleen zijn rug. De zon stond al hoog en zijn hoofd deed pijn, zijn schouders voelden stijf en hard. Hij lag tussen de lege flessen, flarden leer en kapok, en ergens daartussen het vleesmes. Hij was niet in staat om op te staan.

Weer geklop. Zonder te begrijpen waarom hoorde hij zichzelf zeggen: 'De deur is open.'

De ontzetting op het zachte, oude vrouwengezicht was bijna grappig.

'Ach Herr Von Osten, ik dacht...' Hulpeloos wees Frau Piehl op het mandje verse broodjes aan haar arm. Ze deed een paar kleine stappen in zijn richting, begon flessen van de grond te rapen, zei dat het allemaal best mee zou vallen. Ze pakte ook het mes op en legde het op tafel en praatte er zacht bij, zinnen met woorden als 'bessenjam' en 'gebakken ei', en dat ze koffie voor hem zou halen en het ochtendblad.

'Frau Piehl – bitte.'

Ze stond stil en keek hem vragend aan.

Hij begreep het zelf ook niet. Hij wilde dat ze wegging, maar ook dat ze hem vasthield.

'Ik ga Hans dan wel even voeren, Herr Von Osten.'

'Ja. Goed. Doet u dat.'

Toen ze weg was, wist hij het weer. Pagina 32, die godverdomde zin.

Wanneer een zo groots opgezet experiment als dat van de heer Von Osten nog geen spoor van zelfstandig denken in het dier kan aantonen, is daarmee de oude bewering, dat dieren daartoe niet in staat zijn, definitief bekrachtigd.

Het bloed steeg hem naar de oren. Alsof hij zijn werk al die jaren voor *hen* had gedaan! Alsof zijn levenswerk een experiment voor die luie Stumpf en die ijdele Pfungst was geweest, en al die suffe titeldragers die meenden hem nu even in drie dagen ontmaskerd te hebben. Met hun theorietjes. Paard simuleren! Minuscule bewegingen! Von Osten snoof, maar ook dat deed hem pijn.

Een stukje verderop stond triomfantelijk:

Aristoteles behoudt zijn gelijk. Dit paard kan niet rekenen en heeft dat ook nooit gekund.

Nee, veel duidelijker hadden ze het niet kunnen opschrijven. Ze geloofden nu allemaal in diezelfde, onzinnige bewegingen waar de Italiaanse schilder het over had gehad. Ze hadden er zelfs schema's bij opgesteld en diagrammen om het rapport mee op te fleuren. In het laboratorium hadden ze zich alleen nog maar op die stomme bewegingen gericht – het idee van de schilder. Dus daarom hadden ze Hans niet meer nodig gehad. In het paard waren ze in het geheel niet meer geïnteresseerd geweest. Ze hadden hun pijlen op het gedrag van de vragensteller gericht – studenten hadden ze daar voor aangezocht, vijfentwintig stuks om precies te zijn. Die hadden hun rol voortreffelijk gespeeld, ze gaven om beurten een som aan Pfungst, die voor paard had gespeeld, en terwijl hij met zijn hand het antwoord tikte, werd er ingezoomd op de piepkleine nekbewegingen van de vragensteller, als de onbewuste reactie op het gestamp van een – Von Osten verslikte zich bijna bij het idee – *gesimuleerd tellend paard*. De rol van Hans was soms door Pfungst, soms door Schillings gespeeld. Ene Hornborstel had alles genoteerd.

Von Osten probeerde op te staan, steunend op de lage kast, maar zijn benen droegen hem niet. Zijn hoofd deed pijn. Rendich! Hij zakte weer terug tussen de puinhopen en dacht: *verraad, verraad.*

⌣

De koffie en het ochtendblad werden gebracht. Frau Piehl hielp Von Osten overeind en zette hem aan de tafel. Terwijl hij een slok van zijn koffie nam veegde zij de rommel van de vloer bijeen. 'Wonderpaard wetenschappelijk ontmaskerd', kopte de voorpagina van het *Morgenblatt.*

'Ik kan weer staan.'

Steunend op het tafelblad duwde de oude man zijn romp omhoog, stond op zijn stramme benen en hield zich aan de tafel vast.

'U blieft geen vers broodje?'

Hij schudde stuurs zijn hoofd. 'Er is werk te doen.'

Ze knikte, wist niets beters.

Von Osten begon naar de deur te schuifelen. Zijn lichaam deed pijn, het protesteerde hevig, maar het ging. Hij had al zijn kracht nodig om de stappen te zetten; hij moest alleen niet denken aan het verhaal over Rendich, dat hij net in het ochtendblad had zien staan.

De Italiaanse schilder Rendich kreeg na enige tijd als eerste het vermoeden [...] de wetenschappelijke onder-

zoekers zijn hem bijzonder dankbaar voor zijn sug-
gesties [...] zijn scherpe schildersblik heeft uiteinde-
lijk voor het inzicht gezorgd [...] hij had zijn theorie
eerst getest op het hondje van generaal Zobel, Nora [...]
en ook zij reageerde op de minuscule bewegingen [...]
Pfungst en Stumpf moesten het toegeven, zonder hem
zouden zij nooit...

Von Osten greep de deurpost vast. Op de drempel
draaide hij zich naar haar om. 'Dank u, Frau Piehl, voor
alles.'
Ze knikte, de lippen opeengeknepen.

In het trappenhuis was het donker zoals altijd. Von Ostens oude voeten zochten de treden, een voor een. Het
ging langzaam, net zo traag als die keer toen Rendich
achter hem aan had gelopen – alleen toen ging het omhoog en nu zakte hij naar beneden, zich vastklampend
aan de reling, voorzichtig, de rug gekromd, alsof hij
dekking zocht voor de beelden die hem nu besprongen,
er was geen ontkomen aan.
Weet jij dat wel zeker, Wilhelm?
Kowalewo Pomorskie, de lessen in de salon. Meestal
was hij samen met François, de huisleraar, maar nu had
vader zich bij hen gevoegd, dat deed hij soms onaange-
kondigd.
De som was niet moeilijk. Maar de aanwezigheid van
vader veranderde het hele vertrek in een duizelingwek-
kend zwart ravijn. Wilhelm werd aan zijn knieën naar
beneden getrokken tot er alleen nog maar ijzige stilte

was. De krak in zijn gehoorgang, als hij slikte.

Hij zag alleen nog de stok, die naast vaders hoge laarzen op het tapijt rustte – hij wist heel goed wat daarmee zou gebeuren als hij het fout zei. De striemen van de vorige keer stonden nog in zijn zij. Meestal moest hij daarna ook nog eens op erwten knielen.

'Honderdvierenveertig.'

Direct nadat hij het antwoord op de opgave gegeven had, en nog voordat de leraar iets kon zeggen, stelde de landheer zijn vraag.

Weet jij dat wel zeker, Wilhelm?

Razendsnel dacht de kleine jongen na. De vraag van zijn vader kon maar één ding betekenen. Dus herstelde hij – *Verzeihung, bitte, Vater* – haastig zijn antwoord. Hoe had hij de landheer zo kunnen onderschatten.

Pats.

Na een paar keer werd het hem duidelijk. Vaders interventie met steeds diezelfde korte zin op steeds datzelfde moment diende maar één doel: verlenging van het duivelse zweetmoment. Secondes waarin de kleine jongen met zijn antwoord het verschil kon maken tussen een kort en afgemeten *gut, nächste Aufgabe*, of het alternatief: een extra stokslag na de les.

Weet jij dat wel zeker, Wilhelm?

Het was in de kieren van de angst dat hij iets vond. Het was een houvast zó klein dat hij het zelf nauwelijks geloven kon, en het zat in vaders stem. *Ze-ker.* Soms ging de laatste lettergreep plagerig omhoog – dan was het antwoord goed. Soms klonk het monotoon, boos – dan zat hij fout. Het klopte altijd, het werd zijn redding als hij de opgaven allang niet meer goed begreep en er van rekenen of logisch nadenken allang geen sprake meer was. *Ze-ker.* Niemand die het horen kon – alleen een kind dat stokslagen vreest.

Later op zijn kamer, als hij de pijn van de blauwe plekken probeerde te vergeten, rekende hij de opgaven stilletjes na. Hij hield, ondanks alles, van moeilijke sommen. En hij wist, klein als hij was: zo voorkom ik wel dat ik met blauwe knieën op erwten knielen moet. Maar zo leer ik geen rekenen.

∽

Alleen achtergebleven in Von Ostens appartement luisterde Frau Piehl aandachtig naar hoe haar huisbaas de trap af stommelde. Het ging langzaam, en vele malen vielen de stappen stil. Dan hoorde ze hem in de diepte hijgen, ergens op een overloop, zelfs een keer vloeken, *verdammt verdammt.* Iets over zijn vader, en dat hij toch zou winnen. Dat hij gelijk had, het zeker wist! maar dat niemand het begreep. Dat het gewoon te vroeg was.

Hij riep tweemaal om Rendich.

Ze beet op haar lip en ging stilletjes voor het raam staan, met haar rug naar de resterende wanorde in het appartement. Ze opende het raam, helde naar voren om de deur te zien waar hij moest verschijnen.

Beneden was het rustig, negen uur, de kinderen waren al naar school. Aan de overkant zag ze haar eigen raam op een kier staan. Meestal stond ze daar om deze tijd, wachtend op de geluiden, maar nu was haar keuken leeg.

Waar bleef hij?

Ze zag haar keukentafel en de stoel waarop ze gezeten had toen ze de brief van Rendich had opengemaakt. *Ik ben in een duel beland,* had hij de oude man geschreven. *Als je deze brief ontvangt, heb ik het niet gehaald. Dan wil ik dat je weet dat ik steeds de beste bedoelingen had. Dat ik jou nooit...* Ze wilde dat ze het niet gelezen had. Het was fout geweest. Maar ze had de envelop nu eenmaal geopend, het zegel was verbroken. En nu wist ze alles – dat kon niet meer ongedaan worden gemaakt. Ze mocht de oude man niet nodeloos overstuur maken. Ze had een verantwoordelijkheid.

Het was stil geworden in het trappenhuis. Ze leunde verder naar voren.

Waar bleef hij nou? Koele wind streek langs haar wangen.

In een volgend moment zag ze hoe beneden alles zich als vanouds ontrolde.

De deur die zich opende, de oude man die in de deuropening verscheen.

Hoe hij met stramme passen in zijn witte stofjas over de binnenplaats hobbelde.

Het zwarte paard, het schoolbord vol sommen.

Het kleurige telraam, de suikerklonten.

Toen klonk de broze stem over de lege binnenplaats: 'Delen door drie. Kom op Hans, er is geen tijd te verliezen.'

Verantwoording

De feiten: er heeft in de eerste decennia van de twintigste eeuw een wonderpaard Hans bestaan. Jarenlang ontving het dier, op de binnenplaats van de Berlijnse Griebenowstrasse 10, rekenles van zijn meester Wilhelm Von Osten (1836-1911). Er was daarbij op enig moment ook een Italiaanse kunstschilder betrokken. Volgens Kralls boek *Denkende Tiere* (1912) zag deze Emilio Rendich als eerste het verband tussen de bijzondere prestaties van het paard en de kleine onbewuste bewegingen van de vragensteller – een verschijnsel dat nu nog bekendstaat als het Kluger Hans-effect. Ook generaal Zobel, Afrika-reiziger Schillings, professor Stumpf en onderzoeker Pfungst hebben bestaan, evenals Frau Piehl. De geciteerde rapporten en krantenberichten van die tijd zijn aan de werkelijkheid ontleend.

Dit staketsel van historische gegevens vormt de basis van deze roman. Daaromheen spon ik met de vrijheid van de romanschrijver een verhaal. Logeerde Rendich echt bij Zobel in Charlottenburg op het zolderatelier?

Kwam hij net tevoren uit München en werd hij daar, tijdens het verblijf in de villa van zijn succesvolle vriend, verliefd op diens vrouw, met alle gevolgen van dien? Het zou kunnen, maar misschien ook niet.

NMIL/FF

THE DEFEATED ARISTOCRAT

Katherine John

Published by Accent Press Ltd 2015

ISBN 9781783753307

Copyright © Katherine John 2015

DEDICATION

For Greg Rees, my brilliant editor

Nothing straight can be made from timber as crooked as that which makes man.

Immanuel Kant (1724–1804)
Native of Konigsberg, East Prussia

PROLOGUE

The following is based on the journals of my great grandfather Freiherr Wolfgang Friedrich Leopold von Mau, one time Kriminal Investigator in Konigsberg, the capital of East Prussia, Germany. Aside from personal thoughts and events in his private life, he recorded an account of every case he worked on, and preserved the relevant newspaper cuttings from the *Konigsberg Zeit* (*Konigsberg Times*) and the *Konigsberg Sonne* (*Konigsberg Sun*).

I'll not reveal the names of those who assisted me in retrieving his papers. Even in the twenty-first century, there are factions from extreme right to far left in the political spectrum intent on harming those they suspect of working for the freedom of the individual against the ideology of 'state and common good'.

The fate of Konigsberg has been documented elsewhere for those prepared to seek it. Suffice to say approximately twelve and half million survivors from the pre-war German population of fifteen million East Prussians were expelled by the Allies in 1945-1948, a high proportion to their death as slave labourers in Siberia. The fortunate escaped to the West. The city was renamed Kaliningrad, in honour of the Bolshevik revolutionary Mikhail Kalinin, and placed under Russian control. The names Konigsberg and East Prussia were erased from the map.

This is not an entreaty that homes, lands, and buildings be returned to their rightful owners who were not compensated for their loss. The East Prussians are far from unique. Throughout history, people of many races and creeds have been murdered, vilified, oppressed, subjugated, robbed, enslaved, and driven

1

from their homes and lands. At what point in time should society begin making amends to surviving exiles? A decade later? A generation? A century?

If I learned anything from my East Prussian forefathers, it is that 'the strong survive'. Never look back. The past has gone. Live in and for the present, albeit without roots. The future cannot be seen or foretold – which is probably just as well.

This is a plea that Konigsberg be remembered for the people who built the city, lived there, and made it the great port it once was. It is a simple, honest account of a kriminal investigator's experiences in a place and country that now exist only in memories and a few – scant few – dusty archives.

The new Russian city of Kaliningrad remained closed to visitors until 1991. Even then the authorities made it difficult for foreigners, particularly Prussian-born former inhabitants and their descendants, to obtain visas. After the borders opened, I smiled at a few officials. They weren't as impressed with my goodwill as they were by my money. I acquired a visa. I'd memorized my great-grandfather's address in Konigsberg and researched the location of his properties in the new Kaliningrad. His former home had been reduced to rubble, destroyed like so many of the medieval buildings when the city was bombed, first by the RAF in 1944, later by Russian artillery, but the cellars remained, shrouded in weeds behind wire netting.

I had directions and found what I was looking for. Afterwards I spent a week touring the sad remains of the city. I walked on grassy knolls that blanketed the foundations of medieval houses and inns. When I stood on the banks of the Pregel I could have sworn I heard 'Gaudeamus Igitur' being sung in a bar behind me, just as it had been for centuries by students of the Albertina, the nickname given to Konigsberg University.

Ghosts! Or my imagination?

I hired a car, ventured into the countryside, and found the crumbling walls of Waldschloss and the desecrated church and graveyard of Lichtenhagen where my ancestors had lain – and possibly still lay, although Russian troops had a penchant for ransacking graves in the hope of finding valuables. A few neglected, broken pre-war houses had been left standing and were occupied. However, modern Yablonevka bore no resemblance to my family's photographs of the thriving rural Prussian community where six hundred people had lived and worked before the conflict the Russians had christened 'The Great Patriotic War'.

I hacked a path through weed-strewn wildernesses populated by vagrant cows and pigs and found no trace of tended fields and farms. Nature had done its work. Centuries of cultivation counted for nothing. Standing on the site of my family's home for eight hundred years, I felt as though a gossamer curtain hung between me and the past. If I could tear it aside … if I …

But Wolf Mau's Konigsberg proved unreachable. I remained locked in modern Kaliningrad. I hoped Wolf's ghost and those of his contemporaries couldn't see what the city had become.

My visa expired. I flew over the plain that surrounded the great medieval seaport and took a last look at the dark woods and glittering rivers of old East Prussia, reminding myself it was now the Kaliningrad Oblast.

I returned to the hills that stood sentinel around my house. There I found Wolf's legacy waiting for me. I began to translate and edit my great-grandfather's papers and, while I worked, Konigsberg lived and breathed again. Proud, ancient, beautiful, and welcoming. The land and city of my forebears.

This is the result; the first chronicle of Wolfgang Friedrich Leopold von Mau – or as he preferred to be known, Wolf Mau – his life and career as a police investigator – and if he occasionally chose to 'reinterpret' the law to the ends of justice as opposed to the dictates of bureaucrats, who am I to blame him?

Katherine John, 2014

4

CHAPTER ONE

Wasser Strasse, Konigsberg, Friday January 3rd 1919

The silhouettes of the medieval warehouses and antiquated crane stood velvet black against the grey, snow-laden night sky. Below them, the ice-encrusted banks of the River Pregel glistened, crystalline in the glacial wind that blew in from the Baltic.

Two uniformed police officers halted outside one of the narrow five-storey houses in Wasser Strasse. It bore a crude metalwork sign, *Hotel* next to a tarnished copper bell pull. A cloaked and hooded figure moved in the shadows.

'Von Braunsch?' Her voice was low, seductive. Her accent, French. A curtain in the building behind them moved, momentarily illuminating the woman's face. It was beautiful, fair-skinned with jewel-bright blue eyes.

The older officer stepped forward ... 'Do I know you?'

'You've forgotten me?' There was reproach in her voice and something else.

Von Braunsch wondered if he'd imagined the anger. 'No ... I ...' He frowned. The young woman *did* look familiar.

'Room 10.' The woman didn't wait for von Braunsch to reply. She walked into the hotel.

Von Braunsch turned to his companion. 'I have to leave you, Blau. Return in an hour and we'll continue.'

'If you're not here, sir?' Kriminalassistent Blau, a raw recruit on his first patrol, questioned diffidently.

Kriminaloberassistent von Braunsch hesitated. 'You wait

five minutes, no longer. Return to the station at seven and stamp us both off duty. I'll see you in Headquarters, six thirty sharp this evening.'

'Isn't it against regulations to stamp for someone else, sir?'

'You don't have to "sir" me, Blau, kriminaloberassistent is sufficient. I'm your superior colleague, not your superior. Every officer stamps colleagues in and out. We wouldn't have time to sleep if we didn't.'

'What do I say if I meet a superior officer and they me ask where you are, Kriminaloberassistent?'

'The truth. That I'm with an informer. Didn't they tell you when you were training that the most important duty of every officer is to assemble a network of spies? We need information about criminals to catch them.'

'Yes, sir. That woman is one of your informers, Kriminaloberassistent von Braunsch?'

'I have a feeling she's about to become the best.' Von Braunsch tapped his nose before disappearing inside the hotel.

A door to a beer shop lower down the street swung open and a chorus of 'Ein freies Leben führen wir' momentarily filled the air.

Students! Blau hated them. Sons of the rich, who had all the money in the world to live high on venison in their castles and join expensive university corps where all they did was eat, drink, sing, and duel. Everyone knew the ruling elite had betrayed Germany. Ignoring the price the Fatherland's soldiers had paid with their blood and lives, they'd negotiated political surrender to the allies behind the back of the military authorities when victory was within sight just so they could keep their money in their pockets instead of spending it where it was needed, on defence.

He passed a group of nuns from the convent attached to the Church of the Holy Family. They were wheeling a portable cart fitted with an oil stove, and were offering hot drinks to sailors and streetwalkers more interested in schnapps and sin than refreshment and redemption.

A man lay huddled in a military greatcoat in a doorway.

6

Blau pretended he hadn't seen him. Von Braunsch told everyone who'd listen that he'd served four years in hell as a captain on the Western Front, but that didn't stop him from harrying homeless discharged soldiers out of whatever meagre shelter they found.

Blau shook his head at a sister who offered him a steaming tin mug. He stood beneath a street lamp and studied the map von Braunsch had handed him when they'd left headquarters.

'*Our route in case we're separated.*'

He should have realised then that von Braunsch intended to abandon him. He had no option but to continue to patrol alone and hope none of his superiors saw him and asked questions about von Braunsch's 'informer' which he couldn't answer.

'Want a good time, sweetie?'

'Ooh, look, I made him blush.'

'Kid's in fancy dress. Let's see what he's made of.'

'Ladies, please, you're embarrassing the officer.' A middle-aged nun with a marked French accent stepped between him and three brassy-haired prostitutes who were tugging at his uniform coat buttons.

'Officer? Wouldn't be surprised if he's still in nappies. Can I look?' The tallest of the women winked at Blau, licked her lips and slid her hand inside his coat and on to his trouser flies.

The nun caught the woman's hand and removed it. 'Sister Bernadotte has coffee and fruit bread donated by Becker's on the cart tonight.'

'I was after something sweeter, sister,' the woman flashed a gap-toothed grin, 'but thanks for the offer.'

To Blau's relief the nun remained with him until the women walked on down Wasser Strasse.

'They don't mean any harm.'

'I know, sister ...' Blau was embarrassed at being rescued by a nun who looked even thinner and frailer than his mother.

'Sister Marie. God be with you tonight, officer.'

'And you, Sister Marie.' Blau glanced around the street. 'Isn't it late for you and the other sisters to be out?'

'We don't have to return to our convent until four o'clock

7

morning prayers.'

'I was thinking of the danger of you sisters being out on the waterfront at this hour, not you being needed in the convent, Sister Marie.'

She smiled. 'We're doing God's work, officer. He will look after us.'

He watched her rejoin the two nuns manning the cart. It had come as a shock to discover his uniform offered no protection against the approaches of prostitutes or the insults of drunks. Retreating into silence in the hope he'd be left alone, he continued on his way. The further he walked, the more uneasy he felt.

No tutor or lecturer had mentioned 'informers' during his training. But from the moment he'd reported to headquarters to assume his post, he'd been advised by his superiors and colleagues to 'forget' the rule book because 'things are done differently in the field'.

He was terrified of making a mistake that would cost him his job. Work was almost impossible to find, and with his father and four brothers dead in France his mother and sister would starve without his wages.

He checked the time on his father's pocket watch. Von Braunsch had said an hour. He'd be back in Wasser Strasse by then, but he doubted von Braunsch would.

The hotel staircase was poorly lit, but von Braunsch had been in the building before the war and knew his way around. He climbed the stairs to the first floor. A gas lamp burned low, spluttering and hissing on the landing. He peered at the numbers screwed to the doors. Ten was at the end of the corridor.

He knocked. The door swung inward, creaking on its hinges. He removed his pickelhaube helmet, tucked it under his arm and stepped inside.

'Liebchen, I remember you now,' he lied. 'Get your riding crop ready. A very naughty boy is coming …'

Something hard, unyielding, pressed against his neck. He retreated but the pressure persisted. The room swam around

8

him. The light dimmed. He plunged into oblivion.

Von Braunsch was aware of a draught blowing across his body. He was cold. Not freezing cold or wet as he'd frequently been in the trenches, but uncomfortably chilled. He tried to move, to pull a covering over himself, but his arms were fastened securely above his head.

He opened his eyes. His head ached, weighed down by a heavy metal helmet that bit into his flesh, stank of rust and tasted foul. His lashes brushed against tight circles that pressed uncomfortably close to his eyes, restricting his vision. Light-headed, fighting nausea, he heaved on his bonds, but his wrists were tied so painfully high above his head that his bones felt as though they were being wrenched from his shoulder sockets. He squinted down. His ankles were tied to the footboard of a bed. He tried to say, 'This is too much pain, even for me,' but what came out was unintelligible. He attempted to speak again. To shout. But something was in his mouth. Something cold and hard that constricted his tongue. He retched. Struggled against his bindings. Then he realised he was stark naked.

'It's no use fighting.' A familiar face glided into view, a plain face – old with grey eyebrows and skin as wrinkled as a washing board. It was then he remembered where he'd seen the beautiful young woman who'd enticed him. He shuddered.

He moved his head with difficulty. He couldn't see her. Was she behind the bed, out of sight?

Something hard was pushed beneath his buttocks, lifting his hips high. He'd never felt so vulnerable, so exposed. Fear sent delicious shivers down his spine. He relished the sensation.

He'd experienced whips, handcuffs, and needles but nothing like the cold, flat, heavy metal case that was laid on his chest. Gnarled hands opened it. Objects were lifted out and waved before his eyes. Shiny metal instruments that reflected sparkling, dazzling light ...

In one shattering instant, he realised the lamplight was reflecting on blades. Knives!

'Just the whip – needles – no knives –'

9

Yet again his words were indecipherable, even to his own ears.

He fought to free his ankles and wrists but succeeded only in bruising his flesh. A blade flashed downwards. There was pain. The instant it struck he thought it would be bearable. Seconds later he knew it wouldn't.

His existence was reduced to all-consuming agony.

His severed penis wavered before his eyes. He heard a scream. A deafening, mind-numbing scream – endless – interminable. Then realised it was his.

His penis was pushed through a gap in the contraption that held his head. Soft flaccid flesh brushed his lips; the tinny, metallic taste of blood flooded his tongue. He looked up, pleading, begging with his eyes. Not for his life. For the pain to end.

'You know why?' Another face moved into view. Another he recognised and wished he didn't.

He blinked hard. Once. Wanting to convey a message. He was sorry. Remorse didn't excuse or mitigate what he'd done. Nothing could. But he'd been one of many. He deserved pity … mercy …

Didn't he?

'You're the first. You won't be the last.'

The knife flashed, no longer glittering but dulled by blood. His blood.

He couldn't bear the torment. He longed for freedom from pain. For silence. For the sucking and spurting of raw flesh, blood, and tissue to cease. When it did, he tumbled into red-tinged darkness.

Pathetically grateful for release, he embraced the void.

CHAPTER TWO

Munz Platz, Konigsberg, early hours of Saturday January 4th 1919

The winds of winter iced the Schloss Teich – the Castle Lake. It shone a sheet of shimmering opal in the moonlight. Lilli Richter had left the drapes open in her turret study so she could view the vista of frosted water and snow-encrusted trees and houses that encircled it while she worked.

She recalled her father saying, 'We're lucky, having this view, Lilli. It's better than any old master and has the added advantage of changing with the seasons. Think of the millions of marks we've saved by not having to buy Rembrandts and Brueghels.'

The smile died on her lips when she heard a sound she'd come to dread echoing up the outer marble staircase. A drunk, stumbling, crashing into walls and swearing. She checked the clock. She'd been so engrossed in the editorial she'd been writing she'd lost track of time. Something she'd promised herself she wouldn't do again after the last time her husband had cornered her.

She waited until the house was quiet. Then waited another ten minutes. Packing her papers into her briefcase, she crept to the door.

Dedleff was swaying on the landing. The door to their apartment was open behind him. She assumed he'd gone looking for her in there and when he hadn't found her, realised she was in the turret room.

'Hiding from me!'

'I wouldn't have opened the door if I was hiding from you.' She regretted speaking as soon as the words were out of her mouth. The mildest response when Dedleff was in this state provoked him.

'Ask me where I've been?'

'You're tired. I'll help you to bed.' She spoke softly trying not to anger him more than he already was. She'd loved Dedleff. Been proud of him when he'd volunteered to fight for Germany. She'd missed him every day he'd been away, but had learned to fear the violent monster who'd returned in his place.

'Bitch!' He tore off his coat and cap and tossed them to the floor.

She shook her head surreptitiously at her housekeeper, Bertha, who was creeping up the stairs behind Dedleff.

He unfastened his belt and wound the flat end around his palm, swinging the buckle wide.

Lilli signalled frantically to Bertha with her eyes to leave before Dedleff caught sight of her. But the housekeeper stood her ground. Dedleff detected movement, whirled around, thrust Bertha aside and moved in on Lilli. She backed into the turret. He followed, slamming the door behind him. He turned the key in the lock before lashing out. The buckle caught Lilly across her breasts and arm. Not wanting to wake their six-year-old daughter and invalid father on the ground floor, she stifled her cries.

Bertha hammered the door.

'Send her away.' Dedleff's pale blue eyes glittered cold, terrifying, into Lilli's.

'Go, Bertha. Please.' Lilli's voice was hoarse, barely audible.

Dedleff lashed out, again … and again … and again …

Lilli slumped, beaten and whimpering, to the floor.

'I'm getting help,' Bertha shouted.

Dedleff pulled his police issue gun from his holster and fired in the direction of Bertha's voice. The bullet struck the door jamb and ricocheted back into the room. He staggered, tripped

12

on the rug, and slid to the floor.

Lilli stared at him. When he continued to remain still, immobile after a full minute, she crawled to the door, reached up and turned the key. The effort exhausted her. Bertha opened the door and looked down.

'Is he …' Lilli faltered.

Bertha examined him. 'No bullet holes, more's the pity.' She retrieved the key from the door. 'Better he were dead than dead drunk. I'll lock him in here and help you to bed.' Bertha was a large, solidly built woman with wide shoulders and strong limbs. She scooped Lilli into her arms, carried her out, and turned the key on the outside of the lock, effectively imprisoning Dedleff in the turret. She walked across the landing to Lilli's apartment and laid her on her bed. 'I'll get bandages and iodine.'

'Amalia and my father?' Lilli whispered.

'Amalia was asleep when I left. I hope the noise hasn't woken her. Sister Luke is sitting with your father tonight. She said she'd check on Amalia if I wasn't back in ten minutes. Ernst wanted to come up with me. I told him he'd only annoy Dedleff and you'd want him to stay and protect your father and Amalia.'

Ernst Nagel had been the Richters' caretaker before the war. He'd been invalided out of the army after losing a leg in 1915, just after Lilli's father had suffered a debilitating stroke. Lilli had given Ernst his old job back together with additional duties as her father's carer, but when her father's condition deteriorated she'd been forced to employ professional nurses from the convent to watch over her father day and night.

'Please, I'm all right, go to Amalia, Bertha.'

'I'll go when I'm sure you're really all right. Or as all right as that bastard has left you. I heard him come up the stairs. When everything went quiet I assumed you'd hidden and he'd passed out drunk. I came up to give you this. Ernst found it in the letterbox.' Bertha delved into her dressing gown pocket and handed Lilli a folded page of cheap grey lined paper that looked as though it had been torn from a child's exercise book. *Lilli*

13

Richter, Editor, Konigsberg Zeit was scribbled on the outside.

'When did Ernst find it?'

'Just before I came up. The street doorbell rang. Ernst looked out but didn't see anyone. Just that jammed in the door.'

'Thank you.' Lilli could barely speak for the pain in her chest and arms.

'I'd rather not imagine who's out disturbing law-abiding folks at this hour but I thought it might be important. There are red marks on the paper. They could be blood.'

Lilli opened the single sheet and scanned the few pencilled lines.

Eye for eye, tooth for tooth, hand for hand, foot for foot, burn for burn, wound for wound, stripe for stripe. For the wages of sin is death.

14 Wasser Strasse, Room 10. So the last shall be first and the first last.

Lilli held it up to the lamp. 'It could be blood, or paint or red ink. Ernst is certain he didn't see anyone?'

'No one. What does it mean?'

'Nothing to me and nothing that can't wait until morning.'

'I'll get the iodine and bandages.'

Police Headquarters, Konigsberg, Saturday January 4th 1919

The hands on Kriminalassistent Blau's pocket watch hovered a few minutes before eight when he walked, heart pounding, through the gates of Headquarters. He returned the duty officer's salute, glad the man was occupied in checking a delivery. Officers were expected to sign off the night shift by seven thirty, but he'd ignored von Braunsch's order to wait no longer than five minutes. After fifteen minutes of walking in ever-decreasing circles in Wasser Street he'd knocked the hotel door. When no one had answered he'd headed for Headquarters. He walked quickly and ran in the streets where there was no one to witness his "haste unbecoming to an officer".

The log-in room was deserted but he could hear conversation

14

in the kitchen next door where tea and coffee was brewed. Nervous, fearful of being caught signing in late and covering for an absent colleague he turned the book around, picked up the 'off duty' stamp, and marked the lines next to his own and von Braunsch's names. The officer before them had signed out at eight forty-five. He settled on eight forty-eight. Conscious of making a doubly fraudulent entry, he scribbled the time next to his and von Braunsch's names and left quickly, before the clerk returned.

Mouth dry, heart beating a military tattoo, he straightened his helmet and walked out of the main gate. Delivery checked, the duty officer was exchanging jokes with the coal merchant. Blau counted himself fortunate. He'd infringed regulations but there'd been no one around to notice his crime, apart from the officer who'd been too engrossed to give him more than a cursory glance.

He doubted the man would be able to identify him even if asked, because under their helmets, which were slowly – very slowly – being replaced with smaller steel headwear, all officers looked the same. Or so his mother insisted.

Munz Platz, Konigsberg, Saturday January 4th 1919

Lilli didn't wake until eight o'clock, two hours later than usual. The first thing she did was telephone her assistant, Lotte, to warn her she wouldn't be in the office until mid-morning. Afraid of aggravating her wounds, she moved slowly. It took her twice as long as usual to wash, dress, brush out her hair, and pin it into a chignon at the nape of her neck. She re-read the note Bertha had given her over a cup of coffee, considered and dismissed the idea of telephoning the police.

Since she'd succeeded her father as editor of the *Konigsberg Zeit*, she'd been inundated with hoax tip-offs. Principally sent, or so she suspected, from men employed by the *Zeit's* rival, the *Konigsberg Sonne*, who thought a woman had no business working as a journalist, much less an editor.

She unlocked the turret room on her way downstairs. Not

wanting to see Dedleff or endure a repeat performance of the blubbering apology he'd made the last time he'd beaten her, she didn't look inside.

She entered her father's apartment and went directly to his room. She knocked on the door and took a moment to compose herself after her father's nurse shouted, 'Enter'. Forcing a smile, she opened the door. The smell of soap lingered in the air. Her father had been washed, shaved, and dressed for the day in plain blue linen pyjamas. He kept his striped nightshirt for the night. He looked clean, comfortable, and cared for, but whenever she saw him she was beset by a pang of conscience that she wasn't the one looking after him. Although he couldn't have made it plainer after his first stroke that he would prefer her to manage the newspaper than turn herself into his nurse.

'Good morning, Sister Matthew.' She greeted the nun who was feeding her father coffee from an invalid cup with a spout.

'Good morning, Frau Gluck. Sister Luke said we had a good night. Slept all night, didn't we?' She raised her voice as she addressed Lilli's father.

Lilli cringed. Her father had lost the use of his legs and his right arm after the first stroke and his ability to speak after the second, but he hadn't lost his faculties, or his hearing, and she could read irritation in his expression, especially when the sister referred to him in the plural.

'You look well, Papa. Sister Matthew and Sister Luke are doing a fine job of looking after you.'

Her father picked up the newspaper from the bed with his left hand and waved it.

'I'm going, Papa. The paper will be out on time.'

'Don't concern yourself about us, Frau Gluck. As soon as we've finished our coffee Ernst will read the paper to us. I enjoy listening as much as your father. The highlight is always your editorial.'

'Thank you, Sister Matthew, you're very kind. See you this evening, Papa.'

Lilli was glad to leave. It was hard to see the strong man who had loved her unconditionally since birth, guided her through childhood and assumed the role of both parents after her mother's death, reduced to a broken shell. The roles of parent and child had been reversed, and she sensed her father hated the change, as much as she did.

She looked into her father's kitchen. Bertha was mincing veal, onions, capers, and spices for Konigsberger Klopse.

'You're late this morning,' Bertha commented. 'Not that it's surprising after his lordship's performance last night.'

Lilli changed the subject. 'Did Amalia get to school on time?'

'Don't I always get her there on time?'

'Just checking. Good morning, Ernst.' Lilli was glad that the caretaker had joined them before Bertha could say any more about Dedleff. 'Call me a sleigh, please. I need to go to Wasser Strasse.'

Wasser Strasse, Konigsberg, Saturday January 4th 1919

The sign said 'Hotel' but given the mound of iced snow in front of the door, Lilli was suspicious. In her experience, hotels cleared their access first thing in the morning for the convenience of outgoing and incoming guests. Fighting pain, she climbed awkwardly from the sleigh, paid the driver and pulled the bell. She rang three times before a slovenly woman in grubby overalls, down at heel slippers and men's walking socks appeared. She eyed Lilli suspiciously.

'You want a room? Twenty five pfennigs an hour.' She confirmed Lilli's impression the place was a house of assignation, not hotel.

'I'm Lilli Richter of the *Konigsberg Zeit*.' Lilli used her maiden name on newspaper business because most people in the city knew her father, at least by reputation. 'I received a message to meet someone in room 10.'

'Twenty five pfennigs.' The woman held out a hand.

'Whoever sent the message will have paid.'

'Each!'

Lilli opened her bag, felt in her purse, pulled out two coins and seeing the woman's blackened fingernails dropped them into her palm.

'First floor, turn right at the top of the stairs.'

Lilli steeled herself as every step brought increased pain. The dark stairwell stank of cheap perfume and stale fish. She'd interviewed enough prostitutes to recognise the smell of sex. She found the room and knocked the door. There was no answer. She knocked again. The door swung inward.

She called out, 'Hello,' stepped inside, retched and reeled.

The woman who'd let her in shuffled up the stairs. 'What's going on?'

Lilli leaned against the wall in the passage. 'You have a telephone?' she whispered when she could speak.

'What's it to you?'

Lilli retched again.

The woman pushed past Lilli into the room. She swayed and dropped in the doorway.

Lilli crouched beside her. Mesmerized, she couldn't stop staring at the bed.

The bloodied, hacked, and mutilated remains of a naked man were sprawled over the quilt. Between his legs was a bloody pulp of raw flesh. But it was his head that commanded her attention.

It was locked in a rusting metal bridle. Lilli had seen one like it in the town's castle museum. A long narrow central guard covered the nose. Two circular discs with hollow centres obliterated all but the hazed opaque eyes. Jagged pointed metal 'teeth' projected over both lips. Dangling from them hung the man's flaccid, uncircumcised penis. Below it spilled his scrotum, an obscene hairy pouch of wrinkled skin that rested on the rusting metal bar that encircled his neck.

The woman moaned. Lilli shook her.

'Telephone the police. Ask for Kriminaldirektor Georg Hafen. Give him this address. Tell him Lilli Richter needs him here, urgently.'

CHAPTER THREE

*A train travelling east from Berlin, Friday January10th
1919*

KONIGSBERG SONNE MONDAY JANUARY 6th 1919
GRUESOME MURDER. MUTILATION
OF POLICE OFFICER.
CITY IN SHOCK

Are there bloodthirsty demons at work in Konigsberg?

*That is Max Meyer's question after the desecrated remains
of an as yet unnamed police officer were discovered strewn
inside a house of ill repute on Wasser Strasse on Saturday
morning: Mutilated and savagely dismembered, his corpse had
been subjected to atrocities too abominable to mention to our
readers. We can however reveal that the officer's private parts
had been slashed from his body and stuffed into his mouth. Our
sources confirm that other parts of his corpse are missing.*

*The maid who stumbled across the horrific scene said the
room was mired in "more flesh and blood than a
slaughterhouse". She confirmed that his genitals had been
sliced from his body. Our experts have stated that the missing
organs are frequently used in Black Arts and Devil Worship.*

*Yet the Konigsberg Police under the direction of Kriminalrat
Dorfman are no closer to discovering the perpetrator or
perpetrators of this revolting crime than they were two days
ago. As usual they appear to be more concerned with harassing
and silencing hardworking journalists than finding the killer.*

In the early hours of this morning the remains of a police officer were found in a hotel room in Wasser Strasse. A spokesman for Kriminalrat Adelbert Dorfman refused to confirm or deny rumours that the victim had been mutilated. He stated that the victim's name was known to the authorities but would be withheld until his relatives had been informed of his demise. He added that the victim was an exemplary officer, personally known to him, who will be greatly mourned and missed by all his family and colleagues.

'You're so hard up for news you have to scour five-day-old newspapers?' Helmut Norde taunted Wolf Mau.

'Says something for your companionship, doesn't it, Helmut?' Wolf folded the papers he'd found abandoned on a bench in Berlin railway station.

'Keeping them as a blanket in case your wife doesn't want you back?'

'I may have told you our respective ranks are irrelevant now the war is over, but the common courtesy and respect due every man still applies, Helmut,' Wolf warned.

'If you don't knock it off, Helmut, I'll use those newspapers to make your shroud,' Ralf snapped.

'Knock what off?' Helmut demanded.

'You know,' Ralf growled.

The five German officers had been discharged from a POW camp in Wiltshire, England seven weeks before, Lieutenant Helmut Norde, Captains Ralf Frank and Josef Baumgarten, Major Peter Plewe, and Colonel Wolfgang von Mau. They'd been travelling across the frozen wastes of Northern Europe ever since. Lack of onward transport had delayed them at every connection. They'd spent a week cooped up in a church hall close to Victoria station in London waiting for a boat train to take them to Dover. When they eventually reached the port they'd been forced to spend a further ten days living – if you could call it that – under dripping canvas in a field waiting for a ship to take them across the channel.

They'd been delayed twice in France, both times for over a week, and again in a Berlin so impoverished they'd had problems recognising the capital from the place of their pre-war visits. At every stop they'd received apologies and the excuse: 'There are simply too many defeated German soldiers travelling to their homes in the east.'

The Red Cross met, deloused, and fed them, in that order, at every transit point. The chemicals used to kill the lice stank, the soup was thin, the bread half sawdust, but they'd eaten and drunk worse. For the past five days they'd been allocated bed space, but no bed or bedding, on the stone floor of a third-class station waiting room in Berlin, but, unlike other stops, after the ritual delousing they'd been given riches. Five marks each. One for each day the authorities had warned them they'd have to wait for seats on a train to take them on the last leg of their journey into East Prussia.

Peter spent twenty-six pfennigs a day on a loaf of black bread, and the remaining seventy-four on a chunk of blood sausage; Wolf added jugs of beer, which made for decent suppers for the five of them. Ralf used his marks as a stake in a card game and won enough to treat them all to midday meals in a restaurant for the duration of their stay in the city. Wolf knew Ralf had cheated but that didn't stop him or the others from enjoying the best food they'd eaten since they'd been captured in Flanders on Tuesday April 16th 1918. Helmut bought a single bag of biscuits from an old woman in the street for fifty pennies, and hid the rest of his money. The biscuits were stale.

Josef saved two marks and spent three buying bread for their breakfasts. He kept two back because 'none of us know what we'll find at home', for which he earned considerable ribbing. As his family owned three department stores and a chain of haberdashery shops in East Prussia they felt he had more than most to return to – if he or any of them ever got there. 'I can't believe I'll sleep at home tonight.' Peter looked out of the window for familiar landmarks.

'Don't speak too soon,' Ralf warned. 'We could still be held up.'

'You tempted fate,' Helmut grumbled when the train stopped.

'We're at Mehlsack,' Peter announced. 'Next stop Lichtenhagen Halt, Wolf.'

Wolf avoided Peter's eye. Now the moment he'd been waiting for was imminent, he wished he could keep travelling. It had been over a year since he'd received a letter from home. Anything could have happened to his wife and son in that time. Everywhere they'd stopped since they'd crossed the border into Germany they'd seen homeless malnourished men, women and children who were clearly starving, yet long trains of carriages loaded with agricultural produce had snaked past them, bearing signs that read 'WAR REPARATION AND COMPENSATION'. The Allies were taking the phrase 'to the victor the spoils' literally. Everything Germany possessed down to the food needed to feed its children was being exacted and paid to France, Belgium, and Britain.

Would he find Konigsberg, like Berlin, full of queues of the disinherited, homeless, and desperate – at soup kitchens, hospitals, hostels, orphanages? Were his wife, child, brothers, and sisters alive? Had Lichtenhagen survived unscathed by the tragedy of war?

'I don't know why you're grinning like a clown, Peter,' Helmut sniped. 'No soldier will be welcomed home although it wasn't the military who surrendered but the damned cowardly government who signed away the respect we paid for in blood. The victory would have been ours in another month. We should be marching home with honour, instead of slinking back like rats ...'

'Mention victory once more, Helmut and, so help me, I will have one when I dance on your corpse,' Ralf threatened.

'The government surrendered because, unlike the generals, they realised we had nothing left to fight with. No bullets for the men's rifles or our Lugers. No artillery, but most importantly, no more appetite for fighting,' Josef the logical, philosophical, eternal peacemaker reminded him.

'If nothing else we should have held out for better terms. Look what the Allies have stolen – our land, our food, our goods. They've allowed Woodrow Wilson – an American who has no right to stick his nose in German affairs – to separate Prussia from the rest of Germany with a "Polish corridor" that's given Poland access to the Baltic Sea by granting Poland our German territory. The damned Poles are evicting us from our own land ...'

'What do you suggest we do?' Start another war?' Peter scratched his legs.

'For God's sake, stop doing that!' Helmut vented his anger with Ralf and Josef on Peter.

'They're biting,' Peter retorted.

'In your imagination. Nothing could have lived through that steam bath in Berlin.'

'Lice can live through anything, look at you.' Usually Peter was the last to rise to Helmut's bait, but the strain of delays coupled with the knowledge that his wife and children were almost within reach had made him irritable.

As one-time senior officer, Wolf knew he should intervene but he was tired of adjudicating petty squabbles. Besides, the chimneys of Hochbaum Farm were coming into view. They were five minutes from journey's end for him and Peter. He left his seat and lifted down his thin POW issue canvas kit bag from the overhead rack. As he did, he saw their reflections in the window.

Josef, tall, thin, gypsy-dark, slightly built with eyes that seemed to look inward to a spiritual world denied to common men. Ralf, the tall dark handsome suitor of every woman's dream, and didn't he know it. Peter, blond, blue-eyed, with open, honest features and the stocky peasant figure he'd inherited from his ancestors, incapable of telling an untruth or comprehending the need to lie. Helmut, fair-haired and grey-eyed, his face marred by a habitual sneer.

And he, six feet eight inches, with the heavy build and muscular figure he'd inherited from his Teutonic Knight forbears. Only his dark hair, at odds with his blue eyes, betrayed the southern blood that had found its way into the von Mau bloodline.

'Don't forget – a week tomorrow, all of you in my father's inn, the Green Stork, Wasser Strasse. We'll drink the place dry.' Ralf rose and hugged Wolf and Peter. 'Not one of us would have survived without you, Colonel.'

'The war's over. It's Wolf, and our survival is down to good fortune, nothing more.' Wolf saw unshed tears in Ralf's, Josef's, and even Helmut's eyes. Overcome by emotion he could no longer conceal, Peter was already at the carriage door. Wolf envied his friends' capacity to feel. Even grief would have been preferable to the numbing sense of indifference that had infected him since he'd seen his school and university friends blown to pieces at Ypres in 1914. Five subsequent years spent living with death, pain, and misery had only served to inure him even more to suffering. Including his own.

He knew he should be relieved his soldiering days were over. The Kaiser who'd started the whole bloody affair had been driven into luxurious exile in the Netherlands so he wasn't in a position to start another war. All he and the other defeated veterans could do was pick up the pieces of their shattered lives. At that moment it seemed a bleaker prospect than facing an artillery barrage.

'See you in a week.' Wolf hugged Ralf and Josef again, and shook hands with Helmut who'd always been more tolerated than loved in the group. He pulled on his gloves, turned up the collar of his greatcoat, wrapped his scarf around his nose and mouth, and joined Peter.

Lichtenhagen, a village outside Konigsberg, East Prussia, Friday January 10th 1919

The train stopped. Wolf and Peter jumped down alongside the tracks into snow that reached the top of their thighs. Wolf heaved himself on to the icy path and held out a hand to Peter.

The moment he'd been dreading and anticipating in equal

24

measure had arrived. The pre-war life he'd used as a yardstick of sanity for five years seemed like a dream, and another man's dream at that. He was terrified of not recognising, let alone loving, his wife Gretel and son Heinrich after the chaos and carnage he'd seen. What could the future hold for him, Peter, and the others now they'd been tagged with the shame of 'POW'? Would it have been better to have died fighting alongside their comrades than being taken like sheep to England?

Peter's voice intruded. 'I suppose it was too much to hope we'd be able to arrive unannounced.'

A small boy with blond hair and blue eyes was standing in the snow. He saw them watching him and ran, pulling the toboggan he'd been playing with behind him.

'Too big to be my son or yours,' Peter added.

'When we left your boys were two and three, mine a year old. Babies have a habit of growing. That boy could be mine or yours.'

'I can't wait to see them and my daughter.'

'Have you forgotten your wife?' Wolf teased.

Peter had been a police officer in Konigsberg before the war. Only twenty-five, he'd been promoted to third grade Kriminaloberassistent entirely on merit. Not, as some jealous colleagues had said, due to his father-in-law, Kriminaldirektor Georg Hafen's, influence. But in 1914 Peter had turned down an offer to 'protect' his post, which would have kept him out of the army.

Wolf had never understood why Peter wanted to enlist. He and his wife Waltrode – Pippi to everyone who knew her – had been besotted with one another after five years of marriage. They'd lived in a fine apartment in her father's house near the castle lake, one of the most picturesque and exclusive areas of Konigsberg. Two months after they left for the front, Pippi gave birth to Peter's daughter and moved in with her mother-in-law, Martha, in Lichtenhagen, so Martha could help with the children.

Pippi had proved a more assiduous correspondent than his

wife. It had been over a year since he'd received anything from Gretel. He treasured her last letter because of the postscript from his son.

Viele liebe fur Papa von Heinrich.

Much love to Papa from Heinrich. He'd left a baby and was returning to a schoolboy. Had the boy with the toboggan been his son?

The von Mau family castle, Waldschloss, came into view. Coated with snow as pristine as sugar icing on a cake, it looked beautiful and unchanged, peculiarly so after the destruction in France. Five stories high, surrounded by a moat, it had been built in the sixteenth century by one of his namesakes.

The boy with the toboggan should have reached it by now. Had Gretel displayed a photograph of him as she'd promised, so their son would recognise him when he returned?

'Heini said soldiers were coming. I didn't believe him until I looked out of the window. I sent him and the boys to get Martha. She took some soup to old Mrs Schmidt.' Pippi, a little stouter but still as blonde, blue-eyed, and beautiful as Wolf remembered, hurtled from the Post Office and flung herself into Peter's arms.

Peter wrapped himself around her, held her tight, and closed his eyes.

Feeling like a voyeur, Wolf turned back to the castle expecting Gretel to appear. His younger brother Franz opened the door. His face was paler than skimmed milk, his hands shaking as if he'd received battle orders.

Wolf crunched towards Franz over the snow but his brother remained frozen. As motionless as the icicles hanging from the stone porch.

'I know I've lost weight and there are a few silver hairs among the dark but I didn't think I'd changed that much.'

'Wolf.' Franz's voice was strangulated. 'We had a telegram last May. They said you were dead.'

'As you see, they made a mistake, but that explains the lack of letters.'

Gretel stepped into the doorway alongside Franz. Wolf was aware of Peter and Pippi moving supportively behind him. Franz slipped his hand around Gretel's waist – or where her waist would have been if she hadn't been in an advanced state of pregnancy. It was the kind of protective gesture a husband makes towards his wife. Wolf knew, because he'd done it himself before Heinrich had been born.

Sobs tore from Gretel's throat. She trembled as though a bucket of ice water had been thrown over her.

Still Wolf felt nothing.

'Wolf, you're freezing, please, come into my house.' Martha appeared surrounded by small boys. She took his arm.

Wolf turned, kissed Martha's cheek, and went with her.

CHAPTER FOUR

Lichtenhagen, Friday January 10th 1919

Wolf followed Martha into the Post Office. There was no living room and the kitchen was too small to hold four adults and three children and allow for privacy.

'Go in the office, Wolf. I keep the stove lit in there and we won't be disturbed as I've closed for the day.'

He joined Martha behind the counter. She moved piles of forms from a bench and they sat, side by side. More for the sake of being occupied than any craving, Wolf reached for his cigarette papers and tobacco pouch. Before the war he'd only smoked cigars. He hadn't seen one in two years.

In 1914 he'd been as close to Martha as any son to the woman who had borne him. His own mother had died giving birth to his youngest sister Liesl when he was seven, but his few memories of her owed more to photographs than reality. Dogged by ill-health exacerbated by five difficult pregnancies that included two sets of twins, his mother had spent the last years of her life in bed or 'resting' on a chaise in the drawing room he'd rarely visited, because he preferred the cold outdoors to the freezing stone rooms of the castle. Left with a newborn and six children under nine, his father had offered widowed Martha Plewe a home and position as housekeeper. She accepted on condition she could bring her nine-year-old son Peter into the household.

Martha had cared for baby Liesl, Wolf, his crippled twin, Martin, three-year-old Franz, two-year-old twins Wilhelm and

29

Paul and nine-year-old Charlotte as if they'd been her own. Given Charlotte's propensity to alternately bully, tease, or 'baby' him along with their younger siblings, Wolf had been grateful for the advent of Peter. When his father died in 1912, leaving him the von Mau estate with the proviso he care financially for his siblings, Martha had stayed on.

Six months after his father's funeral, Wolf married Gretel von Poldi. Eighteen months later, when war broke out, he accepted a commission in the army. Martha had tried to talk him out of both decisions. He'd refused to listen.

He leaned against the wall, rolled and lit a cigarette and waited for Martha to say, 'I told you not to marry Gretel.' She didn't.

'I'm sorry, Wolf.'

He found Martha's sympathy hard to take after her warnings. 'Are they married?'

'As much as they can be given you're alive. It happened last August. Gretel was pregnant.'

'When did my wife start sleeping with my brother?'

'I don't know, and that's God's truth. They were living in the same house.'

'As were you, Pippi, and the children. When did you move in here?'

'January 1915.'

'So they began sleeping together a few months after I left.'

'How do you know?' There was resignation in her voice.

'Because it would have taken something serious to have driven you, Pippi, and the children out of your comfortable apartment in the castle to this poky little place.'

'You're insulting my home.' She softened her rebuke with a smile.

'It's a tight squeeze for two adults and three children.'

'You and Gretel were too young to marry. You're still young. You have your entire life to look forward to. You're only twenty-six …'

'I feel like an old man.'

'That's only what war's done to you. Given time, you'll

recover. I prayed you'd return and not just for your own sake. Your son's.'

'Isn't Heinrich Franz's son now?'

'Franz hates Heini because he looks like you.'

'Franz ill-treats Heinrich?'

'Not when I'm around and I make sure Heini spends more time here than in the castle.'

'Doesn't Gretel take care of the boy?'

'She's pregnant.'

He recalled Martha's reaction when he and Gretel returned from their honeymoon in Venice. 'You never could conceal your dislike of her.'

Martha left the bench, and paced to the counter. 'I don't hate Gretel. If it hadn't been for her, you wouldn't have Heini. I'll invite him to supper so you can get to know him. He's a good boy, Wolf, but he could do with a little more of the devilment all boys have, and Franz has knocked that out of him.'

He felt unequal to meeting his son so soon after seeing Franz with Gretel. 'You don't think it would upset Heinrich to see me?'

'You're his father. How can you upset him? You do realise Franz has taken over the estate and is lording it in the castle? He countermands every decision Gunther Jablonowski makes. If Franz would only listen to Gunther ...'

Gunther Jablonowski had been Wolf's father's steward, an appointment Wolf had endorsed when he'd inherited Waldschloss.

'Franz could never resist meddling in things he knows nothing about.'

'If you're to have anything left to hand over to your son when the time comes, you'd better order Franz to leave the running of the estate to Gunther.'

'I don't understand. How has Franz taken charge of the castle and the estate?'

'He made an application to the courts in Gretel's name that challenged your will.'

'On what grounds?'

31

'You didn't leave your widow enough money to live on.'

'That's rubbish. I left Gretel well provided for and the estate in trust to Heinrich. Besides, even if I hadn't, Franz isn't next in line. Where's Martin?'

'In Konigsberg.'

'He didn't want the castle and estate?'

'He wasn't asked whether he wanted them or not. As I understand the situation, by using Gretel's name and arguing that she should have inherited the estate, not your brothers and sisters, Franz effectively prevented your family from mounting a legal case until Gretel's claim was settled.'

'Wilhelm, Paul ...'

'They volunteered.'

'Idiots. Are they all right?'

'They survived. They were sent to the Russian border in 1917. As the Russians were too busy fighting each other to attack us then, the twins had an easier time than you and Peter.'

'They're back?'

'Martin made them re-enrol in the university. Wilhelm's supposed to be studying architecture, Paul law, but from what I've heard most of their studying seems to be in beer cellars. Liesl's in Allenstein. She's training to be a nurse and living in nurses' quarters in the hospital there.'

'You've seen them?'

'In Gebaur Strasse. Liesl spent Christmas with Martin. The twins are having trouble settling down.'

'That's not surprising after being in the trenches.' Whichever way Wolf turned, the responsibility that came with being head of the family lurked, waiting to crush him.

'So, now you're back, you'll turn Franz and Gretel off the estate and out of the castle?'

'Even if I could, I'm not sure I want to.'

Martha's eyes narrowed. 'You don't mean that. You're the eldest. The estate is your birth right. It doesn't just belong to you and the von Maus. Dozens of families have served you, your father, and your ancestors faithfully for centuries. They're entitled to more consideration and better treatment than Franz is meting out.'

'After five years of making decisions that killed men, including my friends, all I want is peace and quiet.'

'You won't find a more peaceful or quieter place than Lichtenhagen.'

'Here, I'll have the responsibility of providing wages and food for the workers. That's not going to be easy given the mess Germany's in. Why is Martin living in Konigsberg?'

'He didn't let his weak eyes and club foot get in the way of his studies. He qualified as a doctor two years ago. He married last year. You'll like Ludwiga. She's a nurse, a few years older than Martin but a thoroughly good woman and, more importantly, good for him. They're renting the house in Gebaur Strasse. Martin has set up a practice there.'

'Renting? From who?'

'Franz.'

'Franz is charging our brother rent for a family property!' For the first time in years Wolf felt anger. The sensation was so unexpected he didn't recognise it at first.

'If you want help to tackle Franz, I'm your man.' Peter leaned against the door.

Still angry, Wolf retorted, 'I can sort out my brother, but thank you for offering.'

'I'm leaving for Konigsberg first thing tomorrow to ask for my job back.'

'Pippi told you?' Martha asked him.

'Yes.'

'Told you what?' Wolf knew from the way Peter and Martha were looking at one another the news wasn't good.

'It's your sister Lotte's husband,' Martha began. 'He returned last November. I know the front was terrible, but it hasn't been easy here. Anton's father went bankrupt and lost everything last summer.'

'The estate ... the house ... the farms?' Wolf was shocked. Anton's father's estate had been twice the size of Lichtenhagen.

'Everything,' Martha reiterated. 'He couldn't stand the disgrace so he shot himself. The bank evicted Lotte, the

33

children, and her mother-in-law. Lotte asked Franz if they could come here, he refused, but Martin and Ludwiga offered them a home in Gebaur Strasse. Anton returned two days after his mother died. Martin said it was a heart attack. Broken heart more like it, in my opinion. As Anton had no prospect of finding work Pippi's father arranged for him to join the police ...' Martha faltered and struggled to get the words out. 'Anton was murdered.'

Wolf recalled the newspaper articles. 'When?'

'They found his body last Saturday. I'm sorry, Wolf, this is a poor homecoming. First Gretel and Franz. Now this. I know you liked Anton,' Martha sympathized.

'He was a good brother-in-law, friend, and comrade. He fought bravely.'

'Anton would have been with us when we were captured if he'd been fit enough to leave the field hospital,' Peter observed.

'If he had, he'd have come home with us today.'

'Pippi and I paid a condolence visit as soon as we heard,' Martha continued. 'Lotte's taken it hard. She and the girls will be glad to see you, Wolf.'

"The girls" – his nieces Karin and Christa would be six and eight. 'When is the funeral?'

'A week tomorrow. A German even has to queue to get buried these days, and not only because the ground's hard to dig because of this frost. So many people are dying from cold and hunger the pastors are hard pressed to keep up with demand for their services.'

'We'll go together, Wolf. I'll let the others know. They'll all want to be there. It's so damned unfair ...'

'I'll have none of your soldier's language in this house or in front of the children,' Martha admonished Peter.

'Sorry,' Peter apologised.

Wolf rose from the bench. 'I have to see Lotte.'

Martha glanced at the clock on the wall. 'There won't be another train into the city until morning. After the funeral you should both stay here. Rest, take it easy, allow Pippi and me to fatten you up.'

'I need to start earning so I can buy Pippi, you, and the children new clothes,' Peter countered.

'There's nothing in the shops at prices people can afford. The country's...'

'Bankrupt? Defeated?' Peter broke in. 'Wolf and I know. We're the ones who lost the war.' He gripped Pippi's hand. Her arms were wrapped around his waist as if she was afraid to let him go. Their children and Heinrich were behind her. 'Whatever we decide, it's too late to do anything tonight other than eat and sleep, Wolf.'

'I stoked the fire under the boiler in the wash house earlier to bathe the children. They can wait until tomorrow. Why don't you two use the hot water while Pippi and I make you cutlets with sauerkraut, fried potatoes, and onions?'

'Mother, you're a genius.' Peter kissed Martha.

'You have cutlets?' Wolf asked.

'Boar cutlets. Gunther went out hunting with the men two days ago.'

'There's potato soup to start and apple cakes in the pantry that I made yesterday from the last in the hay loft.' Pippi shook her head at Peter and Wolf. 'You're filthy. Those uniforms are beyond salvaging. I'll air the clothes you left, Peter. I should find something that will fit both of you.'

'I have my own clothes in the castle,' Wolf reminded.

'After five years in storage they'll be damp, Wolf. Do you want me to look for them?' Martha asked.

'They can wait.'

'Mine should fit you,' Peter observed.

'Not length-wise, and width-wise only if he tightens the trouser belt. As you will have to, Peter. I've never seen such skinny, hungry-looking men.' Martha ruffled her son's hair.

'Go, both of you. By the time you finish, the meal will be ready.' Pippi went into the kitchen and began rattling pots and pans.

'Be sure you kill every stray louse and flea. I don't want to find any on the children. Here.' Martha took a bottle from the storeroom in the passageway and gave it to Wolf. 'The best

35

cognac. I saved it for your return.'

Half the size of the barn, the wash house held a massive three-foot-deep stone sink. Wolf's father used to joke that it had been built to wash the cows. Next to it was a wood-burning, iron boiler filled by a pump connected to a well. As the sink was large enough to hold the weekly wash for the castle, half a dozen adults or double the number of children, the wash house was used by everyone, servant and master alike.

The water was bubbling. Peter raked out the fire beneath the boiler, pushed in the wooden plug that sealed the sink, and opened the brass tap. Water gushed out in noisy spurts and steam filled the air when he pumped in cold water to temper the hot. He breathed in and Wolf sensed he was bracing himself for unpleasantness.

'Wolf, have you thought …'

'If you're going to tell me to talk to Gretel, forget it.'

'Your son …'

'Your mother's invited him to supper.'

'But …'

'I couldn't give a damn about Gretel.' Wolf had hoped to fool Peter but his friend knew him too well.

'You're just putting on a brave face.'

'After seeing Gretel with Franz, all I feel is relief that she's no longer my responsibility.'

'If Pippi …'

'You and Pippi had five years together, Gretel and I not even two years. Do you know what I remember most about that time? Trying to avoid her. Which is why I organised so many men-only hunting parties.'

'You don't love her?'

'If I ever did, I don't now.'

'It's battle fatigue. The responsibility of caring for so many men. Now you're home you'll soon start feeling normal again.' Peter stripped off the last of his clothes, lowered himself into the steaming sink, and reached for a bar of carbolic soap.

Wolf was half-undressed when there was a banging on the

36

door.

'It's Pippi. I've brought clothes for you and Peter.'

He pulled his trousers back on and opened the door.

'Shut it quick,' Peter shouted when a draught of freezing air sliced in from outside.

Wolf took the bundle from Pippi and saw Franz hovering around the porch of the castle. He closed the washhouse door and thrust the bolt home, but that didn't deter Franz. He crossed the yard and hammered on the door.

'Wolf, I need to talk to you.'

Wolf finished undressing and climbed into the sink opposite Peter.

'Can we talk?' Franz demanded. 'If not now, when you come out?'

Wolf lay back in the water.

'Aren't you going to answer him?' Peter asked when Franz persisted in shouting.

'No.'

Peter grabbed a scrubbing brush. When he finished washing he ducked his head under water. He was rubbing soapsuds into his hair when Franz finally fell silent. 'Peace, perfect peace.' Peter rinsed himself off, handed Wolf the soap, climbed out of the sink, dried and dressed. 'Pippi and Martha will have the meal ready.'

Wolf luxuriated in the steaming water and closed his eyes. 'I'll be out in a few minutes.'

'You're there for the next half hour.' Peter picked up an enamel jug and held it below the pump.

'Tip cold water over me and it will be the last thing you do.'

'If you're not out in two minutes I'll send Pippi and Martha in.' Peter unbolted the door and banged the door shut behind him.

It had been years since Wolf had been able to soak his entire body in a bath. Wondering why French bathtubs were so small, he kept his eyes closed as he surfaced.

'Wolf?'

Gretel was standing in front of the sink.

37

38

CHAPTER FIVE

Lichtenhagen, Friday January 10th 1919

Silence hung as suffocating as the steam in the cold air while Wolf and Gretel continued to stare at one another.

'You wouldn't talk to Franz,' she reproached.

'I have nothing to say to him.' Wolf reached for a towel.

'He's your brother.'

'You were my wife but I feel strangely disconnected from both of you.'

She stepped closer to the sink.

'Given the circumstances I don't think you should be here.'

'I love you, Wolf. I'm your wife ...'

'Wife?' He reached for a towel and wiped his face. 'You're carrying my brother's child.'

'I would never have married Franz if I'd thought there was the slightest chance you were alive.'

'In which case you would have had his bastard as you were pregnant when you married him?'

'Martha couldn't wait to spread her poisonous gossip.'

'Where's the poison and where's the gossip? Martha's never told a lie in her life.'

'You've been away for years ...'

'Not by choice, Gretel. They shoot officers who desert in wartime.'

'Take me back.'

'With Franz's child?'

'I'll farm it out.'

'Farm it out?' He repeated. 'That's Franz's son and heir you're talking about.' Realisation dawned. 'Of course. That's why you're here. And why Franz wanted to talk to me. Son and heir – the castle – the estate. My father left it to me, and to your annoyance, I'm alive. I can evict you and Franz.'

'I love you …'

'Spare yourself and me the embarrassment of your lies and pleading, Gretel, and the further embarrassment of seeing me naked.' He held the towel in front of him as he rose from the water.

'It wouldn't be the first time I've seen you unclothed.'

'Given your condition that reminder is ridiculous. Are you going to leave? Or do I have to call for Martha to protect me?'

Gretel opened the door, but not before she'd made sure he'd seen the tears in her eyes.

Wolf remained unmoved. 'Tell Franz I want to see the bank accounts and bank statements tonight. His own and your personal accounts, as well as the estate's.'

'I know you saw Heini earlier but it's time you were formally introduced. You won't remember him, but this is your father, Heini. Wolf, your son.' Martha stepped back so they could look at one another.

'Please to meet you, sir.' Heini, hands and face scrubbed clean, hair slicked flat with a comb and water, bowed, clicked his heels, and held out his hand.

Wolf shook it and noticed the bruises on Heinrich's left cheek and right wrist. Someone had held the boy fast and slapped his head. Heinrich noticed that he was studying him. Wolf tried to conceal his concern. 'Aunt Martha tidied you up for supper?'

'She did, sir.'

'You don't have to call me "sir". I'm your Papa, Heinrich, and I'm pleased to meet you too.' Martha was right. The boy did look like him.

Pippi bustled in from the kitchen. 'Sit, eat.' She pulled a bench out for the children.

When Peter and Wolf saw the bottled sauerkraut, mushrooms, and beans they knew Pippi and Martha had raided hoarded stocks to produce the meal, but neither of them could do the food justice. Between the excitement of their homecoming and exhaustion from the journey they were too tired to eat.

Wolf caught Heinrich looking at him a few times during the meal but the boy remained subdued, in contrast to Peter's children who never stopped talking.

'Can Papa read us our bedtime story?' Peter's eldest, young Peter, demanded, after the dishes had been cleared.

'He and Mama can both read you stories. Would you like to stay the night, Heini?' Martha asked.

'Yes, please, Aunt Martha.'

The boy's manners were impeccable, but as Martha had said, Wolf suspected they'd been beaten into him. When Peter moved behind the bench and lowered his arms to lift up his daughter, Heinrich cowered, anticipating a blow.

'All of you upstairs, change for bed. Heini, take one of young Peter's clean nightshirts.'

'Yes, Auntie Martha. Good night, sir.' Heinrich held out his hand.

Wolf debated whether to hug the boy but decided against overwhelming him and shook his hand. 'I would like you to call me Papa.'

'I'll try, sir, if you call me Heini.'

'I will if that's what you want.'

'It's what Aunt Martha, Aunt Pippi, and Peter call me, sir.'

The people who loved him most, Wolf reflected. He watched his son trail behind Peter and Pippi's children up the narrow stairs. Alone in the kitchen with Martha he plundered his tobacco pouch again. 'Is there anyone living in the house in Gebaur Strasse besides Martin, his wife, Lotte, and her girls?'

'The twins have moved into the old groom's quarters over the stables. From what Martin told me he doesn't see much of them. You know what students are like.'

'I can just about remember that far back.'

'Liesl visits when she has more than two days off from the hospital in Allenstein but that isn't often. Only three of the eight main bedrooms in the house are in regular use. Lotte and the girls have two of them. Martin and Ludwiga employ two maids and a caretaker who looks after the garden and horses and drives Martin's carriage. They sleep in the servants' rooms in the attic. Before Martin moved in, Franz and Gretel stayed there whenever they visited the city to go to the theatre or a concert. I don't know if Martin made them unwelcome but after he and Ludwiga married, Gretel and Franz stopped using the house.'

'What about the other houses in Konigsberg?' Wolf asked. The estate owned two apartment blocks and four houses besides the one in Gebaur Strasse. There was also a farm in Juditten that was occupied by an old friend of his father's.

'Everything's rented out. I've a feeling the rents are the only money the estate has seen since 1914. We certainly haven't been paid a single mark for what we've produced during the war. The government requisitioned most of it and they never gave us as much as a thank you.'

Wolf was grateful for the 'we' and 'us'. Before he'd left the workers had identified as closely with the estate as his family. It was reassuring to discover their loyalty hadn't been affected by the war. 'Will you move to Konigsberg with Peter and Pippi?'

'They won't need me,' Martha replied. 'Pippi's father asked her to live with him when Peter returned. He has a housekeeper and maid who can care for the children when Pippi is busy.' She filled two glasses with homemade potato schnapps and handed Wolf one.

'If there are five bedrooms free in Gebaur Strasse, you, Heini, and I could take three.'

'You can't seriously be thinking of leaving the castle, Wolf?'

'I won't stay. Not while Franz and Gretel are there.'

'Throw them out.'

'Perhaps I will, but not yet. Will you come to Gebaur Strasse with me?'

'It will take me a day or two to pack.'

42

'But you'll come and take care of the boy?'

'And you, if you'll allow me to.' She answered a knock at the back door. 'Gunther, this is a pleasant surprise. Come in. Have a glass of schnapps.'

'A surprise? Or you sent for him?' Wolf rose to his feet and shook hands with his steward.

'Martha didn't have to send for me, sir. Everyone in Lichtenhagen is talking about your and Peter's return.' Gunther Jablonowski took the glass Martha handed him.

'Not before time, if you ask me.' Martha bustled to the stove. 'We have some leftover apple cake, Gunther, if you'd like a piece.'

'That would be good, Martha, thank you.' He looked enquiringly at Wolf.

'If you're wondering if Martha's told me about Franz and Gretel's plot to take over the estate, the answer's yes.'

'I'm glad you're back, sir.'

'Any reason in particular?'

'Franz told me to move my family out of my tied cottage by Sunday.'

'Why?'

'I told him it would be short-sighted insanity to chop down and sell the timber on the estate.'

'All the timber?'

'All of it,' Gunther reiterated.

'He had a buyer?'

'Enke in Konigsberg.'

'The coal and firewood merchant? He wouldn't have offered much.'

'Less than a tenth of the pre-war value,' Gunther confirmed.

'Did Franz have any other plans for the estate?'

'I've argued with him over his policy of selling all the eggs, and promising the slaughterhouse all the lambs, calves, and piglets before they're born. I thought we should concentrate on breeding livestock to replenish the war office requisitions.'

'Is the damage beyond repair?' Wolf asked bluntly.

'Not if we can sweet-talk the slaughterhouse and Enke and

buy them off with smaller deliveries in return for long-term contracts beneficial to them – and us.'

'Has the estate any serious debts?'

'Not that I know about, sir, but your brother doesn't confide in me the way you and your father did.'

The one thing Wolf had learned as a colonel was to make swift decisions. He may not have always been right, but even the choices he'd had cause to regret had done less damage than procrastination would have. He turned to Martha. 'Can you and Pippi be ready to leave here tomorrow?'

'If we have enough help,' Martha replied.

'There are enough workers who can be reassigned from other duties on the estate to help Martha and Pippi, sir. As you know, January is a slow month for work.'

'Good, if you help Martha and Pippi pack up and clear this house, Franz and Gretel can move in here ...'

'They'll never agree,' Martha interrupted.

'They can take this house and run the Post Office or move off the estate. It's their choice. I think you should move, Gunther. I'd like you and your family to live in Martha's old apartment in the castle. I'd also like you to run the estate. Your word will be final. I am delegating all responsibility as owner, to you as steward.'

'If I run the estate into bankruptcy?'

'I'll sack you.' Wolf laughed at the expression on Gunther's face. 'There's a telephone here and in Gebaur Strasse. I can be back in a few hours if you should need me.' He left his chair.

'Where are you going?' Martha asked.

'To arrange a few things with Franz.'

'Good.' Martha smiled. 'Gunther, you and I need to go to the castle cellars to look for packing cases.'

The snow was crisp, the night air freezing. Wolf's teeth chattered when he crossed the yard from the Post Office to the castle. He wished he'd taken the trouble to retrieve his filthy greatcoat. The lamp was lit in the room he still thought of as his father's study, although he'd also used it before he'd left. The

44

shutters were open and Franz was sitting behind the desk

Franz opened the front door before Wolf reached it. Wolf stamped the snow from his boots and walked past Franz into the study. He turned the chair, set it behind the desk so it faced the visitor's chair, sat down, opened the stationery drawer, removed half a dozen sheets of Waldschloss headed paper and started writing.

Franz remained standing.

'Sit.'

Franz obeyed.

'Is Johann Behn still the family lawyer?' Wolf didn't look up from the letter he was writing.

'He died last autumn. His daughter Johanna has taken over the business.'

Wolf recalled a stern-faced, frighteningly efficient middle-aged spinster. 'She's conversant with the current family business?'

'I believe so.'

'You don't deal with her?'

'No,' Franz admitted.

'You've put everything in your name?'

'I tried to transfer the estate to Gretel last May when we received the telegram that you'd been killed. Johanna said it couldn't be done because of "technical difficulties". Frankly, she could have been more helpful.'

Wolf allowed the criticism to pass. 'What about Martin, Lotte, the twins, and Liesl?'

'Martin has his practice, Lotte's married ...'

'Widowed.'

'She wasn't when we received the telegram. The twins have a trust fund which will see them through university. Liesl is training to be a nurse. They are financially independent.'

Wolf glanced up at his brother. 'That's arguable. The twins and Liesl have to qualify before they start earning.'

'They have a roof over their head and food to eat. Gretel was your wife ...'

'"Is", Franz, but not for much longer.'

'A man is responsible for his wife. Gretel should have inherited your entire estate.'

'My personal estate – but not the von Mau estate which is handed on from father to eldest son. I left a copy of my will with Johann Behn. Did you challenge it?'

'I ... we ... Gretel ...' Franz stammered into silence.

'Were you aware that apart from a few bequests I left the estate in trust to Heinrich with Behn as executor and Martin and Peter as trustees?'

'You made no provision for Gretel.'

'I left her a generous annuity and the use of the castle for her lifetime on condition she didn't remarry.'

'We thought you were dead.'

'So you keep saying.' Wolf wondered if he'd ever liked, let alone trusted his younger brother. 'I'll be leaving for Konigsberg first thing in the morning.'

Franz's relief was evident. 'You're not staying in Lichtenhagen?'

'I want to see Lotte to pay my condolences. Have you visited her?'

Franz coloured. 'Not yet. I've been busy ...'

Wolf cut into his excuses. 'Blocking Gunther Jablonowski's decisions?'

'I see you've been listening to tittle-tattle. The man's a fool.'

'The man was appointed steward by our father and endorsed by me. He's my voice on the estate, Franz. Heed it from now on.'

'I told Gunther he's no longer needed ...'

Wolf finished writing. Took two sheets of paper and sealed them into different envelopes. 'One for you, one for Gunther. I've asked him to move into Martha's old apartment here and given him his old job back, along with absolute authority to run the estate as he sees fit.'

'You're being somewhat premature. The court will decide who owns the estate next week ...'

'Take a good look at me, Franz. I'm alive. Father left everything to me and these letters are legally binding. They

46

confirm Gunther as steward. Listen to him. His voice is mine. You and Gretel can move into the Post Office and run it. I warn you, I will expect you to pay rent to the estate. The same amount you've charged Martin for Gebaur Strasse.'

'Gebaur Strasse is a big house. The Post Office is poky …'

'Gebaur Strasse wasn't yours to levy rent on. If you don't like the Post Office, feel free to leave Lichtenhagen. It's your choice.'

'Gretel is your wife …'

'Was my wife, she's now …' Wolf almost said 'your whore' before realizing the soldier's word wasn't necessary. 'Gretel's whatever you want her to be. Tomorrow, I'll pay a visit to Johanna Behn. How much have you taken off Martin for Gebaur Strasse?' Wolf dipped the pen he'd been using into the ink again and recommenced writing.

'I gave him a reduced rent …'

'On what basis? That you and Gretel have thieves' rights to the von Mau birth right?'

Franz couldn't meet Wolf's eye.

'If the rents on the houses and apartments in Konigsberg and the farm in Juditten have been paid there must be money in the estate account.'

'Not a great deal. The army requisitioned …'

Wolf didn't want to listen to excuses. 'There's only the one business account?'

'Yes.'

'Your and Gretel's personal accounts?'

Franz left his chair, opened the blotter on the desk and revealed his and Gretel's latest personal bank statements. Their accounts were in credit but not by much. Franz flipped them over and showed Wolf the estate account. Again, it was in credit – just.

'Gretel told you I'd want to see them?'

'Yes.'

'Where have you salted away the rest, Franz?'

'There is no rest.'

'It might be as well you check because if there is, the bank and Behn should be able to help me track it down. I'll visit the bank manager after I see Johanna Behn.'

'Wolf ...'

'I don't want to see you or Gretel again, not because I'm angry with either of you but because you disgust me. Do you intend to contest my wishes?'

'I'll have to talk to Gretel about the Post Office. She won't like moving in there.'

'You married her, albeit bigamously. It's your responsibility to find something she will like. One more thing. Heinrich goes with me.'

'Gretel will be devastated. She's a devoted mother.'

'Not devoted enough to stop you from beating the boy.'

Franz blanched. 'He needed disciplining.'

'Really?'

Embarrassed, Franz started talking at speed. 'He'll need his things, his clothes, his toys, books ...'

'If he wants anything from here, Martha will fetch it.'

'And you? Do you want anything? Rightfully this,' he waved his arm around the room, 'is all yours.'

'I don't need you to tell me that.' Wolf rose and took an ancient carved box that had belonged to one of their ancestors from a side table. He opened it and emptied the receipts it contained on the desk. Their father's pocket watch, cigar case, wallet, box of cufflinks and collar studs were in the bureau bookcase where he'd put them for safekeeping before he'd left. He opened the glass door and packed them into the box. There was a photograph of their parents on the desk. He took it.

'There are photograph albums ...'

'I will give Gunther the inventory of the contents of the castle that was drawn up when Papa died. He can check the castle contents against it before he oversees your and Gretel's removal to the Post Office. This,' he handed Franz the last letter he'd written and signed, 'is your and Gretel's eviction notice, permission to move into the Post Office and run it at a stipulated rent. You have until the day after tomorrow to pack and move. Once you walk out of the castle doors you will not return. I'll leave orders that if either of you attempt to enter this building you'll be detained and prosecuted for trespass. Meanwhile, take another look at the estate accounts, Franz. You'll be the one paying rent until you've returned every penny you've taken from Martin.' He went to the door.

'Wolf,' there was anguish in Franz's voice, 'I'm sorry.'

'That I lived?'

'What are you going to do about me and Gretel, Wolf? Legally she's your wife ...'

'She's no wife of mine, legal or otherwise. The first thing I intend to discuss with Johanna Behn is how to dispose of the remnants of our marriage.' He closed the front door behind him.

CHAPTER SIX

Munz Platz, Konigsberg, early hours of Saturday January 11th 1919

Lilli lay rigid in her bed. She heard the clock strike three in the living room and waited impatiently for sleep. A week had passed since she'd found the mutilated remains of the police officer who'd been identified as Anton von Braunsch, the husband of her assistant, Charlotte, and still the sight haunted her, and not only because she had known him in life. The experience had turned her dreams into nightmares where the hacked and bloodied corpse opened his eyes beneath the mask, leapt from the bed, and chased her out into the dark, eerie street.

Restless, knowing sleep would elude her until it was time to get up, she longed to move to the sofa in the turret, but she couldn't risk waking Dedleff. He was stretched alongside her, mouth gaping as he snored in schnapps-induced torpor. Her head and chest throbbed from the blows he'd rained on her when he'd arrived home in the early evening hours before she'd expected him. Mercifully – this time – his belt had remained threaded through his trousers.

She knew he must have been drinking on duty to get into that state before his shift finished. She also knew she had to stop him from beating her but simply didn't know how. On the few occasions she'd seen him sober since his return, she'd begged him to move out of her father's house. He'd point blank refused. Their six-year-old daughter Amalia had stopped skipping and singing around the apartment, and crept from room to room like a terrified mouse even when Dedleff wasn't home.

Every evening she insisted Bertha take Amalia downstairs to her father's apartment so they could sleep in his spare room within call of Ernst. Bertha was reluctant but she, like Lilli, knew Dedleff never allowed his police issue gun out of his sight. Awake, he kept it close, asleep, beneath his pillow, and he'd threatened to kill not only her, but her father and Amalia if she also moved downstairs.

She didn't doubt he'd look for her in her father's if he returned home drunk and couldn't find her. She also knew he'd be contrite in the morning. He'd see her bruises, weep, and promise to never beat her again. But painful experience had taught her his promises would last only until his next visit to a bar.

The bedroom door opened. A shaft of subdued light trickled in. Bertha stood in her nightdress outside the door, a woollen shawl thrown around her ample shoulders. Careful to avoid touching Dedleff, Lilli slipped sideways from the bed. She stifled a cry when her bruises ached into painful life, held her breath when her husband stirred, and exhaled only when he fell back into unconsciousness. She tiptoed out.

Bertha was waiting for her at the apartment door. Lilli glanced at the clock. Twenty minutes past three. 'My father ...'

'Is sleeping, as all good Christians should at this ungodly hour. God bless him and Sister Luke who's sitting with him. You've had another note.' Bertha was breathless after her climb up the stairs. 'Like before, the bell rang but when Ernst opened it there was no one to be seen.'

Lilli scanned it. *Lilli Richter, Konigsberg Zeit* was scribbled in pencil on the outside. Inside was,

Eye for eye, tooth for tooth, hand for hand, foot for foot, burn for burn, wound for wound, stripe for stripe. For the wages of sin is death.

4 Koggen Strasse, Room 9. The fourth is second.

'I'll telephone Uncle Georg. Go downstairs, stay with Amalia. Tell Ernst to lock and bolt my father's apartment door and let no one in. No one,' she reiterated, 'especially Dedleff.'

'As if Ernst would allow that beast near our little angel or your father. I won't go downstairs until you go in case the brute wakes and you need me.'

Lilli knew there was no point in arguing with Bertha. She picked up her keys, coat and shoes, the lamp she kept burning in the hall, and walked across the landing to the turret she'd kept locked since Dedleff had attacked her in there. She unlocked the door, and went to the cupboard where she kept a spare set of clothes.

Bertha followed. 'You're going out, now? At this hour?'

'Uncle Georg will need me.'

'And tomorrow morning?'

'You'll take Amalia to school if I'm not back?'

'I'll take care of Amalia. Don't I always?' Bertha countered. 'But you have to stop the swine beating you. Look at your face?'

Lilli glanced in the mirror behind the door. Her eyes were swollen and there was an ugly bruise on her temple. The skin on her left cheek was mottled red and purple, already turning dark. 'I shouldn't have let him see me.'

'You want to live your life hiding in your own house?'

'I can't talk about Dedleff. Not now.'

'He won't stop until he kills you. Then what's going to happen to your father and Amalia?'

To avoid answering, Lilli picked up the telephone. 'Connect me to police headquarters please.'

'Certainly, Frau Gluck,' the operator replied.

A few clicks and a masculine voice snapped. 'Duty officer.

'It's Lilli Richter, *Konigsberg Zeit*. I need to speak to Kriminaldirektor Hafen urgently.'

'He's not available, madam.'

'Is he at Koggen Strasse?'

The officer blurted, 'How did you know?'

'I've received another communication.'

'An officer will be with you in five minutes, madam.'

Lilli replaced the receiver. She rolled her stockings on under

53

her nightdress, fastened them with garters, pulled on a pair of long drawers, and stepped into a thick woollen skirt.

'You're not taking off your nightdress?' Bertha reprimanded.

'It's too cold. The flannel makes a warm petticoat and blouse.' Lilli had no intention of showing Bertha the full extent of her bruising. She donned a sweater, fur coat, hat, gloves, scarf, and boots. After checking her reflection, she pulled her hat lower and her scarf higher to conceal the damage Dedleff had inflicted. She thrust her keys into her coat pocket, folded the note into an envelope, tucked it into her reporter's bag and made her way downstairs, leaving Bertha to turn down the lamp.

Ernst was in the hall talking to a fresh-faced boy who looked as though he should be in school, not in the uniform of the lowest grade police officer. The boy clicked his heels and bowed.

'Kriminalassistent Blau, at your service, madam. The Duty Officer instructed me to pick up a communication for Kriminaldirektor Hafen.'

'I need to hand it to the Kriminaldirektor personally at Koggen Strasse.'

'I was given orders to fetch the communication, not escort you anywhere, madam.'

'Then I will go alone. Be so kind as to call me a cab, Ernst.'

'Are you sure you're well enough go out, madam?'

'Quite sure, thank you, Ernst.'

'I could accompany you.'

'I need you to stay with Amalia, my father, and Bertha.'

'I will watch over all three, and Sister Luke, madam.' Although he was dressed only in a nightshirt, cloth slippers, and dressing gown, Ernst opened the street door.

Blau hesitated. He'd been given a thorough dressing-down for signing in the murdered von Braunsch as well as himself at an incorrect time by the kriminaldirektor, who didn't usually acknowledge officers of the lowest grade, let alone speak to them. He'd also been left in no doubt that one more

54

transgression would lose him his post. Torn between his orders and Lilli's assertion that she had to see the kriminaldirektor, he ventured, 'Are you certain you have to give the communication to the kriminaldirektor personally, madam?'

'And quickly. If you have a sleigh it won't take us ten minutes to reach Koggen Strasse. I assure you, the kriminaldirektor will be grateful, Kriminalassistent Blau.'

'My orders were to pick up the communication, madam.'

Lilli had become an accomplished liar since she'd become an editor. 'And mine to retain it until I hand it to the kriminaldirektor. Shall we go?' Before Blau could collect his thoughts, Lilli was out of the door.

Konigsberg, early hours of Saturday January 11th 1919

Snow was falling thick and dry, but the wind that had blown for days had dropped. Blau helped Lilli into the back of the sleigh. Around them the city glowed blue-white, clean and deserted. The driver clicked his tongue and the horses moved on through the square that fronted the lake, past elegant four- and five-storey buildings. The few houses that weren't medieval had been built to match in the Gothic style. All were in good repair. Germany and Konigsberg might have just lost a war but defeat was no excuse for neglect.

Ahead lay a fairy-tale illustration come to life amidst the swirling snowflakes: the castle built by the Teutonic Knights in the thirteenth century. The driver took the road that circumvented its east wall. The city lay still and peculiarly quiet around them. It was as though all sound had been muffled by the snow that fell ever thicker.

'Have you been in the police long?' Lilli asked the boy.

'I commenced training in September and finished last month, madam.'

'Your first night duty?'

'No, madam, this is my sixth night duty and the fifth in the station.'

'You've been warned to be careful what you say to me lest it end up in the newspaper?'

'No, madam.'

His hesitant reply suggested she wasn't the only one lying.

The air was unexpectedly warm, the light ethereal, almost hallowed, reminding Lilli of the cathedral on Holy Days when all the candles were lit. Lamps shone in the castle windows, and Lilli recalled her grandfather's account of the coronation of the King of Prussia in 1861. He'd been so honoured at receiving an invitation he'd framed it. It still hung on the wall of her father's sitting room.

They left the castle behind them and the River Pregel loomed into view. Lamps glowed gold and silver in a sprinkling of the windows of the houses and warehouses that lined its banks.

An officer moved in front of their sleigh when they turned into Koggen Strasse. He held up his hand. The driver reined in his horses. On their right, the Hundgatt, the sliver of river that bordered the east side of Kneiphof Island, flowed sluggishly, heavy with ice.

Blau left the sleigh, snapped to attention and saluted the officer. 'This lady has important business with the kriminaldirektor, sir.'

'Does she now?' The officer smiled at Lilli. 'Good morning, Fraulein Richter.'

'Good morning, Officer Klein.'

'The kriminaldirektor is inside.' He indicated a building.

Lilli checked the number, 4, remembered the events of three days ago and her blood ran colder than the air. Klein offered her his hand and led her past the police barriers. A crowd had gathered behind them in the hope of seeing something interesting – or gruesome. Most were rubbing their arms and stamping their feet against the cold. Three nuns, whom Lilli recognised as Sister Ignatius, the senior nun who arranged the rota for the care of her father, Sister Bernadotte, and Sister Marie, were handing out tea, blankets, mufflers, and religious tracts. She waved to them.

A short, plump, middle-aged man called out. 'Did the

kriminaldirektor send for you, Lilli?'

Lilli knew Max Meyer. A reporter for the *Konigsberg Sun*, he could be relied on to depict anything unsavoury in an even worse light.

'No comment, Max.'

'Come on, Lilli, one hack to another, was this murdered police officer a friend of your husband's like the last? Did he have the same taste in low women?'

'May I ask exactly who told you a second police officer had been killed, Herr Meyer?' The splendidly uniformed man who'd just arrived was well built with hawk-like, hooded eyes and a long nose. When he left his sleigh a murmur rose from the crowd.

Kriminalrat Colonel Adelbert Dorfman ignored those who shrank from him. The head of the Konigsberg police, he was accustomed to instilling fear. He turned to Klein.

'Detain Herr Meyer for questioning.'

58

CHAPTER SEVEN

Koggen Strasse, Konigsberg, early hours of Saturday January 11th 1919

Klein thrust Lilli towards Blau. 'Look after Fraulein Richter.' He moved in on Max but his colleagues, mindful of the kriminalrat's orders were ahead of him.

'Lilli ... Lilli ... tell them who I am,' Max shouted as two kriminalassistents, lifted him by his elbows and half carried, half dragged him inside the hotel.

'We know who you are, Max.' Klein entered the building behind Kriminalrat Dorfman, his colleagues, and Max. 'How did you know there'd been a murder and the victim was a police officer, Herr Meyer?'

'I asked the maid before you lot arrived.' Max appealed to Lilli. 'Tell them. You know what's it's like to work on a story. You get information where you can. A good reporter always starts by talking to the cleaner. They pick up more than dirt ...'

'How did you know there was a story here?' Klein demanded.

'I didn't. Von Braunsch's murder sparked interest in Konigsberg at night. I was working on an article that chronicles night vices ...'

'Night vices!' Klein pushed Meyer into a corner. 'Only the *Sonne* would want to print dirt like that.'

'Take him to HQ so he can be interviewed at our leisure,' Kriminalrat Dorfman ordered.

A kriminalassistent handcuffed Meyer. Another went to the

door and called for a sleigh.

'Kriminaldirektor Hafen?' Dorfman asked.

'Upstairs, sir.' Klein offered Lilli his arm and they followed the kriminalrat to the first floor.

A tall, thin spare man with grey hair was standing in the doorway of a room at the top of the stairs. He turned when he heard them.

'Kriminalrat Dorfman,' Georg Hafen bowed to his superior. 'Fraulein Richter, what are you doing here?'

Lilli stared past him, transfixed by the sight of the bloodied mutilated corpse on the bed. She felt lightheaded, strange as though she'd been transported back to the 'hotel' in Wasser Strasse.

A man dressed in a plain black suit, starched collar, and tie glanced up from his examination of the body. 'You're in shock, Mrs Gluck. Sit down. I'll be with you in a moment.'

'There's no need, Dr von Mau. This is not the first corpse I've seen in this condition.' Lilli opened her bag and removed the note. 'I received another communication …' She decided it might be more circumspect to hand it to the senior officer. '… Kriminalrat Dorfman.'

Dorfman took the note. Georg Hafen touched Lilli's arm. She winced. He stared at her in the dim light of the overhead lamp. 'What happened to you, Fraulein Richter?' Lilli was Georg's godchild, but as they were in a professional situation he automatically reverted to her professional name.

'I fell downstairs.'

'Excuse us, Kriminalrat Dorfman.' Georg propelled Lilli into the next room. Like the crime scene, it contained a bed, couch, washstand and chair. The doctor, Martin von Mau, joined them.

'I'll offer you my hand, Lilli, but only after I've washed it.' He went to a washstand and poured water from a jug into a bowl.

Lilli knew Martin. She'd attended the same music academy as his older sister Charlotte who'd been devastated by her husband, Anton von Braunsch's, murder. Although neither of them had embarked on a musical career she and Charlotte had remained close friends after their academy days and Charlotte, or Lotte as she was known, had worked as her assistant on the newspaper for the last two years.

'Please don't stand on my account.' She was aware how much trouble Martin's club foot gave him.

'Thank you, Lilli.' Martin dried his hand, shook Lilli's, and turned to Georg. 'I can give you a verbal preliminary report, sir.'

'Take a look at Mrs Gluck before we discuss it.'

'No, really,' Lilli protested. 'I fell. It was clumsy of me. You know how it is when you're in a hurry. We received a report at the paper that a man and two children had fallen through the ice into the Upper Lake when skating. I ran from the office and tripped down the stairs. Of course no one was at the lake by the time I arrived. Firemen had fished them out and taken them to the hospital in Hinterrossgarten. They all survived ...' Realising she was elaborating more than necessary, she sank down on the sofa. Martin moved a chair in front of her, sat, and held his hand up before her eyes.

'How many fingers can you see?'

'Kriminalrat Dorfman will want to talk to me. I'll leave you in Dr von Mau's capable hands, Lilli. Listen to him and do as he advises.'

'We'll discuss this case in my office, seven o'clock sharp.' Dorfman handed Georg the note that had been delivered to Lilli. 'You have my authority to employ as many men as you need. If necessary, cancel all leave. I want the perpetrator of these obscenities caught and punished.'

'Yes, sir.'

'Keep Max Meyer in the cells for a couple of days and arrange to have him questioned at hourly intervals. Day and night. He and the *Konigsberg Sonne* need to be reminded what is and isn't permissible to print. See he's given advice on the acceptable behaviour for journalists.'

'Yes, sir.' Georg was relieved to see Dorfman walk down

61

the stairs and out of the door. It hadn't been easy for him to step down from the position of Acting Kriminalrat, which he'd held on a temporary basis since Dorfman's uncle had died in 1915. He would have accepted his demotion with equanimity if a better man with experience or talent had been appointed in his place. But Dorfman owed his position to influential connections. It was enough for the Burgomaster that Dorfman's father and grandfather had been judges, that his brother was a lawyer, and although Dorfman had no qualifications or university education he'd returned from the war a colonel.

Georg read the note that had been delivered to Lilli. Afterwards he watched the police photographer, Otto, make a record of the room from every angle. He was still monitoring Otto from the doorway when Martin joined him twenty minutes later.

'Lilli's husband beat her.' Martin hadn't asked a question and Georg didn't divert his attention from Otto or the room.

'She told you?'

'Not in so many words.'

'It's the words we need. She has to make an official complaint.'

'She has three cracked ribs, extensive and serious bruising, and whip marks on her back, arms, and breasts. By the look of the cuts and bruises, they were made by the buckle end of a belt. I advised her to throw the brute out.'

'If only it were that simple. They live in an apartment in her invalid father's house. She's probably terrified her husband will beat her father and child if she asks him to leave.'

'Blows that forceful could kill.'

'I know and she knows.' Georg finally turned to him.

'You're a senior officer in the city police.'

'She's Dedleff Gluck's wife. Do you know the kriminalrat's directives on violence between husband and wife?'

'Ignore it?'

'Short of murder, yes. A wife is the property of her husband and a man may dispose of his possessions as he wishes. However, although I may not be able to arrest Gluck, I am his superior.'

'Which means?'

'I have some power over him. Did you know Lilli calls me Uncle Georg in private?'

'No.'

'I'm her godfather. Leave her husband to me.' He moved to allow Otto to carry out his equipment. 'You've finished photographing everything, Otto?'

'Yes, sir.'

'You've made a record of every inch of the room?'

'As always, sir.' Otto was hurt by the suggestion that he wouldn't have.

'I can move anything knowing I can see where it was originally placed as soon as you've developed your photographs?'

'Yes, sir.'

'In that case, thank you.'

Martin helped Otto stack his tripod, camera, plates and equipment outside the door before following Georg back into the room. They both stared at the mutilated corpse.

'My apologies, von Mau. After the murder of your brother-in-law, this is probably the last place you want to be,' Georg murmured.

'Anton was found like this?' Martin asked.

'Exactly like this. Lilli discovered his body.'

'She did?' Martin was surprised.

'Someone sent her a note with the address. Just as they did tonight.'

'Could the same person have killed both men?'

'It's possible,' Georg replied cautiously. 'Same mutilation, same shredded pile of uniform and underclothes cut from the body, same rope ligatures binding hands and feet to the head and footboards and similar rusting mask covering the face.'

'A branks.'

'A what?' Georg questioned.

'A branks – a scold's bridle.'

'You've seen one before?'

63

'All doctors have to complete three months training in a psychiatric clinic. I was sent to Alte Pillauer. It used to be a workhouse. There was a pile of these bridles in a disused padded cell in the cellar. The caretaker told me they stopped using them about a century ago but the authorities never got around to throwing them out.'

'So a mask like this wouldn't be difficult to find?'

'Not for someone with access to an old hospital, workhouse, or even a church. They were used as a punishment by all three institutions and called scolds' bridles because they silenced as well as humiliated the wearer. They fit tightly on the head, preventing movement of the facial muscles. Some, but not all, have a built-in tongue depressor that makes it impossible for anyone strapped into one to speak. I'll check this model when I remove it. As Lilli arrived after me I take it she didn't discover this victim?'

'The maid did. She cleans the rooms and changes the bedding between clients. A room here costs one mark an hour.'

'Expensive.'

'Not when you take laundry into account. Were those injuries inflicted before death?' Georg was finding it difficult to control his emotions. He couldn't stop imagining the pain the man must have suffered – if he'd been alive when mutilated.

Martin referred to his notes. 'Would you like me to outline what I think happened bearing in mind that some findings will be down to guesswork, not scientific conclusion?'

'At this stage I'll accept any help I can get.'

'The police doctor gave you a report on the other victim?' Martin asked.

'You know Dr Feiner?'

'No.'

'You're fortunate. He wouldn't be the police doctor if his wife wasn't the Burgomaster's aunt. The man's senile.' Georg concentrated on a spot on the carpet so he could ignore the odorous lump of mutilated flesh that had been a living, breathing man. 'After examining the victim, Feiner came to three conclusions. First he was dead. Second his genitals had

64

been removed. Third, they'd been stuffed into his mouth or rather the gap in the mask that gave access to his mouth.'

'I can tell you a little more than that about this victim, sir. His hands were secured to the headboard and his ankles to the footboard while he was alive. The evidence is in the rope residue on the metal and the bruises on his wrists and ankles.'

'He struggled?'

'The bruising suggests he did, but only after he was tied. There are no bruises higher up his arms or legs. Look around. The chair's upright. The mats are straight. The room's neat. There's no evidence of a fight. Either he allowed himself to be tied to the bed ...'

'Or whoever did this straightened the room after they killed him,' Georg suggested.

'Not the killer. Not after the murder. He would have left bloody handprints. But if more than one person was involved, the 'clean' one could have restored the room to order after the victim had been trussed to the bed.'

'Officers were here within minutes of the maid sounding the alarm. They locked down the building and checked everyone inside. No one was blood-stained and no one admitted to hearing a fight, raised voices, or anything out of the ordinary. But, given the nature of this house a few moans or screams might go unnoticed.'

'I doubt the victim was able to make much noise once that mask was locked on.' Martin approached the corpse. 'You asked about the mutilation. His genitals were removed when he was alive.'

'You're certain?'

Martin pointed at the bloody mass of raw flesh between the man's legs. 'For that much blood to flow, he must have been. I can't be certain of the sequence but I think after the mask was locked on his head effectively silencing him, it's likely his buttocks were lifted and supported by the low stool you see beneath him and his penis and scrotum removed. I'll make a closer examination in the mortuary. The cuts are of uniform length and jagged suggesting they were made by a scissors or short-bladed knife. If I had to opt for one I'd say scissors. Sharp ones similar to boning scissors. Rigor hasn't set in. I'd say he died sometime within the last three to four hours. Do you know who he is?'

'The uniform is that of a kriminaloberassistent.' Hafen pointed to the shredded clothes. 'His pockets were empty. Picked clean.'

'Did he come in with anyone?'

'Not that anyone saw. In fact no one appears to have seen him enter the building.'

'Was he on duty?'

'No idea. I'll check the rotas after he's been identified. Did he die from blood loss?'

'I doubt he'd have lived more than five, maybe ten minutes after the mutilation and attendant blood loss, and for most of that time he would have been semi-conscious from shock and pain.'

There was a knock at the door. Georg opened it. Lilli was outside.

'If you don't need me …'

'I don't. Go home and try to get some sleep, Lilli. You might manage an hour or two before you have to get up.'

'I wanted to check what I can print.'

'There's been a second victim.'

'Nothing more?'

'No, and no mention of the notes you received.' Georg warned. 'It'll be your scoop when the time's right.'

'The victim?'

'Unidentified as yet. We won't release his name until after his family have been informed. As usual you'll get any press release twelve hours before the *Sonne*. Tell Klein to arrange transport to take you home.'

'Thank you, I will.'

'It's me who should be thanking you for bringing us the letter, Lilli.'

'Be kind to the young officer who escorted me here. He wouldn't have if I hadn't lied to him. His name is Blau.'

66

'I promise no more than three lashes,' Georg joked. 'Goodbye, Lilli. Take care of yourself.'

Georg watched Lilli walk down the stairs. 'Is there anything else, Martin?' he asked after the front door had closed behind her.

'Just one more thing before I remove the mask.' Martin picked up a fragment of the victim's uniform and wiped the blood from the man's chest.

Georg squinted, 'Are those letters carved into the skin?'

'Crude, but they appear to spell "defiler". Given the blood flow they look as though they were incised during life. I'm no detective but added to the mutilation it could be an indication of motive. Was anything cut into the chest on the other corpse?' Martin asked.

'I don't recall but I'll check. Thank you, Dr von Mau. I can't promise anything given Feiner's connections but would you be prepared to consider the position of police doctor if I put your name forward, after consultation with the kriminalrat? Provided he agrees, of course.'

'I would be honoured by the appointment, sir. As would my bank manager if there's a retainer.' Martin examined the lock on the base of the neck ring that secured the two halves of the scold's bridle.

'I'm not sure what the salary is, but it must be worth having as Feiner wants to keep it. Here, let me.' Georg produced a bunch of skeleton keys. 'Essential equipment for every officer who doesn't want lawbreakers to have all the advantages.' He had the lock unfastened in seconds.

Martin tried to remove the penis from the mouth of the mask but it had caught on the metal "teeth" that framed the opening. Gently, exerting minimum pressure, he prised the front from the back of the bridle. He stopped when he saw a mark on the left side of the victim's neck.

'Something?' Georg asked.

'A bruise over the carotid artery. Exert enough pressure at that point for ten seconds, you render a man unconscious, twenty seconds, you kill him.'

'Who would know that?'

'A doctor, nurse, soldier, trained medic, sportsman ...'

'Too long a list to be helpful.'

Martin folded back the hinged mask, removing the metal nose guard and eye rings from the head of the corpse. The blood drained from his face. He swayed.

'Dr von Mau?' Georg helped him to a chair.

'That is, or was, one of my brother-in-law's closest friends, Kriminaldirektor. Kriminaloberassistent Nils Dresdner.'

CHAPTER EIGHT

Lichtenhagen, Saturday January 11th 1919

The Post Office had two bedrooms. With Franz and Pippi in one, and the children in the other, Wolf was relegated to Martha's kitchen. The stove was lit so the room was warm, but he found it impossible to get comfortable. He tried balancing on two chairs, gave up after an hour and spread the blankets Martha had given him on the stone floor. As an afterthought he folded the grubbiest parts of his greatcoat inside the lining and utilised it as a pillow.

It wasn't just the discomfort. It was the thought of Franz and Gretel curled in the feather-bedded family four-poster. And, as if that wasn't enough, he couldn't banish the image of Heinrich's pale bruised face and fearful eyes from mind. Already his child was haunting him. He recalled what Martha had said when she'd first laid him in his arms.

'You have a son, Wolf. From this moment he owes you nothing and you owe him everything.'

Her advice hadn't stopped him from leaving Heinrich to Gretel's inadequate care. The facts were inescapable. His defenceless child had been beaten, and it was entirely his fault. He'd abandoned him because marching off to war had been preferable to domestic life with Gretel. Knowing he was responsible for causing his son pain kindled emotions he'd believed had died in France.

He woke with a start when Martha entered the kitchen with Gunther and Hans, a massive, slow-witted man who laboured on the estate. Hans was carrying a large trunk on his back, Gunther a wooden packing case.

'Set the trunk down here, next to the stove, please, Hans,' Martha ordered. 'If you'd be so kind as to leave the packing case in the pantry, Gunther.'

They did as she asked. 'Is that all you want done before breakfast, Martha?' Hans drawled.

'Yes, thank you.'

'Good to see you back, sir.'

'Good to see you, Hans.' Wolf struggled to his feet and offered Hans his hand.

Hans checked his was clean before taking it.

'Are your family well?' Wolf asked.

'My mother and father were glad to see you back yesterday, sir. I have to go to breakfast in the castle kitchen. The cook doesn't like it when I'm late.'

Wolf recalled his father saying Hans ate twice as much as any normal man but as he did four times the work, no one had the right to complain. He said goodbye to Hans and handed Gunther the envelope he'd prepared the night before. 'Your authority to manage the estate in my absence. I've given Franz a copy along with an eviction notice. He and Gretel have my permission to move in here and run the Post Office after Martha leaves, on condition they don't attempt to return to the castle. If they try, contact me immediately. I'll prosecute them for trespass.'

'Thank you, sir.' Gunther slid the envelope into his pocket. 'Martha, do you want me to bring in any more packing cases?'

'Not until I've filled this one, thank you, Gunther. Go, get your breakfast.'

'I'll be at my brother Martin's house if you need me, Gunther,' Wolf said.

'I have his telephone number, sir. Any problems I'll be in touch, not that I foresee any. It's good to have you back.'

'Good to be back, Gunther.' Wolf saw him out and returned to look at the trunk. 'What's this, Martha?'

Martha opened the stove and tossed in two logs. 'Franz had

your summer wardrobe altered to fit him last June. When the tailor finished, Franz asked me to arrange to have your winter wardrobe delivered to him. I told him I couldn't find it.'

'You didn't believe I was dead?'

'Pippi's telegram said Peter was a prisoner of the allies. You two have always stuck together. I had hope.'

'What else have you hidden from Franz?'

'A few things,' she hedged. 'Anyway, here are your winter clothes and your father's. Given the weight you've lost they'll be too big, but better that than too short like Peter's.'

'Thank you.' He opened the trunk. His father's leather cap and coat were on top. He'd taken to wearing them after his father's death because they smelled of his cologne. He set them to one side along with a three-piece woollen suit, socks, flannel shirt, leather waistcoat, and underclothes. Martha disappeared and returned with two blankets and a pillow. She set them on top of the trunk.

'You gave your bed to Peter?' He was ashamed for not sparing a thought as to where Martha would sleep.

'I didn't think he and Pippi would appreciate company on his first night back. I made up a bed on the bench in the office.'

'That must have been hard.'

'No harder than the floor in here.' She thrust her hand into her apron pocket and handed him two ten mark notes. 'You and Peter will need train fare. I swear the mice in the city eat whatever's in people's pockets the way money disappears there.'

'I'll give it back to you as soon as I've been to the bank.'

'I wouldn't count on them giving you money.'

'Then I'll get a job.'

'I'll have breakfast ready by the time you've washed and dressed. There's a train leaving the halt in an hour.'

'Thank you, Martha, what would I do without you?'

'Starve and freeze in Peter's clothes.'

Peter entered into the washhouse when Wolf was dressing.

'Martha has breakfast on the table.' He dropped his clothes

on a chair, filled a basin at the pump, and stripped off his nightshirt. 'Owa, this water is cold!'

'Colder than England or France, but it's Prussian water so you shouldn't complain. I didn't expect to see you this early.' Wolf stooped to tie his bootlaces.

'I want to pay my respects to Lotte.'

'That's something I'm not looking forward to.'

'We all thought we'd done with death for a while.' Peter plunged his head into the bowl.

'It appears death isn't done with us. But life has compensations judging by that grin on your face.'

'The sooner I get my job back, the sooner I can return to Konigsberg with Pippi and the children. Then I'll be smiling every morning. Sorry, Wolf, that was selfish of me.'

'You expect me to be jealous because you have a loyal wife and good marriage when I have none?'

'I would be in your place, but you don't look it.'

'That's because I'm more practised in the art of concealing my feelings than you.' Wolf left the washhouse. He couldn't resist looking up at the castle. The drapes were open in the master bedroom. Gretel was looking down at him.

He met her gaze and waited until she turned away. Only then did he enter the Post Office.

Munz Platz, Konigsberg, Saturday January 11th 1919

Eye for eye, tooth for tooth, hand for hand, foot for foot, burn for burn, wound for wound, stripe for stripe. For the wages of sin is death.

The Kneiphof, Kohlmarkt 15 Room 2. The second is third.

Georg Hafen studied the third missive that had been delivered to Lilli. 'When was this delivered?'

'Around seven o'clock. Ernst heard the doorbell ring as he was locking the cellar after the coal man had made a delivery. By the time he opened the door, whoever had rung the bell had disappeared. He found the letter and brought it straight up to me. I telephoned Police Headquarters right away.'

'Your message took a while to reach me as I was travelling to HQ from Koggen Strasse.' Georg stared at the note. The paper was the same child's exercise book quality. There were smudges that could be blood – or paint. The pencilled childish scrawl with large rounded letters appeared to be the work of the same hand that had penned the others, although it would have been relatively easy to copy.

Lilli sat opposite him, hunched in a chair in her study still dressed in the clothes she'd worn in the early hours. Her hair however, hung loose, dishevelled, obscuring most of her face.

Georg glanced up from the paper when she rose and reached for her coat. 'You're not coming on this one, Lilli.'

To his amazement she didn't attempt to argue but returned to her chair. He reached out and brushed her hair back from her face.

'Dear God, Lilli.'

'What?'

'Some of those bruises are fresh.'

The door opened. Lilli suspected Bertha had been eavesdropping, but she hadn't expected her housekeeper to join them uninvited.

'Dedleff woke in a bad mood when Fraulein Richter came in. He took it out on her, as he always does,' Bertha snapped.

'He's gone to work?'

'He was wearing his uniform when he left the house at five o'clock,' Bertha confirmed. 'As his shift starts at six I assumed that was where he was going.'

'I'll track him down and have a word with him.'

'Please don't,' Lilli begged Georg.

'I'm his boss ...'

'And that makes you think he'll listen to you, Kriminaldirektor?' Bertha snorted. 'There's no reasoning with the beast, drunk or sober – not that I've seen him sober since he returned from the war. He comes off shift drunk, drinks more schnapps until he falls asleep, wakes, drinks schnapps again and starts on Fraulein Richter the moment he sets eyes on her. Morning – noon – night – it makes no difference.' Bertha crossed her arms across her chest.

'Bertha, go downstairs and stay with Amalia,' Lilli ordered.

'Ernst is with her.'

'She doesn't know Ernst as well as she knows you. Go, please.'

Muttering curses and dire threats against Dedleff, Bertha reluctantly obeyed.

'You'll keep me informed?' Lilli asked Georg.

'And give the *Konigsberg Zeit* a day's start on every press release. Don't I always?'

'Yes. Thank you.'

'I saw the advertisement in the paper. You're renting your father's apartment on the top floor?'

'I have no choice. My father put all our money into war bonds.'

'Don't blame him, Lilli. He wasn't the only German who answered the call when the government appealed to our sense of patriotic duty. We all believed we were supporting the men at the front, not throwing our money away.'

'I don't blame my father, but his nursing care and medicines are expensive and the Catholic sisters expect a weekly donation to the Church of the Holy Family. I don't begrudge paying when the church cares for those who have neither food nor a roof over their heads when we have both. But newspaper sales are falling. People haven't even a few pfennigs for non-essentials and unfortunately like many others, we now have more money going out than coming in.'

'I'm sorry.'

'We'll manage if I get a tenant who can pay the rent regularly. When I moved my father to the caretaker's apartment on the ground floor after his stroke, we both hoped it would be temporary. Given his lack of progress we've had to accept he isn't going back. The rooms will deteriorate if they're left empty.'

'Isn't it easier now Dedleff's home and working?'

'No.'

'He doesn't give you his wages?'

She shook her head but didn't elaborate or say anything against Dedleff, which Georg found touching.

'I know people who are looking for an apartment ...'

'Police officers?' she broke in.

'You don't want a police officer for a tenant?'

'Not if you want to put one in here to protect me against my own husband. I can look after myself.'

'Your face says different, Lilli. Then there are these notes. They've either been written by the killer or someone who's aware of the murders. They've been sent to you personally ...'

'As editor of the *Konigsberg Zeit.*'

'They're landing on the doormat of your home, not your office.'

'Do you really think someone sleeping on the top floor will catch whoever it is, when Ernst who lives on the first floor hasn't?'

'All respect to Ernst, he only has one leg. It takes time to strap on the artificial one.'

The telephone rang. Lilli answered it and handed it to Georg. 'It's for you.'

He listened for a few moments, 'I'm on my way.'

'There's a body in Kohlmarkt?'

He didn't answer her question. 'If Dedleff raises his hand to you again, telephone me.' When she didn't give him the assurance he was looking for, he persevered. 'Promise?'

She raised her eyes to his. 'So you can lock up Dedleff?'

'If I have to do that to stop him from killing you and leaving your daughter without a mother, Lilli. Yes.'

Konigsberg, Saturday January 11th

Georg left the Richters' for Police Headquarters. After checking that his subordinates had everything under control, he commandeered a police sleigh to convey him to Kneiphof.

His driver circumvented the fruit and vegetable sellers who'd been denied access to their pitches by his officers who'd erected barriers at both ends of the street. Ignoring the vendors' protests, Georg left the sleigh and walked to number 15. Dr Feiner was exiting the building. Georg had hoped that Feiner would be indisposed or away – or doing whatever it was that had had prevented him from certifying the death of the last victim.

Feiner handed him a few scribbles on a single sheet of paper. 'Another dead police officer, unless he stole the tunic. Murdered. Same mutilation as the last I saw.'

Georg glanced at the paper and swallowed his irritation. 'Anything else you can tell me, sir?'

'I'm paid to certify death and diagnose cause. The man I saw in hotel room two is dead. Given the site and severity of his injuries, murdered. What more do you want me to say?' Dr Feiner's colour was high, even under the subdued light of the street lamp. 'I asked you a question, Kriminaldirektor. What more do you want me to say?'

'Nothing, Dr Feiner.'

'Good, because I'm going home to rest. An early start to the day plays havoc with my constitution.' The doctor climbed into his carriage and knocked the roof with his cane. The driver snapped his whip and the horses moved off.

Georg entered the hotel. Room Two was on the ground floor next to the main entrance. Otto was photographing the scene, Klein standing guard at the door.

'Don't save on photographic plates, Otto,' Georg ordered.

'I never do, sir. If you're not satisfied with my work …'

'I wasn't criticising, Otto. Klein,' Georg turned to his subordinate. 'If you've any thoughts, now is the time to voice them.'

'It's not my place, sir.'

'Afraid I'll sack you?'

'It's just that …'

'Come on, man, you can't stop now.'

'This one doesn't look quite like the other two.'

Georg stepped closer to the bed and studied the corpse. 'You're right, Klein. That was my first thought when I saw him. He doesn't.'

CHAPTER NINE

Konigsberg, Saturday January 11th 1919

Wolf and Peter disembarked at the South Station in Konigsberg. Two more pieces of human flotsam washing into the city on a tide of workers. Paths had been hacked through the snow which made walking easier than the village. They headed for the Bromberg Strasse tram stop in front of the station. Too cold to snow, the sky was grey, etched with black skeletal tree branches that stretched overhead. Smoke drifted from chimneys and the mouth-watering smell of baking bread hung in the air. It seemed a long time since they'd eaten Martha's breakfast of fresh milk rolls and home made cheese.

A tram swung around the corner and they fought for standing room. At that time in the morning the entire population of the city appeared to be on the move. Wolf hung on to a wrist strap staring into houses as they passed. After the destruction of the Western Front, domestic order seemed oddly exotic. He'd forgotten how much he loved the medieval city and found it difficult to comprehend that while he'd watched his men being blown into mincemeat in France, life had continued much as it had always done in Konigsberg.

Uniformed maids, laden with dusters, brooms, and coal buckets, opened drapes and scuttled behind the windows of substantial villas. Milkmen drove dog carts, crying their wares in between ladling milk into housewives' jugs from their churns. Coal men stopped their waggons at cellar doors and heaved sacks down chutes. An open laundry cart moved slowly, the driver reining in his horse every few yards to allow housemaids to dump bundles of dirty washing on the back.

Wolf saw signs that losing the war had brought financial hardship. Men were leaving their front doors in balding fur and moth-eaten wool coats that would have been consigned to rag bags before the war. Mufflers wrapped around their throats, they headed for tram stops that were more crowded than he remembered. Then he realised, the tram had passed many carts but not a single private carriage. Had the army requisitioned all the horses? Or had people been forced to economise and forgo their private stables?

When they drew closer to the city centre they passed crowds of men on street corners. Some carrying placards.

DEMOBBED SOLDIER PREPARED TO DO ANY WORK FOR FOOD

8 HOURS LABOUR FROM A VETERAN FOR ONE MARK

A FULL DAY'S WORK FOR FIFTY PFENNIGS

HARD WORKER PREPARED TO DO ANYTHING FOR BED AND FOOD

Every group had at least one man who'd elevated himself by standing on a wooden stool. The cries of "Down! Down! Down!" from the Spartacists, who wanted an end to all formal government, mingled uneasily with the "Traitors!" "Betrayal!" "Sold out!" that emanated from the Freikorps.

Most of the men huddled around the banners of the Freikorps were ex-servicemen, still dressed in the ragged remains of their uniforms. Wolf pitied and identified with them, if not their politics. An entire generation of young men wasted – and for what? The Kaiser's dream of German domination of Europe!

Peter pointed to the hammer and sickle flag of the communists being brandished next to a banner flaunting the encircled A of the anarchists. 'All we need to complete the political rainbow are a few Bolsheviks.'

'Given the number of men wearing Trotsky caps, they're already there,' Wolf ducked to get a better view from the tram window.

'Seems we've left one war and walked into another.'

'Not me. I've turned pacifist.'

'Looks like that's going to be a difficult philosophy to adopt in modern Germany,' Peter observed.

A crowd surged down the street forcing their tram to a halt. Screams and cries boiled in a melee of curses and threats. The man waving the hammer and sickle flag was pulled to the ground by a mob of Freikorps who proceeded to kick him. Wolf pushed through to the platform but a pastor held him back.

'You must be new to Konigsberg, sir. There are too many. You'll only get hurt, or God forbid, like half a dozen poor souls every day, killed.'

When more men crowded in on the hapless victim Wolf saw sense in the warning and remained where he was. 'God help Germany.'

'We pray but he's stopped listening.'

Peter turned to the pastor who wore the collar of the Lutheran church. 'What chance do we have when even our pastors believe God has forsaken us?'

Commuters and protesters were in force outside the stop in front of the Psychiatric Clinic on Alte Pillauer. Wolf and Peter pushed their way to the pavement to find themselves in the centre of a brawl between Freikorps and communists. A young man in tattered field grey was wielding a baton, hammering down blows on the head and shoulders of a man dressed in the black woollen jacket and cap of a worker. Wolf glanced at them, stopped, stared, and dived between them.

'Have you gone mad?' Peter grabbed the collar of Wolf's leather jacket.

'Look at the idiots!'

The man in the worker's jacket and cap fell to his knees. It was only when his attacker closed in that Peter saw that they were Wolf's younger brothers.

'Wilhelm? Paul?'

'The donkeys haven't even the sense to fight on the same side!' Wolf wrenched the baton from Wilhelm's hand, threw it

79

aside and slammed him against a wall, leaving Peter to tend to
Paul.

CHAPTER TEN

Konigsberg, Saturday January 11th 1919

The Alte Pillauer suburb had been the province of the wealthy
middle and upper classes before the war. Even allowing for the
camouflaging blanket of snow, little had changed since Wolf
and Peter had last been there. The four men made their way
down the wide, quiet streets of luxurious villas and small
mansions to Gebaur Strasse. Wolf supporting Paul who was
bleeding from a head wound, Peter dragging a reluctant
Wilhelm. The twins couldn't stop staring at Wolf.

'I can't believe you're alive, Wolf,' Wilhelm repeated for
the tenth time in as many minutes.

'Alive and fit enough to give you the hiding you deserve for
beating your brother.'

'The idiot's joined the communists,' Wilhelm protested.

'The Freikorps are better?' Wolf demanded.

'We fought the war for freedom from tyranny ...'

'From what Martha told me, the only thing you and Paul
freed on the Russian front was schnapps and vodka.' Wolf
shouldered Paul's weight and stood back so Peter could open
the gate. Gebaur Strasse was narrower than most in the area, but
heavily wooded with trees on both sides of the street. The von
Mau house was impressive, built in 1837 to a medieval pattern
with a sloping covered walkway that led past the basement and
ground floor servants' quarters to the family rooms on the first
and second floors.

Wolf didn't realise he was lost in another time until Peter
prompted him.

'You going to keep Paul there all day?'

'Sorry.' Wolf helped Paul forward.

'We'll go to our own apartment over the coach house,' Wilhelm declared.

'Not until Martin's doctored Paul, and you and I have had a chat about brotherly love, Wilhelm.'

There was a tone in Wolf's voice that precluded further argument. They walked along the path that had been cut through the snow to the front door.

'We had fun here when we were children.' Peter pulled the bell.

'We did, and we will again if these two morons learn to argue with their tongues instead of fists, boots, and batons,' Wolf snapped.

Wilhelm fell silent and Paul was in too much pain to contribute to the conversation. They heard Martin calling, 'I'll get it.'

Footsteps resounded on the stone staircase, a minute later the door opened. Martin froze, mesmerized.

'Werlfi.' He used their father's pet name for his twin.

'It's all right, Martin. I'm not a ghost.'

Martin pushed Paul aside and hugged Wolf. 'Thank God! I prayed – how I prayed – you'd return.'

'You'll crack my ribs, and Paul won't stay upright for long without help.'

'Here.' Wilhelm took Paul's weight from Wolf and helped his twin into the house.

Their sister Lotte appeared behind Martin and promptly burst into tears. Wolf disentangled himself from Martin and went to her. She fell into his arms. A woman Wolf and Peter had never seen joined them and took charge.

'Hello, Wolfgang, I recognise you from your photographs. You must be Peter. I'm Ludwiga, Martin's wife. Wilhelm, please take Paul into Martin's consulting room. Martin, see if he needs stitches. Wolfgang, Peter, we're breakfasting in the dining room. Four more plates, cups, coffee and rolls, Minna,' she ordered the maid as she herded them up the stairs where Lotte's daughters Karin and Christa were hovering in the hall.

Wolf smiled at the girls. 'When I left you were babies. Now you're young ladies.'

Christa eyed him shyly from beneath her lowered lashes. Karin murmured, 'Thank you.'

'Take that chair, Wolf. Peter, sit next to him. Wilhelm,' Ludwiga glared at him. 'You and Paul are supposed to be studying in university, not brawling in the streets. Why can't you boys stay out of trouble for five minutes? If you won't think of yourselves, think of the problems you're causing your brothers.'

'To hell with Franz ...'

'I was referring to Wolfgang and Martin, not Franz. Now go and wash your hands and face in the kitchen. You're filthy.'

To Wolf and Peter's amazement, Wilhelm did as Ludwiga ordered.

Ludwiga took the coffee pot from Minna and filled Wolf's and Peter's cups. 'Did you hit Paul?' she asked Wilhelm when he returned.

'He swung the first punch,' Wilhelm retorted defensively.

'That's not the point ...'

'That's the whole point ...'

'The point is you two are more than brothers, you're twins,' Wolf said sternly. 'Family comes before politics or outside considerations.'

'Family! Like Franz, commandeering the von Mau estate and leaving the rest of us to starve. Do you know that he tried to put our university funds in the estate bank account?'

'You can leave Franz and the estate to me,' Wolf said. 'I promised Papa to look after you and I will.'

'A lot of good your promise to Papa's been this last year,' Wilhelm snapped.

'I wasn't here to stop Franz. I am now. How's Liesl?' Wolf took a bread roll from the basket Ludwiga offered him

'Very well, when we saw her at Christmas. Enjoying life in Allenstein and her work at the hospital. She's going to be thrilled when she hears you're alive, Wolf.' Ludwiga passed him a plate of cold meats and cheese.

'I can't remember the last time I saw so much food,' Wolf complimented.

'Some of Martin's patients, like Becker the baker and Fleishmann the butcher find it easier to pay their bills in kind,' Ludwiga explained. 'It suits us as it saves shopping time.'

'One Paul, almost but not quite as good as new. Stop fighting in the streets. That goes for both of you, Wilhelm.' Martin led a bandaged Paul into the dining room. 'So, Werlfi, Peter, what happened to you? Where have you been? I know you were taken prisoner, Peter, but Gretel showed me a telegram that said you were dead, Wolf. How did you survive? Where have you been until now? The war ended months ago ...'

'You've just fired more questions at us in seconds than the British who debriefed us did in months, Martin.' Peter poured milk into his coffee.

Wolf allowed Peter to furnish the explanations, sat back and studied the others. Lotte's face was grey, her eyes lifeless. She reminded him of the soldiers who'd been too exhausted to continue even the pretence of fighting. Karin and Christa looked lost as they picked at the rolls on their plates. Martin couldn't stop staring at him in between glancing at Ludwiga as she poured coffee, handed out warm rolls, pats of cold butter and liver sausage, ensuring everyone had everything they needed. Paul and Wilhelm remained subdued, Wilhelm more than Paul, probably because he'd inflicted Paul's injuries.

Wolf recalled Martha telling him that Martin's wife was a nurse and older than his brother. He guessed by at least ten years. There was an inherent kindness and calm about her that reminded him of the women who'd worked in the front line hospitals.

When they'd all finished eating, except Lotte who hadn't attempted to eat or drink, Ludwiga stacked the plates.

'You and Martin must have things to discuss, Wolf. Go into the parlour while I get your rooms ready. You're both moving in here? With Pippi, Martha, and the children of course,' she said to Peter.

Wolf noticed Ludwiga had tactfully made an assumption, not issued an invitation, which would have put Martin in the position of host.

'Thank you, Ludwiga, but Pippi, me, and the children will be returning to our apartment in her father's house,' Peter replied.

'You'll stay here, won't you, Wolf?'

'Please, and Martha and Heinrich if you have room.'

'There are plenty of rooms. I'll tell the maids to get them ready. You'll be moving in tonight?'

'I will, but I'll have to telephone Martha and ask her when she's leaving Lichtenhagen. It will depend on how soon she can pack.'

'Use the phone in the study,' Martin offered. 'I'll join you there in a moment.'

Wolf turned to the twins, 'I want a solemn promise from both of you that you'll attend lectures, study hard, and stop fighting.' When his request was met by silence, Wolf waited.

'Damn it all, Wolf, Germany's fallen apart. A man has to look out for himself ...'

'Not at the expense of his brother. Shake hands with Paul and we'll have no more politics under any von Mau roof.'

Paul was the first to step forward with extended hand. Wolf watched Wilhelm take it before heading for Martin's study. He telephoned Martha on the Post Office line, told her Ludwiga was preparing rooms and suggested she bring Heinrich to Konigsberg that afternoon. She said she, Pippi and the children were aiming to arrive on the six o'clock train that evening but she'd telephone to confirm so he could send a carriage and a cart to meet them at the station.

Martin joined him after he replaced the receiver. 'Lotte's devastated.'

'I saw,' Wolf concurred. 'Have they caught Anton's murderer?'

'No. Georg Hafen visited Lotte twice, but from what little he said I don't think the police know where to start looking for the killer. Georg's as shocked and angry as we are. The police regard fellow officers as family.'

'I gathered as much from Peter,' Wolf pulled a chair close to the fire.

'I heard Wilhelm telling you about Franz.'

'How could you allow Franz to negate my will, Martin?' Wolf reproached his brother.

'I didn't allow him to do anything.' Martin limped to a chair on the other side of the hearth. 'The day after Gretel received the telegram that you'd been killed, Franz went to the courthouse, challenged your will in Gretel's name and filed an application to take control of the von Mau estate. He didn't consult me, Lotte, Liesl, or the twins. We didn't find out what he'd done until Johanna Behn visited me. She, in her capacity as von Mau family lawyer, had been notified of Gretel's application by the court. I took Johanna's advice and lodged a counter application in Heini's name so we could delay Franz's application pending a hearing. Lotte, Liesl, the twins, and I hoped you were alive but Johanna warned all evidence was against us. The military don't often make mistakes in identifying bodies. Thank God they made one in yours.'

'I'm sorry for snapping. I wasn't aware of the facts.'

'Johanna refused to represent Franz so he had to find another lawyer. He was given access to the estate account in June on condition the money he drew out was used solely for the castle and farms and Johanna monitored his transactions.'

'Franz showed me the estate bank statement. It's lean.'

'Franz invested heavily in war bonds before the court ruled Johanna had to monitor transactions.'

'Clever move considering we lost the war,' Wolf said caustically.

'It was the first thing he did when he was given temporary control of the estate.'

'He told you?'

'I haven't spoken to Franz. Not even when I saw him in court when we made the counter-application, but you know Konigsberg.'

Wolf repeated the maxim. 'It's more of a village than a city.'

'The hearing to decide the future of the estate is scheduled for next week. You turning up alive will upset Gretel and Franz's plans.'

'Martha told me they're charging you rent. I couldn't believe you'd pay to live in our family town house.'

'Franz threatened to evict me if I didn't, and as I'd spent every penny of mine and Ludwiga's savings converting the ground floor into consulting rooms I had no choice. But now my medical practice is established I've been looking elsewhere.'

'You can stop.'

'Looking or paying?'

'Both. As soon as the estate is back in my name I'll sign this house over to you.'

'Thank you.' Martin offered Wolf his cigar box. 'It's good to see you, Werlfi, and not just because of the house.' His eyes were damp behind his spectacles. He changed the subject. 'We've good cause to be grateful to Johanna Behn. If it hadn't been for her, Lotte and I wouldn't have known Franz had tried to take control of the estate.'

'I'll call on her this morning.'

'And go to the bank. It might be as well to freeze the estate accounts if you can.'

'I'll take Johanna's advice on the best course to take.'

'If I didn't have patients I'd accompany you. You should go shopping as well. That suit you're wearing looks like a hand-me-down from a fat uncle and your shirt is yellow with age.'

'Martha dug them up. They've been in a trunk since I left.'

'I recommend the new tailor in Baumgarten's.'

'Last time I was there they weren't taking promises or buttons as payment.'

'I'd forgotten that saying of Papa's.' Martin pulled out his wallet and handed him a couple of high denomination bills.

'I won't take your money.'

'I'm doing well and I've just heard that my landlord is waving my rent. Besides, it was the von Mau estate that financed my university fees. Pay me back when you can, you'll

87

need to buy things for Heini.' Martin fell serious. 'Ludwiga and I tried to take him when Gretel married Franz. They wouldn't let us, but we would have spirited him away somehow if Martha hadn't promised to keep an eye on him.'

'I won't let the boy go back to Gretel.'

'He needs looking after, Wolf, and he will be here. Karin and Christa will enjoy having a cousin to mother and the twins will enjoy teaching him to fence and ... '

'Fight?' Wolf mocked. 'I'd rather he stayed away from all his uncles except you.'

'The twins are young. The war didn't help. This is the most serious argument they've had.'

'One's enough.'

'Heini will love having you around. Every time he saw me before Gretel told him you were dead, he asked about you. What I thought you were doing and what you were like. It will be good for Lotte too. She, like Ludwiga and I adore the boy.'

'Thank God one Mau was prepared to assume the family obligations and offer Lotte, her girls and the twins a home. My homecoming would have been very different if it wasn't for you.'

Martin changed the subject again and Wolf remembered how his twin had always been embarrassed by praise.

'A word of warning, Wolf, be very careful and tell Peter to be cautious as well.'

'Peter – why should he be cautious about Franz?'

'I wasn't talking about Franz. A doctor hears and sees odd things. These murders ...'

'Murders! I thought Anton was the only victim.'

'One of Anton's friends, Nils Dresdner who'd also taken a position with the police, was killed last night. According to Georg Hafen in exactly the same brutal way,' Martin explained.

'Dresdner ... I don't know the name. Does Georg Hafen think the murders are connected?'

'Both victims were ex-soldiers, like Peter.'

'The city's swarming with ex-soldiers.'

'Not all become police officers like the victims – and Peter.

Warn Peter. That's all I'm saying.'

'These odd things you see and hear, they wouldn't identify a murderer by any chance?'

Martin hesitated. Wolf sensed he was debating just how much he should tell him.

'Well?' Wolf pressed.

'I was called out in the early hours to certify the death of Dresdner because the police doctor was unavailable. He couldn't be identified until we managed to prise the mask from his face.'

'What kind of mask?'

'A Branks with a tongue depressor.'

'A scold's bridle ...' Wolf mused. 'You think Anton and Dresdner were killed because they said something they shouldn't have?'

'I don't know.' Martin moved uneasily in his chair. 'Dresdner's body – the mutilations were ritualistic and that coupled with the bridle – Anton told me he joined the Freikorps the day before he was killed. I've warned Wilhelm to stay away from them but he's not in a listening mood these days. The murders, the police, the military background and the Freikorps ... it could be a co-incidence but ...'

'It might not be,' Wolf finished for him.

CHAPTER ELEVEN

Kneiphof Island, Konigsberg, Saturday January 11th 1919

Johanna Behn's office and adjoining house were close to the Honey Bridge in the select cathedral quarter of Kneiphof Island. Surrounded by river on all sides, the restaurants, beer houses, inns, and hotels on The Kneiphof were too expensive for ordinary workers.

Johanna greeted Wolf at the door of what had been her father's office. Taller than he recalled, of athletic but heavy build, she could have been one of Wagner's Valkyries. Her eyes were dark, probing, and sceptical. Whenever they'd met in the past she'd given him the impression she hadn't believed a word he'd said.

'Freiherr von Mau.' She gripped his hand and shook it firmly in a strong masculine grasp. 'I'm pleased to see you.'

'Wolf Mau, Fraulein Behn. The days of privilege and titles ended when the Kaiser abdicated and Germany surrendered to the Allies.'

'I'm glad you survived, Wolf, for many reasons. Coffee for two, Hermann,' she ordered her assistant. 'Please, come in, sit down.'

Wolf followed her into the book-lined office. The only change that registered from the days when her father had occupied the room was the addition of Johann Behn's portrait above the hearth that housed a log fire.

Hermann brought a tray of coffee, milk, sugar, and

cinnamon pretzels. He set it on a side-table and left, closing the door behind him.

Johanna poured the coffee. 'When did you return?'

'Late yesterday. I stayed overnight in Lichtenhagen. Are those real sugar pretzels?'

'No, pretend ones. Go on, try one and see.'

'Thank you.'

'Most soldiers returned months ago.'

'I had to travel from England. I was a POW. These are good.' He took a second bite.

'They should be, considering how much I had to write off Becker the baker's bill for them.' She didn't offer him sympathy for his imprisonment. 'Being a POW is a good explanation for your absence. We need one for the hearing. Have you seen your brothers?'

'All four, and my sister.'

'My condolences to your sister, your nieces and you. I knew Anton's father. The von Braunsch family have suffered a triple tragedy, first the father, then the mother, now the son. But to business.' She glanced at the clock. 'Unfortunately I have appointments scheduled all day and can offer you only a few minutes now. Are you aware Franz challenged your will in your wife's name?'

'Yes. I spoke to Franz, Martin, Wilhelm, and Paul about it.'

Johanna handed him his coffee. 'What did you tell them?'

'Franz, that I wasn't happy he'd challenged my will and was making Martin pay rent on a family property. I told Martin to stop paying and promised the twins I would sort out the question of ownership of the von Mau estate.'

'Did Franz say anything about the estate accounts?'

'He showed me his and Gretel's private bank statements and the estate accounts. They appear to be in credit but not by much.'

'Franz spent more than he or the estate could afford buying war bonds, unfortunately before I had the power to stop him. Gretel's brother Lars von Poldi brokered the deal.' Johanna offered Wolf the milk jug and sugar bowl.

'Franz was an idiot to trust Lars.'

'Franz and Gretel weren't the only ones to buy bonds from von Poldi. The police are investigating complaints that the bonds he sold were forgeries. Not that it makes the slightest difference to the purchasers given their current value now Germany's lost the war. Except of course to Lars when he took his unsuspecting clients' money.'

'Has Lars been arrested?'

'He disappeared. Last seen on the dockside in October.'

'Heading for where?'

Johanna shrugged. 'With the money he stole, the world is his playground.'

'So what's the situation?' Wolf asked. 'Is the von Mau estate bankrupt?'

'Close to it. When you left, the estate was thriving. Between army requisitions, which were never paid for, mismanagement, and war reparations it hasn't been in profit for three years. If Franz had listened to Gunther Jablonowski the situation would be different but Franz did everything he could to drive your steward from the estate. It says a great deal for Gunther's loyalty to you and your son that he refused to leave.'

Wolf told Johanna he had endorsed Gunther's position and asked him to reside in the castle and ordered Franz and Gretel to move into the Post Office.' She made notes.

'I'll draw up a legally binding contract for Gunther as you intend to keep him on as your steward and send Franz and Gretel a formal eviction notice.'

'Thank you. Has Franz mortgaged the estate?'

'No. He tried. Herr Farber at the bank refused Franz's application on the grounds neither he nor Gretel owned it. I blocked his attempts to sell the estate assets until the courts settled Gretel's claim one way or the other.'

'What did Franz want to sell?'

'Any and every thing he thought would bring in cash. Land, livestock, shooting rights, timber, carriages, furniture, and silverware. Prices are at rock bottom. War has bled even the wealthy dry.'

'Are there any debts?'

'No debts, no profit. Your tenants are paying their rents. That's what's kept the estate afloat.'

'If they've been paying their rents there should be more money in the account.'

Johanna opened a drawer and removed a file. She handed it to him. 'As you know, all rents are paid to this office. Given the circumstances I felt justified in setting some aside against future expenditure. It's not a great deal of money but it should keep you for a couple of months.'

Wolf opened the file. 'You continued the payments to my account in Baumgarten's store?'

'I increased them after consulting with Isaac Baumgarten. He agreed to pay interest on the money. Regulations prevented me from opening another bank account to handle the estate's business but I felt something should be set aside for your son.'

'I could kiss you.'

'One thing at a time, Wolf. Do you have instructions for me before the hearing next week?'

'I want the house in Gebaur Strasse to be put in Martin's sole ownership.'

'I'll see to it.'

'I also want three apartments to be put in Paul, Wilhelm, and Liesl's names and one of the houses and one apartment in Lotte's. They all need the security of an income. Will there be any problems?'

'With the court case, no. You're alive. Everything that was yours will be again as soon as the court recognises your authority. I'll arrange the redistribution of these assets. However, you do realise that once you sign away these rents, an even greater strain will be put on the estate.'

'I'll talk to Gunther. There must be a way of making the estate self-supporting again as it was in my father's day.'

'Curtailing Franz and Gretel's expenditure would be a start.'

'Speaking of Gretel, I want my marriage annulled and full custody of my son.'

'Easily arranged given the circumstances but it might take a couple of months.' Johanna made another note. 'I doubt Franz or Gretel will contest your application as it would make their child a bastard. What about the castle? Do you intend to live there?'

'Not in the immediate future. I told Franz to move into the Post Office as soon as Martha moves out, which hopefully will be today. I warned him I'd charge him and Gretel the same rent for the place that they charged Martin for Gebaur Strasse.'

'If they can't pay?'

'As Franz is family I suppose I could offer it to him at a peppercorn rent, say one mark a year provided he waves all other rights to the estate. That way he can run the business, take the salary it offers, and I'll have fulfilled my obligation to him under the terms of my father's will.'

'Considering his behaviour, you're being magnanimous.' She handed him an envelope. 'Proof money has been paid into your account with Baumgarten's. If you need more money, I could loan ...'

'Thank you, but no. I'll manage. If you need me to sign papers I'm staying with Martin.'

'Even if you live rent-free you'll need money for food and clothes for yourself and your son once the money in Baumgarten's account runs out. Will you return to the castle and estate then?'

'I don't think so. If the life of a country gentleman ever held any attraction for me, I lost it in the war.'

'There won't be a great deal left for you and your son to live on after you've signed away those rentals and that's supposing the estate doesn't need the money.'

'Then I'll have to do what every returning soldier has to do. Find a job.'

'If you can't?'

He gave her a disarming smile. 'Look at me: tall, blue-eyed, good-looking, well-educated, someone's bound to snap me up.'

'If you need anything, come to me first. Our firm has dealt with your family's affairs for over two hundred years. We value your custom. I'm sorry I can't spare you more time now, but come to dinner tonight so we can discuss any matters that arise from the counter claim to Franz and Gretel's. I'll get my clerk to lodge it with the court today. Eight o'clock, upstairs.'

'Thank you. I'll be there.' He left his chair.

'The first topic of conversation will be that kiss you mentioned. I look forward to renewing our acquaintance, Wolf.'

He looked for signs of humour but failed to find any. 'Thank you, not just for this,' he held up the envelope, 'but the advice you gave Martin and Lotte.'

'I admire them. Martin has built a successful medical practice in two years. Quite an achievement considering the number of doctors in this city. As for Lotte, not many women would have looked for and found work so quickly after losing home and income.'

'Lotte's working?'

'Didn't she tell you? She's editorial assistant at the *Konigsberg Zeit*. Lilli Richter thinks highly of her.'

Hermann knocked the door. 'Colonel Dorfman is here, Fraulein Behn.'

'Show him in and Herr Mau out please, Hermann.'

'Colonel von Mau,' Colonel Dorfman stalked in, head high, shoulders back, chest out, every inch a Prussian officer. He extended his hand to Wolf. 'It's a privilege to meet you again. I commanded the regiment after you were captured.'

Wolf recalled the rumours he'd heard about his successor. That Dorfman had sold off the regiment's food and drink supplies for personal gain. That he'd ordered men out of the trenches on suicide missions at gunpoint. That he'd refused the sick permission to visit the hospital tents. Truth – or the complaints of soldiers driven to breaking point by war?

Had the rank and file said the same things about him when he'd been in command? He gave Dorfman the benefit of the doubt and shook his hand. 'I trust the men continued to conduct themselves bravely under your command.'

'Once they recovered from the shock of losing you and so many senior officers in a single action they behaved well enough.' Dorfman bowed to Johanna. 'Fraulein Behn, I trust you completed the arrangements to transfer my donation to the French convent?'

'It's not easy at the moment given the state of the banks and bureaucracy here and in France but I have made some progress, Colonel Dorfman.'

Wolf was surprised. 'You're donating to a French Catholic charity, Colonel Dorfman?'

'You find that odd?'

'Frankly, when so many are starving and in need in Konigsberg, yes.'

'The sisters nursed me and my senior officers when we were wounded. Unlike you, we were not fortunate enough to be captured and cared for by the British.'

Wolf reined in his irritation at Dorfman's assumption that German POW's incarcerated in Britain had been cosseted. 'I assure you, no one who'd been captured could possibly regard themselves as fortunate, Colonel Dorfman.'

'Then perhaps we were the fortunate ones to be nursed by French nuns, Colonel von Mau. They gave us their own food and blankets. Such compassion and self-sacrifice is rare. I am merely sending the order a small payment in return for our lives.'

'Small, Colonel Dorfman?' There was an edge to Joanna's voice that suggested Wolf wasn't the only one who found Dorfman's donation odd.

'It's a matter of perspective, Fraulein Behn. I am not sending more than I can afford.'

'I'm glad to hear you returned to find your affairs in good order, Colonel Dorfman.' Wolf bowed to Johanna. 'Good morning and thank you, Fraulein Behn.'

Wolf walked into Behn's outer office to find Peter waiting for him. 'Police headquarters are that way.' He pointed east.

'I've been there and seen my father-in-law ...' Peter frowned. 'Are you listening?' he demanded, when he realised Wolf's mind was elsewhere.

Wolf had moved on from considering Dorfman's donation to Johanna's revelation that his sister was working for the

Konigsberg Zeit. He'd never known Lotte to evince the slightest interest in anything other than balls, social gatherings, and domesticity. But as he'd changed out of all recognition during the past five years, he shouldn't be surprised that she had.

'You've seen your father-in-law,' Wolf repeated mechanically to prove he'd heard Peter.

'He wants to talk to you.'

'He won't take you back into the police force without a reference from your old commanding officer?' Wolf raised his eyebrows.

'He's already taken me back and moved me up a grade. You're talking to Kriminalobersekretar Plewe.'

As they were still in the hall of Johanna's offices, Wolf bowed and clicked his heels.

'Don't be an ass. There's been another murder.'

'Martin told me.'

'That there were two?'

'Including Anton, yes,' Wolf agreed.

Peter glanced around the outer office and lowered his voice. 'There's three. Another body was found this morning. The identity hasn't been released because next of kin haven't been informed, but the kriminaldirektor said all three victims were members of our regiment.'

'Martin mentioned the name of the second victim ...''

'Nils Dresdner,' Peter supplied.

'I don't recall him.'

'Eselköppe?'

'Donkey-brain? Why did we call him that?'

'Possibly because of his monumental stupidity.'

'Anton was in the regiment. If this latest victim was as well ...' Wolf raised his eyebrows. 'Georg Hafen really believes there's a connection?'

'Like all good policemen he considers facts, not thoughts. He's waiting for us in an inn in Kohlmarkt.'

'Odd choice of meeting place.'

'It wasn't the kriminaldirektor's choice,' Peter said, 'but the murderer's.'

CHAPTER TWELVE

Konigsberg, Saturday January 11th 1919

Peter circumnavigated the cathedral, leading the way through narrow, winding, snow-iced streets crammed with buildings that had been old when Napoleon had waged war against the Prussians and King Frederick William had sought sanctuary in the city.

Wolf took time to absorb the sights. On the bridge, the riverbank, the houses, shops, and inns with their carved wood and stone embellishments, and as they approached Kohlmarkt, even the stalls piled with vegetables, potatoes and the morning's fish catch. He wasn't the only one walking at a leisurely pace. The streets were full of dawdling people, most of them thin and pale, all shivering. He suspected they were out because a walk in the cold was preferable to sitting in a house they couldn't afford to heat.

'You trying to break the record for the slowest stroll from Honig Brucke to Schmeide Brucke?' Peter demanded when Wolf stopped again, ostensibly to light his pipe, but really to admire the carved stone knights' and lions' heads over the portal of an eighteenth-century house.

Wolf dropped the spent match into his pocket. 'I'd forgotten how beautiful this city is and how much I love it.'

'I'll love it better after the snow's melted. It's too damned cold to hang about.'

'Five years in France have made you too soft for an East Prussian winter.'

'Soft! There might not have been much snow but I suffered enough trench foot to last a lifetime.' Peter took Wolf's tobacco pouch and proceeded to fill his own pipe. 'Do you think it's odd ...'

'That everything here has remained unchanged when we've changed so much?'

Unnerved by Wolf's ability to read his thoughts, Peter said, 'We shouldn't keep the kriminaldirektor waiting.'

Kohlmarkt was full of police officers who'd evicted the traders and resettled them at the Hundgatt end of the street. The area in front of the inn was swarming with uniformed men poking snow drifts with sticks, rakes and brooms. Below them, a dozen more were examining the river bank from a flotilla of rowboats.

Peter turned down an alley before they reached the hub of the activity. Wolf trailed behind him and found himself in a stable yard at the back of an inn. Peter opened a side door. They crossed a deserted kitchen and entered a passage that led to a servants' staircase. Halfway up Peter knocked on a door Wolf had assumed was a cupboard. Georg Hafen opened it to reveal a comfortably appointed room.

A chair stood in front of the lace-covered window, which enabled an occupant to view the street without being seen. The room was furnished with a bed, sofa, washstand, large mirror, table, and four chairs. The walls were red, the drapes and bed hangings green. It looked like a standard room in any modestly priced hotel.

'Freiherr von Mau, good to see you alive and looking well for a dead man.' Georg Hafen shook Wolf's hand. 'Please, sit down. Beer?' He indicated a table that held a jug and three steins.

'Thank you, sir.'

Georg filled the steins. 'Has Peter told you why I sent for you, Freiherr ...'

'Wolf Mau, Kriminaldirektor. He said there'd been a third murder.'

'Another of my officers and yours. All three had recently

returned from the front and all were in the regiment you commanded.'

'I was promoted by default. Given a colonelcy for surviving after my superiors had been killed.'

'That's not what Peter told me. Here are the names of the victims. What can you tell me about them?'

Wolf looked at the paper Georg had given him. 'Anton von Braunsch was a captain in the regiment and my brother-in-law. Dedleff Gluck a lieutenant, as was Nils Dresdner. I wouldn't have recognised Dresdner's name if Peter hadn't told me his nickname.'

'Dresdner was christened Donkey-brain in Police HQ before the war. But you've told me nothing that's not on their records. I asked what you knew about them.'

'Are you ordering me to give you a formal statement that can be quoted in a court of law?'

'I understand your caution, Mau. I assure you, this conversation is informal. Three men have been brutally murdered. They were all police officers who'd recently returned from your regiment, and as if that isn't connection enough, there are these.' He handed Wolf the notes that had been delivered to Lilli. 'I put the date and approximate time each arrived on top of the page along with the victim's name. They were posted through the home, not office, letterbox of the editor of the *Konigsberg Zeit* within an hour of the respective killings.'

Wolf read the notes.

Eye for eye, tooth for tooth, hand for hand, foot for foot, burn for burn, wound for wound, stripe for stripe. For the wages of sin is death.

10 Wasser Strasse, Room 14. So the last shall be first and the first last.

Eye for eye, tooth for tooth, hand for hand, foot for foot, burn for burn, wound for wound, stripe for stripe. For the wages of sin is death.

4 Koggen Strasse, Room 9. The fourth is second.

Eye for eye, tooth for tooth, hand for hand, foot for foot,

burn for burn, wound for wound, stripe for stripe. For the
wages of sin is death.

The Kneiphof, 15 Kohlmarkt, Room 2 The second is third.

'The murderer knows his Bible.'

'He does, Mau,' Georg agreed. 'He's also implying there
will be at least five victims. I have no wish to see another of my
men slaughtered. Any information you can give me about these
three might prove helpful.'

Wolf continued to look at the names while he sipped his
beer. 'If you've made enquiries about them you don't need me
to tell you that Dresdner and Anton von Braunsch were
womanisers.'

'I've heard it said of von Braunsch. Dresdner was a bachelor
and entitled to see as many women as he wanted, but what
about your sister? Did she know her husband had a wandering
eye?'

'Our father tried to discuss Braunsch's reputation with Lotte
before her wedding. She wouldn't listen to him so I saw no
point in bringing up the matter with either von Braunsch or my
sister afterwards.'

'Not even when he was under your command?'

'Especially when he was under my command. I had no
desire to incite a mutiny among my officers by declaring
brothels off-limits or lecturing them on abstinence.'

'This latest victim, Dedleff Gluck?'

Wolf hesitated before answering. 'I've no doubt you're tired
of hearing about the hell that was the Western Front.'

'I've listened to enough men to know that no one who
wasn't there can begin to comprehend what it was like.'

'A tactful reply, Kriminaldirektor. Every soldier developed
his own way of coping. For Dedleff it was schnapps. The
rougher the better. It made him unpredictable at best and violent
at worst. I took his gun from him on more than one occasion.'

'He tried to kill you?'

'Me, the other officers, the men.' Wolf shrugged.

'You didn't have Gluck arrested?'

'For being drunk and threatening his fellow officers?' Wolf

smiled. 'I couldn't have done that without charging every officer in the battalion with the same offence. We were all guilty of bad behaviour at one time or another and Gluck's violent tendencies were an asset when directed at the enemy.'

'I've heard men say that you – not you personally – but all the soldiers looked out and covered for one another.'

'Constantly The officers looked out for one another and the ranks. The ranks generally only for their comrades although they did their best to protect the more popular officers. With few exceptions we became closer than brothers. Past lives and social distinctions are of little importance when the only concern is survival. Most of us believed it would tempt fate to plan further ahead than the next minute. We lived in the same stinking holes, ate the same disgusting food, laughed at the same sick jokes. We lived with the certainty that any moment could be our last. A stray bullet or shell could blow us to kingdom come and if it was a shell, in shards of liver sausage. That's why I find it difficult to tell you anything more personal about those three men.'

Georg turned to Peter. 'When you finish your beer, go to headquarters and get measured for your uniform. Tell the duty sergeant to put you on the rota from tomorrow morning.'

'Yes, sir.' Peter drained his stein and left his chair.

'Is Pippi moving back with the children today?' Georg asked.

'She's hoping to come in on the evening train, sir.'

'I look forward to having you all living in the same house as me again. Remember, not a word to anyone about the identity of the third victim. The family haven't been told.'

'Yes, sir.' Peter left.

Georg leaned back in his chair and reached for his cigars. 'Now we're alone, with no record being made of our conversation, perhaps you'll tell me exactly what these three men were like and list their closest friends. If for no other reason than one of them could be the killer's next target.' He handed Wolf a cigar, notebook and pencil. Wolf set the cigar on the table, picked up the pencil and started writing.

103

104

CHAPTER THIRTEEN

Inn on Kohlmarkt, The Kneiphof, Konigsberg, Saturday January 11th 1919

'Twelve of the officers in the regiment who survived until five of us were captured by the British in Flanders in April last year were from Konigsberg. Six from the same university corps.'

'The names of those captured.'

Wolf drew a line down the page. 'I'll list them on the right. 'Captain Peter Plewe, Captain Josef Baumgarten ...'

'Any relation of the Baumgartens who own the stores?'

'Isaac's son. Captain Ralf Frank.'

'Timm Frank's son?' Georg asked.

'Yes.'

'I see what you mean about past lives. You couldn't get two more different men.'

'Or closer friends. Ralf Frank risked his life on more than one occasion to save Josef – and others.'

'The Franks are interesting.'

'I can only speak for Ralf. I've never met a braver man.' Wolf met Georg's eye.

'Timm Frank supplies us with information from time to time.'

'Us, being the police?' Wolf suspected Georg had only divulged the information in an effort to gain his trust.

'Timm Frank is what police officers call an "honest rogue". He'll do anything to avoid paying import duty and taxes and happily trade in goods any ship's captain wants to offload, no

105

questions asked. If a woman chooses to tout her body in his bar, providing it's her free will, he'll turn a blind eye. But he baulks at rape, murder, and violence for no reason. Over the years he's helped us send more than one killer to the guillotine. Not that he'd thank me for telling you that.'

'No one will hear it from me, sir.'

'That's good to know. You said five were captured by the British?'

'Lieutenant Helmut Norde is the fifth.'

'I don't know him.'

'He was a bank clerk before the war.'

Georg replenished their steins. 'You didn't get on with him?'

'As you appear to be able to read minds, I see that I'm going to have to watch myself around you. Norde is prickly, easy to give offence and take it where none – or,' Wolf paused, 'almost none is intended. The seven officers who weren't captured with us include the three victims. The others are Luther Kappel, Emil Grunman, Reiner Schult, and Dolf Engels. All lieutenants.'

'You said some of you were in the same university corps.'

'Josef Baumgarten, Anton von Braunsch, Ralf Frank, Dolf Engels, Peter Plewe, and myself.'

'Did any of the twelve have any particular vices?'

'That depends on your definition of vices. Whores and drink were freely available behind the front lines. Violence was commonplace and not always directed at the enemy. How many men on the list have become police officers?'

Georg studied it. 'Aside from the three victims, Peter, Luther Kappel, and you, if you'll accept a position, Mau.'

'Me?'

'Peter said you might be looking for work.'

'I need to support myself and my son, but I hadn't thought of wearing a uniform again.'

'The police force isn't the army. Is your son living with you?'

'We're moving in with my brother in Gebaur Strasse,' Wolf confirmed.

'Pippi told me your wife remarried.'

'I'm applying for an annulment.' Wolf closed the personal aspect of the conversation.

'So, I'm asking formally, would you be interested in working with the police?'

Wolf picked up on the odd choice of words. 'With the police, not for the police?'

'To all intents and purposes you'd be an officer, other than publicly. I'll explain in a moment. You'd start as an assistant. The lowest rank, three grades below Peter. You'd have to take orders from me and you might have to take orders from him. Could you cope with that?'

'It would be a welcome change.'

'For a colonel?'

'Ex-colonel anxious to rid himself of the burden of responsibility.'

'In that case I'll arrange for you to be added to the payroll tomorrow, but you'll be paid directly from my office.'

'That sounds mysterious.'

'It's not usual to involve anyone related to a victim in a case but there are many aspects to this case and none of them are "usual". Did your brother-in-law frequent brothels?'

'Occasionally, but he had no objection to amateurs. He had difficulty keeping his trousers buttoned. On the Western Front he could always be found in one of two places, the trenches when under orders, and beneath a blue light when he wasn't.'

'A blue light?' Georg questioned.

'Officers' brothels had blue lights, ranks, red. As a captain Anton was entitled to patronise blue light establishments. Generally speaking they had prettier, cleaner girls.'

'Nils Dresdner?'

'Nils like Anton had a propensity for visiting brothels.'

'But not Dedleff Gluck?'

'When he wasn't in a trench he was in a bar. A visit to a girl would have cut into his drinking time. He was married to Lilli Richter, wasn't he?''

'He was,' Georg made a note.

'Does she know that her husband is the latest victim?'

'Not yet.'

'All three victims returned from military service and became police officers. I've recently returned and you've offered me a job. Do you intend to use me as bait?' Wolf enquired.

'I would like to draw on your expertise and in order to do that I need you alive.'

'Do you think the killer's a member of the city police force?'

'Dresdner was young, single, and had an eye for the ladies. If rumours are correct, including brother officers' wives. Although Anton was apparently happily married his behaviour suggests he also had an eye for the ladies. Given that both were emasculated, their genitals removed and stuffed into their mouths, it's possible their killer was a jealous husband or over-protective father. But that's only a theory. And theories without evidence are worthless.' Georg opened his briefcase, removed a file of photographs and opened it.

Wolf had developed a strong stomach during five years of war but he was revolted by the sight of the mutilations even in sepia. Colour would have been hard to take. He picked up the topmost picture. 'Where was this one taken?'

'Site of the first murder, Wasser Strasse. The photographs numbered from 30 onwards are of the Koggen Strasse murder.'

'Before the war Wasser Strasse had more beer shops than any other in the vicinity, Koggen Strasse two brothels.'

'Both have more now,' Georg revealed.

'Didn't anyone see or hear anything?' Wolf questioned.

'Not that they wanted to tell a police officer, but the doctor who examined the second body confirmed Dresdner wouldn't have been able to make a sound once the scold's bridle was fastened on his head because a tongue depressor was attached to the mouthpiece. He gave me an excellent medical report.' He handed it to Wolf. 'As you see from the signature, the doctor was your brother.'

'He told me he'd been called to one of the crime scenes.'

'The reports the police surgeon gave me on von Braunsch and Gluck aren't worth reading. Your brother was thorough, he wasn't. You asked if I think the killer could be connected to the police. I don't know but I can't discount the idea. I was conducting a search of an incoming vessel for contraband the night von Braunsch was killed. Officer Klein was with me, so I can rule him out as a suspect. He's conscientious and trustworthy which is why if you take the position I'm offering you, he, along with Peter, will be your point of contact.'

'Is he related to Klein the ambersmith?'

'His grandson. He volunteered to join the army but was rejected because of lung disease. He was discharged from a sanatorium a year ago. I can be certain he and Hugo Blau aren't involved in the murders because Blau was on duty in the station when Dresdner was killed. You and Peter were out of the country so you're in the clear. As circumstances demand I investigate my own force, I'm appointing you chief investigator.'

'Albeit on low pay.' Wolf couldn't resist the reminder.

'With excellent prospects of a rapid rise through the ranks if you assist me in solving this case.'

'Peter?'

'I'll brief him to keep an ear out for gossip and signs of affairs among officers and the wives of officers.'

'And watch his back, given the similarities between his situation and the victims?'

'I'll keep him close. I have no intention of making my daughter a widow. Officers spoke to everyone in Wasser Strasse and Koggen Strasse after the killings and came up with no useful information. Either people genuinely didn't see or hear anything or they're not prepared to talk to the police, which is where you come in.'

'You think people will talk to me before a police officer?'

'Why shouldn't they? Your name is well respected in the city. You mentioned you intend to move in with your brother?'

'I do,' Wolf confirmed.

'I have something else in mind for you. How well do you know Lilli Richter?'

'The daughter of the editor of the *Konigsberg Zeit*? Fairly

109

well. She was in school with my sister, Lotte, who also works for the newspaper, I believe for Lilli Richter'

'I haven't released any information about the third victim to the press, and won't until I inform Lilli Richter that her husband is dead. I want you to study the photographs before seeing his body. I'll take you to the crime scene when the room is clear. I don't want anyone other than Klein, Blau, and Peter to know you're working for me.'

'Won't that be difficult when I report for duty?'

'You won't report for duty or wear a uniform. Lilli Richter is advertising an apartment for rent in her father's house. I want you to take it so you can monitor anything untoward that happens there, especially at night. By day you'll mingle with the people in the city, or to be more precise the people who frequent the streets along the waterfront.'

'Won't they wonder what I'm living on?'

'Tell them you're using pre-wartime savings. How are your card skills?'

'Average. Better than some, worse than most.'

'I'll arrange for you to take a crash course, that way you'll have an excuse to frequent the bars and brothels. You may even make some money. There's always a game somewhere.'

'I'd prefer to ask Ralf Frank to coach me. I've never been able to work out how he cheats, only that he does.'

'If he's anything like his father that's a wise choice. If you run into too many suspicious people I'll ask Timm to offer you a cover job as a dealer in his backroom.'

'You're that close?'

'He owes me a few favours.'

'We – the five of us who were captured by the British – are meeting in the Green Stork in Wasser Strasse a week tonight.'

'Excellent. As a friend of the Franks you'll have no problems being accepted by the right – or – wrong people.'

'Why do you want me to move into the Richters' house?'

'The notes Lilli Richter received. When the first was delivered around three in the morning she assumed it was a hoax. She ignored it until half past nine when she went to the address to investigate and found von Braunsch's body. When the second was delivered, like the first in the early hours, she telephoned the station and met me in Koggen Strasse. Headquarters knew about the murder of Dresdner before Lilli arrived because a maid who went to the room to change the sheets found the corpse and alerted us.'

'This morning?'

'The first two notes were pushed through the door of the Richters' house around three in the morning. After Lilli Richter received the first note, I stationed men in the turret of a house opposite the Richters' that overlooks their front door. Klein and another officer were there and awake the night Lilli received the note about Dresdner.'

'They saw who left the notes?'

'They heard the bell ring at three a.m. They saw no one approach the front door.'

'That's strange.'

'It gets stranger. Lilli said the third note was delivered around seven o'clock this morning. Her caretaker heard the doorbell ring but he was busy helping the coal man make a delivery through the cellar door which is at the opposite end of the building to the front door. By the time he went into the house and opened the front door, whoever had delivered the note had left. He took the note to Lilli and she telephoned HQ as soon as she read it. I visited her within the hour, examined the note, picked up Klein, then came here and found Gluck's body. Klein swears he heard the Richters' doorbell ring shortly before seven o'clock but saw no one in the street other than the coal man and the caretaker, and they were nowhere near the front door.'

'Can the doorbell be rung from inside the house?' Wolf asked.

'I have no idea,' Georg conceded.

Wolf hesitated. 'Do you think the murderer could be living in the Richters' house?'

'I think that's something I'm hoping you'll find out, Mau.'

CHAPTER FOURTEEN

Inn on Kohlmarkt, The Kneiphof, Konigsberg, Saturday January 11th 1919

After Georg left the room, Wolf moved to the chair that overlooked the street. Half a dozen kriminalassistents were standing stiffly to attention in the sub-zero temperature manning the barricades around the hotel. He recalled Peter mentioning that the lowest rank of police officer equated to that of army corporal. It was steep demotion for a colonel, but he wasn't complaining. Not after seeing the crowds of unemployed men who had nowhere to go other than street corners.

Martha was a born manager and with free accommodation either in the Richters' or Gebaur Strasse, his wage, plus produce from the estate – provided Franz hadn't run it completely into the ground – he, Heinrich and Martha would survive. If extra was needed for clothes or school books for his son there was the money Johanna had secreted in Baumgarten's.

He remembered the murder victims as they'd been in life. Comrades if not friends. They'd fought side by side, lived together for the best part of five years – a fifth of his life. Men he'd trusted to stand with him against the enemy, even ones like Helmut he'd taken an aversion to.

There'd been a strong bond between the surviving officers of the Konigsberg volunteers who'd enlisted together in 1914. So strong that he and Peter had discharged themselves from the hospital tent where they'd been recuperating from wounds as soon as they heard a 'push' was imminent. Even Anton had tried to join them although he'd taken a bullet in the chest and could barely breathe, let alone rise from his cot.

Desperately short of men, the generals had encouraged the sick and wounded to return to the front line. Battle-hardened by four years in the trenches, his regiment had been the first ordered to advance, and the first to be marooned behind Allied lines when the Australians and British had counter-attacked. Surrounded by forces superior in both arms and numbers, he'd passed down the order to retreat.

His leg wound had re-opened during the battle. He couldn't walk. Peter had refused to leave him, as had Ralf and Josef because they'd believed the British would shoot him when they saw his colonel's insignia. They'd insisted it was their duty to 'protect' him but when the Australians arrived and pointed their guns, their only option was to drop their weapons and raise their hands.

Would Peter and the others have evaded capture if they hadn't stayed with him? Helmut Norde was with them because he'd lacked the courage to obey the order to retreat. But dwelling on the last battle they'd fought was no help in tracking down the murderer of his brother-in-law, Dresdner, and Gluck

Were the killings the result of Anton and Dresdner's roving eye? The anger of a jealous husband saddled with a wife who'd forgotten her 'forsaking all others' vow? If so, it didn't explain Gluck's murder.

Was there something more sinister behind the murders and mutilations? A factor connected with the regiment and the war? Or as Martin had suggested, ritual killings inspired by the occult and engineered by one of the political groups that were vying for supremacy in post-war Germany?

He picked up the photographs Georg had given him and was studying them when the kriminaldirektor returned.

Wolf took the file with him when he accompanied Georg up the back staircase and down the main stairs to the entrance hall where Klein was standing guard. After introducing Wolf, Georg opened the door to Room Two.

114

To Wolf's surprise his brother was examining the corpse.

'Good morning again,' Martin greeted him.

'You haven't seen Dr von Mau, Klein, Herr Mau,' Georg cautioned. 'He isn't here.'

'Yes, sir,' Klein closed the door on them.

'What can you tell us, Dr von Mau?' Georg asked.

'There are marked differences between this corpse and that of my brother-in-law, sir. This man was mutilated after death, not before. The genitals have been placed glans first in the mouth, in reverse position to the last corpse where the tip of the penis was projecting out.'

'So the arrangement of the body is different from the first two victims,' Georg checked.

'I didn't attend the first corpse, sir.'

'More's the pity,' Georg reached for the file Wolf was holding. 'Would you look at the photographs of the first scene for me please, Doctor?'

'There's a question of professional courtesy, sir. Dr Feiner was in attendance ...'

'As Kriminaldirektor I have the right to demand a second opinion on evidence at the crime scene. As for professional courtesy, Dr von Mau, I can see how it would apply if there was a dispute between experts on the treatment of a living patient but it's hardly applicable in a criminal case. A murderer is loose in the city. It's my duty to apprehend the killer and ensure the streets are safe for people to go about their lawful business without fear of murder or mutilation.'

'As you put it like that, I'd be happy to study the photographs, sir,' Martin took the file.

'You said there were differences between the way this victim was left and Dresdner?' Georg prompted.

'No branks fitted to the head. No securing of the hands and feet to the bed, and no bruises to suggest he'd been tied. No carving of letters on the chest. He's fully dressed not stripped. His clothes have smears of coal dust. As if someone tried to brush it off but ingrained it in the cloth. My interim report.' He handed Georg a notepad.

Georg read Martin's handwritten notes while Martin studied the photographs of von Braunsch.

'Gluck has a head wound?' Georg noted.

'More than one. He was struck several times by a long slim object, possibly metal, possibly wood. The impact fractured his skull and left these marks.' Martin parted the hair of the corpse.

'Looks like he was beaten by a stick?'

'Could well be, sir, although anything of a similar size would make those marks. A rod, poker, even a whip handle.'

'The blows killed him?'

'I won't know until I carry out a post mortem. The blows would have stunned him, possibly rendered him unconscious. But this is Dr Feiner's case ...'

'Not for much longer if I have my way,' Georg interposed.

'The genitals of this man were removed after blood pooling. I'd say he'd been dead at least two hours before they were cut away.'

'Explain blood pooling,' Georg interrupted.

'When the heart ceases pumping the blood "pools" to the lowest point in the body. He was laid out on his back for some time after death. See the lividity – discolouration of the skin here.' Martin rolled the corpse on its side and lifted the tunic and vest. 'The skin is red and blotchy because blood flowed into the vessels below the surface, filling them. The blood vessels on the front have been drained so the skin is marbled.'

'How long would the victim have had to lie on his back for that to happen?'

'At least two to three hours. You can see from the rigidity of the corpse rigor mortis has set in. That usually indicates death occurred between two and six hours before. But I can't use that to suggest a time of death in this case because it's freezing outside and cold can delay and prolong rigor.'

'You think this victim was murdered in the open air?'

'His hair and jacket were slightly damp, but no more than they would be if he stepped out into a snowfall for a few minutes. I've found no evidence that points to him being outdoors for any length of time,' Martin answered.

'Could he have been murdered in this room?'

'It's possible, but as the lack of blood suggests that mutilation was carried out hours after death, the killer would either have had to remain with the body or return later.'

'Which would have increased the risk of being caught,' Georg observed.

'I can't see a killer sitting with the corpse of a man he's murdered, or coming back to the scene of the crime. Do we know what time the room was rented?' Wolf asked.

'It wasn't,' Georg answered. 'The night clerk was adamant the key to this room was hanging on the hook behind the desk when he left reception at six a.m. When my officers woke him around eight this morning, it had gone and the corpse was in the room.'

'Was the front door locked?'

'Both inner and outer front doors were closed but not locked. Apparently the inn has market traders among the regular guests who leave in the early hours to set up their stalls.'

'So anyone could have brought the corpse into the hotel early this morning.' Wolf took the file from Martin.

'So it appears,' Georg concurred. 'You said his clothes were damp ...'

'Slightly damp,' Martin emphasised.

'Snow was falling when I picked up the note. You can't give me a better indication of time of death?' Georg pressed.

'Any sightings you have of the victim would be more use than anything I can tell you,' Martin said.

'The last confirmed sighting we have of Gluck is when he signed off his day shift at Police HQ at seven thirty yesterday evening. Can I keep these?' Georg held up the notes Martin had given him.

'Of course. I should be able to give you more detailed observations if I complete a post mortem.'

'It's amazing how much you can determine from a corpse.' Wolf was impressed by his brother's summation.

'Surprised I did something other than drink beer and schnapps in university?'

117

'Surprised corpses can be read like a book. We had a surfeit of them on the Western Front. All we did was dig holes and bury them. The newspaper articles on the first two murders ... the photographs that were taken at the scenes ...' Wolf hesitated.

'I'd welcome your opinion, Mau,' Georg encouraged.

'The lack of branks, blood, restraints on the wrists and ankles, the blow to the head, this murder is different from the first two. Could it have been carried out by someone who read about the first two in the newspapers and wanted the police to think it was the work of the same killer?'

'It could, or perhaps this victim struggled more than the first two and was killed before the murderer could mutilate him,' Georg suggested. 'In which case there would be no point in tying him up or fitting a branks to stop him from screaming.'

'The reports I read in the papers said nothing about the scolds' bridles.' Wolf glanced at the photographs again.

'I try to keep at least one piece of evidence from the press because of idiots who enjoy confessing to crimes they haven't committed. There are homeless who'd regard a cell, even a cold one with three indifferent meals a day, a luxury. Especially if they have an alibi for the time of the murder, they can produce at a later date to save them from the guillotine.'

Wolf looked up from a photograph of Anton's body. 'If Gluck fought back and was killed by an unlucky blow before the murderer intended him to die, his body could have been mutilated and arranged after death solely to suggest a connection to the others.'

'If that's the case I'd like to know why the killer chose an inn this time not a brothel.' Georg moved to the window.

'Gluck was a drunk, not a womaniser,' Wolf reminded him. 'If the killer invited him to a brothel it's possible he refused.'

'Good suggestion, Mau. It's time to contact the victims' comrades and warn them they need to be on their guard. Thank you again, Dr von Mau. I'll talk to my superiors and recommend that you're officially instated as Police Doctor.'

'Whether I receive an official appointment or not, I would be happy to assist you in any way I can, Kriminaldirektor.'

'Without payment, Dr von Mau?'

Martin dropped his notepad into his doctor's bag. 'Money is of no consequence, Kriminaldirektor. You're investigating the murder of my brother-in-law. His killer needs to be brought to justice.'

'Thank you. I appreciate your assistance.' Georg tapped the door, Klein opened it. 'See the doctor out.' Georg waited until Martin left before turning to Wolf. 'Dedleff Gluck was a brute and a bully who beat his wife senseless, but he didn't deserve to suffer those indignities in death.'

'Few men deserve the indignities heaped upon them before, during, or after death.'

'You're thinking of the war?'

'I regard any man who dies peacefully in his own bed as fortunate.'

Georg opened the door. 'You can leave here after the undertaker removes the body, Klein.'

'Do you want me to inform the family, sir?' Klein asked.

'No, I will,' Georg replied.

Georg and Wolf returned to the room off the back staircase. Georg refilled their beer glasses. 'Have you considered my proposition?'

'Yes. I accept, sir.'

'And the conditions that no officer other than Peter, Blau, Klein and myself know you are working for me, and you live in an apartment in the Richters' house?'

'Yes, sir.'

'Go to the Richters' now. I'll follow you in an hour by which time you should have made the necessary arrangements with Lilli Richter. Once I break the news of Gluck's death she'll be in no condition to think about letting the apartment. Insist on moving in today. I need someone inside that house to watch the letterbox.'

'Surely she'll ask me to postpone moving in after you inform her of Dedleff's death?'

'She may want to, but Lilli's polite.' Georg stroked his chin

119

thoughtfully. 'Gluck treated Lilli abysmally but I don't doubt she'll mourn him. I should respect the dead and wait a decent period before moving you in, but given the hint of a sixth victim in the note Lilli received last night, I dare not wait.'

'You really think the killer will strike again so soon?'

'After three murders in eight days, who knows? The Richters' address.' Georg handed Wolf a slip of paper along with his official card. 'My direct line in headquarters, below it is my home telephone number. I have your brother's telephone number. You have your service revolver?'

'The British objected to my keeping it when they took me prisoner.'

Georg unbuttoned his tunic and removed a shoulder holster and gun. He handed both to Wolf.

Wolf checked the weapon. 'Luger P08 Parabellum semi-automatic, a fine serviceable piece. Won't you miss it, sir?'

'I have another. Carry it at all times and keep it within reach at night.' Georg took a box of ammunition from his pocket and handed it to Wolf. 'I'll get Peter to give you more. The murderer could target you next. I presume they trained colonels to fire guns.'

'All officers received firearms tuition so they could shoot troops in the back when they refused to go over the top.'

'Go straight to the Richters' from here. Don't drop a hint as to what's happened to Dedleff Gluck. I trust you're a good actor?'

'I know how and when to keep information to myself.'

'You have one hour to do what's necessary to secure that apartment. Find out if you can ring the doorbell from inside the house. I'd prefer to believe someone in the house placed those notes in the Richters' letter box than a ghost.'

'Sir, those coal smears ...'

'This is a city, Mau. Put a handkerchief over your nose the next time you walk beneath a chimney stack and check it for smears afterwards.' Georg looked his watch. 'You intend to look after your son.'

'Yes.'

'Don't move him into the Richters'. Leave him with your brother until these murders are cleared up.'

'You're that sure someone in the household is the murderer?' Wolf removed his coat and jacket and strapped on the holster.

'I'm that sure someone in the Richters' household is implicated.'

122

CHAPTER FIFTEEN

Konigsberg, Saturday January 11th 1919

By two o'clock in the afternoon, twilight had thickened to darkness. Wolf walked to the end of Kohlmarkt, jumped on a tram at the Kramer Bridge and headed north to Castle Lake. He was conscious of Georg's gun hanging heavy in the shoulder holster beneath his coat. It felt strange to be armed again, especially in East Prussia.

He caught himself scrutinizing his fellow passengers. Pulling his hat low to cover his eyes he paid attention to every man of military bearing. He wished he'd asked Georg Hafen if he was the only veteran working for the police out of uniform before realising that, if there were others, Georg wouldn't have told him. He left the tram at Munz Strasse and walked into the square that fronted the south end of the lake. The Richters' house was next door to the sixteenth-century mansion that housed the *Konigsberg Zeit* offices. Both buildings were imposing, six storeys high, lavishly embellished with Gothic turrets and carvings.

There were five bell pushes alongside the door to the Richters' private residence. The lowest was labelled Richter, above it, E Nagel, with caretaker in brackets after the name. The one above that was a blank, as was the topmost one; between them was sandwiched a button marked Gluck. Gluck – luck.

Dedleff hadn't lived up to his name.

Wolf pressed the button marked Richter on the premise that as it was the lowest it would be answered soonest. A man about forty with the pale face of an invalid and the straight back of a soldier opened the door. He eyed Wolf warily.

'Can I help you, sir?'

'Kriminaldirektor Hafen informed me there is an apartment available here for rent.'

'Your name, sir?'

'Mau. My sister works for Fraulein Richter.'

'Please, come in, sir. I'll inform Fraulein Richter you're here.' The man limped back into the marble-tiled hall.

Wolf followed. A marble staircase swept upwards dominating the hall. There were three doors, all with keyholes. The one to the right was narrower than the others and as Wolf had noticed a door set into the basement next to a coal chute on that side of the building he assumed it led to the cellars. A door on the left obviously led into the adjoining newspaper offices.

The man who'd admitted Wolf, muttered, 'Excuse me, sir,' and disappeared through a third door opposite the front door.

Wolf glimpsed red and gold wallpaper. He heard the "ping" of a telephone being lifted from the receiver and the door closed. He looked around. The only furniture was a wrought iron umbrella stand. He walked across to it and lifted out the sticks it contained. They were stout and suspiciously clean as if they'd just been polished. He was returning them to the stand when the door opened again.

A tall, broad-built, middle-aged woman with the round face and distrustful eyes of a peasant approached. She stood in front of him, and folded her arms across her chest.

'You find Herr Richter's walking sticks interesting?'

'Very, my father collected them. This Aaron's rod with carved snakes is quite magnificent.' He lifted it from the stand.

She took it from him. 'You've come about the apartment?'

'I have.' Her proprietorial, defensive attitude reminded him of Martha.

'You told Ernst you know Frau von Braunsch?'

'Ernst is the man who let me in …?'

'He's the caretaker.' The woman made no attempt to introduce herself.

'Frau von Braunsch is my sister.'

She continued to look him up and down as if she wasn't pleased with what she saw.

Ernst joined them, closing the apartment door behind him. 'Fraulein Richter will be with you shortly, sir.'

'Thank you.'

'If you're Frau von Braunsch's brother you have a castle in Lichtenhagen.' The woman hadn't asked a question.

'I do,' Wolf conceded.

'Then why do you want an apartment in this house?' she demanded.

'I'm looking for work. There's nothing in Lichtenhagen.'

'You own a castle and you have to work?'

'I own a castle and an estate, but it eats not makes money. I have to pay the estate workers' wages.'

'Freiherr von Mau, I'm sorry to keep you waiting.'

Wolf turned. The most attractive woman he'd ever seen walked through the side door he'd presumed connected with the newspaper offices. A foot shorter than him, she had a slim figure, exquisite oval face, even features, and black hair. Her clear white skin was marred by red and black bruises, but no defect could diminish the luminous glow in her blue eyes. Georg had told him Gluck beat her. He hadn't visualized such extensive injuries. If Gluck had been present he would have beaten the man senseless for what he'd done to his wife. Then he remembered the corpse in the hotel.

'I'm Lilli Richter.' She offered him her hand.

'Wolf Mau.' He lifted her hand and kissed her fingertips.

'Your sister has spoken of you so often I feel I know you. I'm so glad you survived.'

'You've heard of my return?'

'I telephoned your sister this morning to enquire after her health. Her husband's death has devastated her and upset us all.' Her voice trembled and she took a moment to recover her equanimity. 'Ernst said you've come about the apartment?'

'I have.'

'The kriminaldirektor told you about it?'

125

'His son-in-law, Peter Plewe, is a close friend. He told the kriminaldirektor I was looking for work and somewhere to live in Konigsberg.'

'There's no room in your family's mansion in Gebaur Strasse?'

'Too many Maus under one roof makes for family quarrels, and Gebaur Strasse is a long way from the waterfront where I'm hoping an old comrade will find me employment.' Wolf expanded on Hafen's suggestion that he might find a fictitious post with the Franks.

'You're not a police officer?'

'I have no uniform, nor do I intend to wear one again.' It wasn't exactly a lie.

'The apartment is on the fifth floor. Bertha, isn't it time for my father's tea?' Lilli prompted her housekeeper. 'Perhaps you could make some for Herr von Mau.'

'Me too, please, Bertha,' Ernst went to the door on the right. 'I'll be up as soon as I've stoked the boilers.'

Bertha watched Wolf follow Lilli up the stairs.

'Didn't your father teach you a gentleman walks in front of a lady up the stairs and behind her on the way down so he can't look up her skirt?'

'He did,' Wolf replied, 'but he also taught me that a lady waits for a gentleman to precede her when ascending a staircase.'

'I don't know why my generation bothered to try and teach yours manners. Lady or gentleman – neither sex has any.' Bertha retreated into the apartment and slammed the door.

Wolf caught Lilli's eye and they both laughed. 'I have a housekeeper just like her.'

'They should get on well together.' Lilli waited for him on the landing.

'I doubt it. There's never room for more than one rooster in a chicken coop.'

'Or more than one mother hen in a nest. You're right. The apartment on the ground floor is my father's. The one on this floor is smaller than the others because three of the four bedrooms have been walled off for office space for the newspaper. It's occupied by our caretaker, Ernst, who opened the door to you. The apartment on the second floor,' Lilli continued up the stairs, 'is also walled off and accessible only from the newspaper offices. The third floor apartment is mine and my husband's. The one for rent is on the fourth floor.'

'From the outside I thought the house had an attic.'

'It does. Like most of the basement it's used for storage by the *Konigsberg Zeit*.' She stopped outside what had been her father's apartment and opened the door.

'You don't keep it locked?' Wolf was surprised.

'Normally we do, but I asked Bertha to clean it this morning. It's furnished with old-fashioned pieces but if you want to move in your own things I can have the place cleared.'

He walked into the hall and looked around through the open doors. 'No, thank you, this is the sort of furniture I'm used to. The Maus have never thrown a piece out of the castle. If something fell apart it was used for firewood.'

'Frugal aristocrats.'

'Is there another kind? Considering it's not been lived in, this place is warm.'

'Ernst keeps our stove in the cellar well stoked. There are four bedrooms. Do you intend to live here alone?'

'No. I'll use one, my housekeeper another; that leaves one for my son, and one he can use as a playroom.'

'Then you want the apartment?'

He went to the living room window and looked out at the lake. 'This view is worth a fortune. If I can pay the rent I'll take it.'

'I was hoping for two thousand marks a month.'

He peeled off eight of the high denomination notes Martin had given him and handed them to her. 'Two months in advance.'

'Thank you. I don't know what to say.'

'I was hoping for "I have a copy of the lease downstairs" and the keys to the house and the apartment.'

'The keys I can give you. I haven't had a lease drawn up.'

'In that case a receipt for the money will do. My housekeeper and son won't be moving in for a week or two but I'll be moving in today if that's all right.'

'It's all right, Herr von Mau.' Shall we complete the formalities downstairs?'

Bertha served Wolf and Lilli coffee and biscuits in the parlour. Sister Ignatius came in with a tray she was making up for Lilli's father. After exchanging pleasantries with the nun and admiring photographs of Lilli's daughter, Wolf took his leave. He tripped on the doormat in the hall, reached up to steady himself and accidentally hit the bell that was activated by a pull outside the building.

It rang loud and clear enough to be heard outside.

Wolf saw a police carriage turn into the square as he left it. Not wanting to think about what Georg Hafen was about to tell Lilli, he put his head down and walked towards the waterfront.

A freezing fog filled the darkness that simultaneously lightened and clouded the atmosphere. Wolf's breath hovered mistily in front of him. A ship's horn resounded from the river, mingling with the chimes of the castle clock striking the hour.

He heard footsteps behind him, slipped his hand inside his coat, and released the catch on his holster but didn't turn until he passed the castle walls. He slowed his pace. The only people that loomed through the haze were thickly swaddled housewives and children of school age. Georg Hafen's warnings had made him paranoid.

He paused on the land side of the Kramer Bridge at the head of Wasser Strasse. People broke out of the mist and disappeared into the fog. All he could see were the blurs of gas street lamps and below them the ground floor lights of shops and houses. Ahead on the left, the windows of the Green Stork beckoned in the grey icy shadows.

When he drew close he saw men had gathered around the light as though they could siphon warmth from it. Some crouched close to the ground, valiantly ignoring the freezing temperature as they played cards on a snow block table. Others stood talking, waving their arms and stamping their feet in an effort to boost their circulation. Most wore shabby, stained military issue greatcoats, and were so wrapped in mufflers and blankets, it was impossible to recognise them. But from the salutes he received, it was obvious some knew him. He'd never missed having money more. He'd have liked to have bought them all a drink, so they could sit inside the inn if only for a short while, but there were too many. After wishing his old comrades an incongruous 'good afternoon' he opened the door and stepped into a blast of warm air.

Ralf Frank was presiding at a table on a mezzanine, a vantage point that gave him a comprehensive view of the bar. Two clergymen were with him, one in the white collar and wings of a Lutheran pastor, the other the dog collar and black robe of a Catholic priest. A bottle of schnapps, a jug of beer, half a dozen glasses, and a ledger were on the table between them.

Ralf saw Wolf and waved. 'Join us.' He shouted down to barman. 'More glasses, and another jug of beer, please.'

Wolf climbed the steps, shrugged off his leather coat and cap and took the chair next to Ralf, opposite the priests.

'Pastor Jung, Father Mathias, Colonel von Mau.'

'Wolf Mau, not colonel. My army days are over.' Wolf shook their hands. 'You're French, Father?'

'Guilty. I trust you won't hold it against me.'

'Or you my nationality against me,' Wolf countered.

'I wouldn't be in Konigsberg if I did. I'm parish priest at the Church of the Holy Family.'

A dark-haired waitress with a voluptuous figure and a sensual smile brought up a tray of glasses and a jug of beer. Ralf filled four schnapps glasses from a bottle on the table and pushed one in front of Wolf.

'To peace.' Ralf downed his shot in one swallow.

'Peace.' Wolf and the clergymen followed suit.

'Is our business finished?' Ralf asked the clergymen.

'Yes, thank you for your assistance, Herr Frank.' Pastor Jung and Father Matthias rose from the table. 'And thank you and your father for your contributions. They are sorely needed.'

Ralf was amused by the expression on Wolf's face. 'It's all right, Wolf. I haven't succumbed to a case of religious fervour of either persuasion.'

'Herr Frank and his father are helping us house and feed the city's destitute,' Father Mathias explained.

'With the allies demanding more and more livestock and farm produce as war reparation, farms and estates are going bankrupt and food is in short supply. Even when it's available, prices are beyond people's means. Families are flooding into Konigsberg. Not just returning soldiers but women, children and the elderly. All starving, many ill. The children and the weak are dying,' Pastor Jung added.

'You can count on my father and me to do what we can.' Ralf shook the Pastor's hand.

'We couldn't cope without you ...'

Wolf knew from the way Ralf was herding the clergymen to the door he was embarrassed by their gratitude and even more embarrassed at having him witness it. He wondered if it was because Ralf's charity conflicted with the cynical, 'man of the world' image Ralf was keen to project, although, as he'd discovered years ago, the image was very different from the man.

Ralf finally succeeded in escorting the priests out and returned. He refilled his and Wolf's schnapps glasses and summoned the waitress. 'Clear the dirty glasses please, Adele. So, Wolf, you decided to take a look at what the Green Stork has to offer? Like this tasty piece.' Ralf reached out and wrapped his arm around Adele's waist.

'Just calling in on a friend.' Wolf smiled at Adele who winked at him.

'She's available if you want her,' Ralf said after she'd had cleared the glasses. 'There are a dozen rooms on the top floor the girls live and entertain in.'

'You're running a whorehouse?'

'The girls are free agents. We pay for their waitressing services, the only deduction we make is for food and rent. What

130

they do in their own rooms is their business and whatever they earn is theirs.'

'"We" being?'

'My father devised the system. I'm managing this place and overseeing the refurbishment of the new hotel he's bought in Dom Strasse while he expands our shipping business in Gdansk.'

'Managing? Meeting with clerics?'

'A woman and three children, one a baby, froze to death in a doorway in Brodbanken Strasse last night. The Pastor's opened the crypt of the cathedral to men. The good father, who has an army of nuns to help him, is housing women and children in his vestry and robing rooms but between them they don't have enough space to accommodate all the homeless. They also don't have the money to feed them but they're collecting donations of food and money and co-ordinating the setting up of soup kitchens.' Ralf left his chair and beckoned to Wolf to follow. They went down the stairs, behind the bar, through the kitchens and into the yard. The massive wooden twin doors to the stables were closed. Ralf tramped across the snow-covered cobbles and opened a small door set into one of the larger ones. Oil lamps shone in the individual stalls. Wood smoke wafted in the air.

'Quick, don't let the heat out,' Ralf ordered.

Wolf closed the door. Fresh straw had been laid in the cobbled passage. Instead of horses, people were in the boxes. Whole families – mothers – grandmothers – grandfathers – children, but few fathers. Most were huddled under blankets and rugs. Braziers had been lit and the smell of roasting potatoes and potato soup filled the air.

Wolf leaned against the door. 'Dear God! A pastor I met on a tram this morning was right. God's turned his back on Germany and its people.'

'Some of the families are lucky enough to have fathers who've returned from the war. The young and fit are out searching for food and work. As for the crippled veterans, widows, and orphans, it's up to us survivors to look after them, Wolf.'

CHAPTER SIXTEEN

Konigsberg, Saturday January 11th 1919

The two-roomed apartments in the blocks at the southern end of Blumen Strasse, west of the city centre, were small but comfortable. Helmut Norde knew because his mother's sister lived in one. He drew his greatcoat closer to his frozen body and felt as though he was sealing the cold inside himself as he looked up at her living room window. A lamp burned behind the drapes.

A middle-aged couple approached and crossed the road putting as much distance between him and them as physically possible. He ran his hand over his chin. He'd shaved that morning in the washroom at the railway station, but the water had been cold, his razor blunt. He knew he looked dishevelled but he had the excuse that he'd just returned from the war. His aunt's apartment had a stove ...

The prospect of warmth overcame his pride. He checked the list of names against the bell pushes. He couldn't see his aunt's but he recalled it was the third on the left down from the top. He pressed it. He rang a second and a third time before he heard footsteps on the stairs.

Wishing his coat was cleaner he pulled up his scarf to hide his stubble. The door was wrenched open. A thickset, elderly man peered short-sightedly at him.

'Yes?'

'I was looking for Frau Milla ...'

'Died last year.' The man slammed the door in Helmut's

133

face.

Helmut's smile faded. First his father had disappeared from his life, now his aunt, and he hadn't even made it into his aunt's warm living room.

An old woman walked out of the side gate that led to the garden. 'Helmut – Helmut Norde?'

'Frau Bakker?' He recalled his aunt's neighbour who was caretaker of the block.

'You came to see your aunt?'

'A man just told me she'd died.'

'Last October. Influenza.'

'Here, let me help you.' Helmut took the sack of logs she was hauling.

'Thank you. You know where I live, in the basement.' She opened the front door and Helmut carried the logs down to her tiny one-roomed apartment.

Frau Bakker unlocked the door. 'Put the sack next to the stove, Helmut. I'll make us some tea.'

'Thank you. That would be nice.' He looked around. The furnishings were sparser than he remembered but – he unbuttoned his greatcoat – the room was warm.

Munz Platz, Konigsberg, Saturday January 11th 1919

Lilli Richter was sitting at her desk in the newspaper office when Georg walked in. She dropped her pen on the rest next to the inkwell. 'There's been another murder?'

He closed the door, and sat in the visitor's chair. 'You're guessing because of the note?'

'This is a newspaper, Uncle Georg. People come to us with information. We've had half the vendors from Kohlmarkt in here this morning complaining your officers evicted them from their pitches and are searching an inn there. I didn't need to be told it was number 15.'

'The victim is Dedleff, Lilli.' Georg monitored her reaction. She remained bolt upright but the colour drained from her face. If she was acting, it was a brilliant performance. 'I identified

134

him. There's no doubt.'

'He was ... was ... like the others?'

Georg chose not to elaborate. 'When did you last see him?'

'Early this morning. I woke him when I came in from Koggen Strasse.' Her voice was flat, remote.

'What time was that?'

'What time did I leave you?' she asked.

'Around four o'clock. Klein arranged transport for you?'

'He did.'

'The journey couldn't have taken you more than twenty minutes.' Georg looked into her eyes. 'Dedleff beat you when you reached home?'

She closed her eyes. 'He was angry because I'd disturbed him.'

'What happened then?'

'I ran away from him. It wasn't difficult. Dedleff was stumbling around. I think he was still drunk from the night before. He was certainly tired, and incoherent, otherwise he wouldn't have allowed me to leave. I went to the turret and locked myself in – I have a study there. I slept there until Ernst brought me the note that had been delivered. He and Bertha told me Dedleff had left the house. I telephoned Police HQ. Then you arrived.'

'What time did you come here to work?'

'As long as it took me to have breakfast and change after you left. Half an hour or so.'

'You didn't think to rest so you could recover from the beating Dedleff gave you?'

'I had to catch up on editorials.'

'You've caught up now?'

'No. Charlotte von Braunsch is my assistant. She hasn't been in since her husband was murdered and I've not been ...'

Whether it was the mention of Anton's death or delayed shock, the reality of Dedleff's death suddenly washed over Lilli. She slumped in her chair.

Georg shouted to for someone to bring water. When Lilli recovered enough to drink he lifted her coat from the rack. 'I'll walk you home.'

'Where's Dedleff?'

'They were about to move his body from the inn to the mortuary when I left.'

'An inn.' Her eyes, abnormally bright, burned into his. 'Inn, not brothel like the others?'

'It's an inn.'

'He'd been drinking there?'

'My officers are making enquiries.' He turned to the reporter who'd brought Lilli the water. 'Is it too late to put out an appeal in tomorrow's newspaper?'

'No.' Lilli answered automatically.

'I'll see to it, Fraulein Richter.' The man looked to Georg. 'Give me instructions, Kriminaldirektor. I will make sure they're carried out.'

'I want to contact as many returning soldiers from the victims' regiment as I can. Can you request that they telephone Police HQ urgently? If you could put the article on the front page I'd appreciate it. These are the details of the regiment.' He scribbled in his notebook, tore out a page and handed it to him.

'You think there are going to be more killings?' Lilli asked.

Georg avoided answering her. 'We'll find whoever did this, Lilli. I promise you.'

Konigsberg, Saturday January 11th 1919

'It's hard for everyone these days in Konigsberg, Helmut.' Frau Bakker handed Helmut tea in a Meissen cup he recognised as his aunt's. 'You have to walk miles to find a stall selling a potato or a piece of fish fit to eat, and when you do, it costs more than its weight in gold. The pension my husband left me buys one and a half loaves of bread and 100 grams of tea a week. Nothing else. Not even a bar of soap. What little I earn here is swallowed by my rent. I've forgotten what sugar, butter, eggs, and milk taste like. No one cares about old people any more. You were a good boy. You used to bring your aunt wood for her stove. I have to pay the boys five pfennigs to gather it for me and even then they leave it in the shed at the bottom of the garden. They wouldn't dream of bringing it inside.'

Helmut took the hint. He dug in his pocket and handed over one of his remaining marks.

'You always were a good boy and a credit to your aunt. It's a pity she died. She would have taken you in, but I only have this one room. It wouldn't be proper for you to stay here. A young man like yourself and a widow like me! How the neighbours would talk. In fact they probably already are. You've been here a long time.'

Helmut glanced at his officers' issue watch. He'd been in the apartment precisely ten minutes. He was tempted to remind Frau Bakker of the fifty-year age gap between them but decided against it. She'd wanted money, he'd given her more than he could afford. She sensed it and wanted him gone.

'Thank you for the tea.' He drank the dregs, buttoned his coat, pulled on his gloves and wound his muffler around his neck.

'You're going to your father's house in Rothenstein?'

'I was there last night. Hardly anyone in the village remembered me. It's not surprising. I left when I was fourteen. The new people in my father's house told me he sold the farm and went to America in 1916.'

'So he did.' Frau Bakker stroked the hairs on her chin. 'I remember your aunt telling me now. Well, who can blame him? Germany's finished. Will you follow him?'

'I don't have the money to pay for the voyage. Even if I did I have no idea where he's living in America.'

'That's the problem when a man remarries. He puts his second wife and family first. Your aunt told me your nose was pushed out when your father married less than a month after your mother died. He and your stepmother have six children, don't they?'

'Last I heard.' Helmut didn't want to discuss his father's new family with Frau Bakker or anyone else.

'If you're stuck for a bed or a meal ...'

'Yes?' he interrupted.

137

'The pastor has opened a kitchen and dormitory for returning soldiers in the cathedral.'

'You've been a great help, Frau Bakker.' He tried not to sound sarcastic. 'Thank you for the tea.' He left the basement and started shivering in the communal hallway. By the time he reached the street he was shuddering from cold. He stepped up his pace, turned left at the end of Blumen Strasse into South Garten Strasse and carried on to Sackheim. It was a long walk to the cathedral, but the prospect of finding a kitchen and dormitory for demobbed soldiers was more attractive than spending a second night in the icy, comfortless railway station.

He might find an old comrade who could help him find work, or a share of a room – or even if there was no one he knew, a kitchen that offered free food so he could hang on to his last few marks. Tomorrow he'd go to the public baths, wash and shave in warm water, clean his clothes as best he could, and start looking for work. There had to be something …

'Hey, Norde, isn't it?'

Helmut looked up at the driver of the brewery cart.

'Can I take you anywhere, Norde?'

The man looked vaguely familiar. Helmut didn't stop to think how he knew him. 'You going near the cathedral?'

'I can drive that way.' The man extended his arm. Helmut took it and climbed on to the cart.

The Green Stork, Wasser Strasse, Konigsberg, Saturday January 11th 1919

Wolf and Ralf returned to their table on the mezzanine. Adele had set a tray of cheese, bread, sausage, gherkins, and salt fish on their table along with a fresh jug of beer. Wolf was hungry, but he knew if he tried to eat he'd feel as though he were taking food from the mouths of the children in the stable. Recalling why he was in the Green Stork, he said, 'Have you heard about the murders?'

'It's difficult to avoid hearing about them.' Ralf filled their steins. 'The city's talking about nothing else.'

138

'The victims were in our regiment.'

'All three enlisted on the same day as us.'

'You know about the third?' Wolf was surprised.

'I know Dedleff Gluck was found dead and mutilated in a hotel room this morning. But given that all three were police officers and I've no intention of joining that august body, I hope to avoid their fate.'

'How do you know the identity of the last victim? I've not long left the kriminaldirektor and he ordered that the name shouldn't be released until the family had been informed.'

'It would appear the kriminaldirektor didn't tell everyone that Dedleff's name wasn't to be released.'

'You heard the news from a police officer?'

'Obviously an indiscreet one. I can't remember his name.'

'I've never known a man to have such a convenient memory as you,' Wolf helped himself to schnapps.

'One of my many virtues.'

'The kriminaldirektor wants to talk to everyone in the city who was in the regiment.'

'To warn us? Doesn't he think it's a bit late after three of us have been murdered?'

'Hopefully not for the next victim.'

Ralf whistled. 'So the police have reason to believe there are going to be more killings?'

Wolf produced his notebook and showed Ralf the copies he'd made of the messages that had been delivered to Lilli Richter. 'There's reference to a potential fourth victim in the last communication.'

'Lilli Richter's married to Gluck, isn't she?'

'The notes were sent to her as editor of the *Konigsberg Zeit*.'

'A coincidence?' Ralf raised his eyebrows.

'The kriminaldirektor is looking into it. How many men have you invited for the reunion next Saturday?'

'You, me, the other three POWs, but I've let it be known that I'll welcome anyone from the regiment, especially survivors of the original volunteers.'

'Of the surviving dozen officers from Konigsberg three have

been murdered. That leaves nine, four apart from us POWs. Luther Kappel, Emil Grunman, Reiner Schult, and Dolf Engels. I know Kappel's a police officer. Do you know where the others are?'

'Reiner's captaining one of his father's fishing boats. I bought herring from him yesterday. I haven't seen Grunman but I believe his father owns an estate near Lowenhagen. Dolf Engels was in here this morning delivering beer. He's working in his father's brewery. Do you think all nine of us are targets?'

'Don't you?' Wolf refilled both their schnapps glasses.

CHAPTER SEVENTEEN

Konigsberg, Saturday January 11th 1919

'When the colonel disappeared after that battle in Flanders, we assumed he and all those with him had all been killed.' Dolf Engels handed Helmut a flask. 'I didn't know any of you had survived until I walked into the Green Stork this morning and saw Ralf. I punched him to make sure he wasn't a ghost.'

'That must have pleased him.' Helmut's jaw was stiff with cold.

'You know Ralf. He can take a joke.'

'You missed us after we were captured?' It had taken Helmut a few minutes to recall Dolf, but, when he did, it rekindled memories of evenings spent carousing in the estaminets or 'cowshed bars' the locals cobbled together whenever troops came down from the front line. He recalled one evening in particular when he and another officer had been drunk and indiscreet and Dolf had witnessed their transgression. Was that the reason he'd offered him a ride?

Dolf interrupted his thoughts. 'We missed von Mau. Dorfman was a brass-buttoned lunatic. Ordered men over the top on a whim. Never gave a thought as to whether they'd survive. He sent more men to hell in one day than von Mau did in a year.'

'I'm sorry.' Helmut unscrewed the top of Dolf's flask and drank. The schnapps was good. It was more warming than tea and had the added advantage of making him lightheaded. The city suddenly seemed brighter and blurred at the edges, as if the snow was melting into the buildings.

'Not as sorry as those you left behind. You took your time getting home.'

'I'd like to have seen you get here quicker from Wiltshire.'

'So, what are you doing now?' Dolf flicked the reins to hurry the horses.

'I only got back last night,' Helmut answered defensively.

'Your family live in the city?'

'They left for America in 1916.'

'My uncle went in '15. So where are you staying?' When Helmut didn't answer Dolf remembered he'd asked to be dropped at the cathedral. 'Got your job back?'

'I haven't had time to ask for it. I told you, I came in late last night, and went to see an aunt today.'

'You staying with her.'

'She died of flu.'

'It's tough for every returning soldier. Doubly so if they have no family.'

'I don't want your pity,' Helmut snapped.

'I'm not offering. If you're looking for somewhere to stay for a couple of nights, there's an office in the stables where we keep the brewery waggons and horses. It has a stove and a fairly comfortable couch. I know because I've slept on it when I've been drunk enough to want to hide from my mother. I guarantee it's lice-free, which is more than can be said for the cathedral.'

'I don't take charity.'

'Not charity, a helping hand,' Dolf corrected. 'We don't need any workers in the stables, but I'll ask my father if there's anything going in the brewery. I know you can be trusted. That counts for a lot in a worker these days. What do you say?' When Helmut didn't answer, Dolf continued. 'We old soldiers have to stick together. You'd do the same for me.'

'I'm not in a position to do anything for you.'

'But you would if you could. I have nothing planned this evening. How about I send to the Green Stork for some food and beer and we eat in the office, just the two of us after I've stabled the horse. I won't leave him out longer than I have to in

142

this temperature.' He glanced across at Helmut.

Helmut had been about to accept until Dolf said: 'just the two of us'. Did Dolf remember what he'd seen him doing that night after the regiment had been stood down? He trembled from more than cold.

'The sooner we get to the stable, the sooner we can get into the warm. We don't even have to stop off at the Stork. I'll send one of the street urchins to fetch our supper.'

Again it was the prospect of warmth that was the deciding factor. Helmut found himself nodding. 'Sounds good.'

The Green Stork, Wasser Strasse, Konigsberg, Saturday January 11th 1919

Ralf raised his glass, 'To every returning soldier from the regiment. May they survive until Saturday and may news of the reunion reach all.'

Wolf touched his stein to Ralf's. 'I can't help feeling we're being blasé?'

'In what way?'

'Don't you think we should be doing more to warn our old comrades about the killer?'

'After five years of war do you really expect us to be anything other than blasé?' Ralf asked. 'We've just returned from facing entire armies trained to shoot Germans on sight. Is it any wonder we regard three murders as inconsequential?'

'The killing that went on in the trenches wasn't personal. After seeing one of this particular murderer's victims and photographs of his other handiwork, I'd say these killings are very personal,' Wolf declared.

'Impersonal death is as deadly as personal,' Ralf observed.

'Dead is dead. The last thing I feel like doing is arguing semantics with you.'

'You saw Gluck?' Ralf was curious.

'I saw a dead man who'd been murdered. Unlike you I have a good memory. Kriminaldirektor Hafen ordered me not to divulge the victim's name.'

143

'Let's talk about something more interesting.' Ralf helped himself to more beer and sausage. 'What are you going to do with yourself now your brother is ensconced in your castle with your wife?'

'Ex-wife as soon as our marriage is annulled and he – and she – won't be ensconced for much longer.' Wolf refilled his stein. 'You're well informed considering we only returned last night.'

'All of Konigsberg passes through the Green Stork and everyone is interested in the doings of our aristocrats. I take it you're reclaiming your castle, if not your wife.'

'I'm meeting my lawyer this evening to discuss the future of Waldschloss and the Lichtenhagen estate but I've no desire to return to the castle.' Wolf took his pipe and tobacco tin from his jacket pocket. He took a plug of tobacco and pushed the tin in front of Ralf so he could help himself.

'So, the life of a country gentleman is too dull for you after the excitement of the trenches and a Wiltshire prison camp.'

'I can cope with dull and boring after the last few years, but not dull and boring in Lichtenhagen.

'Too many memories?'

'More like not enough novelty. I'm not sure what I want to do other than spend time with my son and earn enough to keep both of us. As for returning to the castle, whenever I think of my pre-war life, I feel as though it was lived by someone else.'

'We all feel like that,' Ralf sympathised.

'You've found your niche,' Wolf looked around. 'Your own bar, enough money to spare a few marks for those in need. Pretty girls to serve you drinks and anything else you fancy. And, if I was to hazard a guess, high-stakes card games in the back rooms.'

'Looks like I've found Utopia, doesn't it?'

'To an outsider.'

Ralf fell serious. 'Do you think any of us will settle down after what we've been through?'

'I think we're about to find out.'

'You know what's the worst? When we were in the trenches,

there was a point to life. To fight for the next five minutes of breath – the next big push – the next show – or at least until supper because someone had organised a supply of schnapps.'

'You're complaining because you can be fairly certain of surviving the next five minutes and have all the schnapps you can drink?'

'Precisely,' Ralf agreed. 'Life's lost its edge.'

'If it's edge you want, go look for whoever's carving up our old comrades. That should sharpen your sense of purpose. If you survive the meeting. As for a point to life, I have a son and family who need me, and you, my friend, have a bar full of girls waiting for a kind word.'

'Every one of them after a wedding ring and a meal ticket,' Ralf complained.

'In exchange for love, care, and devotion.'

'You can say that after your wife married your brother?'

'With so many younger and prettier girls to choose from she did me a favour.' Wolf glanced at Adele who was clearing a table close to theirs. She stopped what she was doing, stared at him and licked her lips with the point of her small, very pink tongue. He thought of the rooms upstairs and wavered, but not for long. He pushed his chair back from the table. 'I have shopping to do.'

'What kind of shopping,' Ralf asked.

'Clothes. My brother Martin told me I look as though I'm wearing hand-me-downs from a fat uncle.'

'You going to Baumgarten's?'

'Where else?'

'Remind Josef about ...'

'Saturday. I will.' Wolf winked at Adele as he walked to the door.

'You were right,' Ralf called after him.

'About what?'

'Your brother doing you a favour when he married your wife. I saw that wink. Don't concern yourself. I'll keep Adele warm for you.'

A girl in a kitchen maid's apron opened the door for Wolf.

She handed him an envelope. 'You dropped this, sir.'

Before he had time to register more than a pair of mesmerizing green eyes, she dropped a curtsey and ran. He looked up and saw one of the homeless veterans staring at him through the window. He looked away from the man who was warming himself on a brazier outside the door and back at the letter. *Colonel von Mau* was written on the outside. Assuming it was a plea for help he was no position to give, he pocketed it, and turned up his collar in preparation for the outside.

Baumgarten's Store, Saturday January 11th 1919

'Wolf, I didn't expect to see you in here today.' Josef rushed to meet Wolf as soon as he entered the menswear department of Baumgarten's.

'Your father set you to work already?' Wolf asked.

'No, I've just finished a fitting for a new suit.'

'We all need one of those after five years of army rations.'

Josef steered him towards the back of the store. 'Would you like something? Coffee? Tea? We could go to the in-store Konditorei. They're serving an exceptionally good cheesecake today.'

'I've just eaten and drunk more than was good for me in the Green Stork, but thank you.'

Josef showed Wolf into a Spartan office and closed the door. 'I'm getting married.'

'Married! I didn't know you had a girl.'

'My parents found her. She's beautiful, Wolf, and charming, and kind ... so kind, we're marrying next month. I'd like to ask you to be my best man but ...'

'I'm not Jewish. An invitation would be an honour.'

'Of course we want you to be there, and Ralf, Peter and his wife, and Helmut ...'

'If you're inviting Helmut, the thought of marriage must have softened your brains. What's her name?'

'Sarah.'

Wolf perched on the edge of the desk. 'Tell me about her?'

146

'Her father owns Becker the baker's. She manages one of their shops. She has three sisters and two brothers, at eighteen she's the oldest and wait until you see her, Wolf, she's stunning with dark hair and eyes – she's a brilliant musician, plays piano like an angel and she can cook ...'

'You knew her before the war?' Wolf interrupted.

Josef hesitated and Wolf knew he was choosing his words carefully lest he give offence. 'Our ways must seem odd to you, but this is how marriages have always been arranged in my family. The parents look for someone they think will make a suitable husband or wife for their child, introduce the prospective bride and groom and ...' Josef fumbled for further explanation.

'Wait for soppy looks to appear on the happy couple's faces?' Wolf suggested. 'I wish you well, Josef. As for Jewish ways and customs, if I'd left the selection of a wife up to the woman who brought me up she'd never have allowed me to marry Gretel.'

'I heard about your brother and your wife. I'm sorry.'

'Don't be,' Wolf slapped him across the shoulders. 'A divorce leaves me free to find someone else. You said Sarah has sisters?' When Josef didn't answer Wolf said, 'That was meant as a joke. I know your people frown on mixed marriages. So, we've not only your wedding to look forward to, but the party in Ralf's a week tonight. We'll make it your bachelor party.'

'Come to the house first, meet my father, mother, sisters, and brothers,' Josef invited. 'Or better still come for coffee and cake at six o'clock. All my family will be there. They want to meet you after everything I've told them about you. Bring Peter and his wife as well. Ralf too if he'll come.'

'Isn't that your Shabbat?'

'Shabbat ends on Saturday after three stars have appeared in the sky, and the nights draw in early. There'll be more than three stars in the sky by six o'clock.'

'Could be cloudy.'

'They'll still be there, just out of view.'

'I love the way you people interpret your religious laws to

147

suit yourselves.'

'God wouldn't have made us the way we are if he didn't want us to exercise our initiative.'

'I'm pleased for you, but there's something you should know ...'

'That Gluck, Donkey-brain, and Anton von Braunsch have been murdered? Peter came in earlier to tell me,' Josef explained. 'I'd like to attend the funerals with you. Please accept my own and my family's condolences to you and your sister on von Braunsch's death. He was a good man – a good comrade.'

'I feel I should be more upset but ...' Wolf bit his lips.

'It's not easy after having death as a bedfellow for the last five years.'

Wolf abruptly changed the subject. 'You're not the only one who needs new clothes.'

'You could certainly do with a new shirt.'

'And a new suit,' Wolf added.

'If I were you I'd hold off. I wouldn't have ordered one if I hadn't needed it for my wedding. No soldier has eaten properly in years. We're all going to be putting on weight so anything that's tailored now won't fit in a few weeks.'

'Possibly – possibly not, given the shortage of food.'

'Things will get better.'

'Given what the Allies are demanding in reparation I'm not so sure. In the meantime guide me to your linen shirts and toys.'

'You want something for your son? Have you seen him?'

'Yes, and he deserves the latest plaything that every boy wants.'

'Toy soldiers and cannons that fire ball bearings. It's all my younger brothers play with.'

'I suppose it's too much to hope that Heinrich would like a nice peaceful farm with lead animals. What do women want these days? I have two sisters, one sister-in-law, two nieces, and a foster mother who all deserve presents.'

'Your brothers?'

'They can make do with schnapps and cigars. But I do have

148

a wedding present to buy.'

'Now you're embarrassing the groom.'

'You'll embarrass the guest more if you don't give him a hint.'

'An ashtray would be nice.'

'Really!' Wolf raised his eyebrows. 'We'll see. I should also buy a really nice present for my lawyer.'

'That's a first. A lawyer the client likes.'

'I wouldn't have any money to buy anything if it wasn't for her.'

'We have some embarrassingly large, outrageously expensive bottles of 4711 cologne in stock, which I happen to know you can afford and Johanna Behn uses. My father told me about your account. If it was any larger you'd own a floor of the store.'

Wolf looked through the glass panel in the wall. 'If you're offering, I'd prefer jewellery and silverware to men's clothes.'

'Always joking.'

'Who's joking? Come on, let's go shopping.'

'Before we go, Peter said something about the way the murder victims had been found that set me thinking.'

'What?'

'Do you remember Dolf Engels coming to you and demanding you court martial Helmut Norde and Luther Kappel?'

'I remember refusing to do so.'

'Which was commendable, but the man was rabid, almost foaming at the mouth.'

'He was drunk.'

'A drunk who threatened to emasculate and castrate both Helmut and Luther for succumbing to "unnatural sins".'

Wolf couldn't believe he'd forgotten the ugly incident. Then he realised it was just one of many unpalatable wartime events he'd succeeded in blocking from his mind. 'Did you discuss this with Peter?'

'I didn't think of it until after he left the store.'

Wolf frowned. 'Leave it with me. I'll have a word with the

kriminaldirektor.'

'I was hoping you'd say that. The last thing I want to do is make a complaint about the ravings of a drunk –'

Wolf interrupted. 'Unless that drunk has become a murderer.'

CHAPTER EIGHTEEN

Carriage House, Engels' Brewery, Hoker Strasse, Konigsberg, Saturday January 11th 1919

'This sauerkraut and bratwurst is good.' Dolf heaped another sausage and ladleful of cabbage on Helmut's plate.

'No more! I never thought I'd say it after years of short rations, but my stomach is so full it's protesting.' Helmut moved his plate from Dolf's reach.

'I told the boy to tell Ralf I'd take the saucepan and plates back,' Dolf said, 'but I didn't say tonight and the boy will have gone to ground at this time of night.'

'I'll take them back in the morning,' Helmut offered. 'I can't thank you enough, Dolf.'

'It's by way of an apology,' Dolf refilled Helmut's tankard with beer and handed him the bottle of schnapps. 'I behaved like an idiot back in France. I was drunk. If I hadn't been I'd never have gone running to Colonel von Mau. He's a good man. Convinced me a man's private affairs are no one's business but his own.'

'I did wonder ...' Helmut fell silent, suddenly afraid of saying too much.

'You were right to wonder. Unlike me, you had the courage to act on your inclinations. That's why I was so angry.'

Helmut expected Dolf to make a move towards him but he didn't.

'Sorry to leave you but it's time I went home. My father starts practising his lecture on "early to bed, early to rise" if I'm later than this, and my mother will be worrying.'

'You're sure they won't mind me staying here?' Helmut wouldn't have asked if he wasn't already certain of Dolf's answer. The office was as warm as Dolf had promised. The stove belched out heat and the sofa, although old and faded, was comfortable with an ample supply of cushions and rug.

'They won't know because my father never visits the stables, but he wouldn't mind me putting up an old comrade here for a few days.' Dolf stacked his plate on top of the saucepan the boy had brought from the Green Stork. 'Don't forget to stoke the stove before you sleep. Use as many logs as you like. My father gets them from my uncle's farm. There are some old books in here that the clerk reads in between taking and dispatching orders.' Dolf opened a cupboard beneath the desk and showed Helmut a pile of books and ancient magazines.

'Thank you.' Overwhelmed, Helmut choked on the words. 'I won't forget this.'

'We old soldiers have to stick together. I'll talk to my father about a job in the brewery. Even if there's nothing at the moment, there might be soon. Try to eat that last sausage, I'd hate for it to go to waste. Stay in the warm. I'll lock the doors behind me. If you want to leave for any reason there's a spare set of keys in the top drawer of the desk. Lock the door behind you and if you don't want to return, post them through the letterbox. There's soap and towels in the cupboard in the washroom but no hot water. Boil the kettle on the stove if you want to shave. See you in the morning.'

There was a glass panel in the office door. Helmut watched Dolf walk past the waggons and the high gate that separated the stables from the carriage house. The hinges creaked when he opened a small door set to the side of the main entrance. Dolf stepped through and Helmut heard the lock click home.

The silence was punctuated by the scuffle of horses' hooves moving over cobbled stalls. Helmut looked through the books and found a dog-eared copy of Theodore Storm's *The Rider on the White Horse*. He set it on the sofa, arranged the cushions, lay down and pulled a thick rug over himself.

Gebaur Strasse, Konigsberg, Saturday January 11th 1919

'Your Aunt Ludwiga has prepared a bedroom for you, it's next to mine and has a connecting door so you can come in anytime you want to see me. Up the stairs, it's the third door on the right.' Wolf had collected so many parcels at Baumgarten's that Josef had offered him the use of the store's carriage. It was as well he'd had transport, as he had barely an hour to arrange the clothes and presents he'd bought for Heinrich and wash and change into one of his new shirts before leaving for the station in Martin's carriage to pick up Martha, his son, and Pippi and her children.

They dropped Pippi and her children at Georg Hafen's house before going on to Gebaur Strasse. Excited, Heinrich ran upstairs as soon as they walked through the door. His new bedroom had originally been a dressing room to the bedroom Ludwiga had given Wolf. The boy froze on the threshold.

Wolf was glad to drop the heavy trunk he was hauling on to the landing. 'What's the problem?'

Heinrich turned to him and Martha who'd followed them up the stairs. 'Whose room is this?'

'Yours,' Wolf said.

'But there's a fort, soldiers, and clothes on the bed.'

'I bought them for you today. If you don't like them they can go back to the shop and you can choose something else.'

'They're for me?' The boy's eyes widened.

'They're yours, Heinrich, if you want them.' Wolf glanced at Martha. Clearly the boy wasn't used to presents.

'Thank you.' Heinrich clicked his heels and bowed.

'You don't have to do that.' Wolf stopped himself from saying 'I'm your father' again. 'This is your home now. I know it must be hard, leaving Lichtenhagen and everyone you know except Aunt Martha and coming to live with me and your uncle in a strange house.'

153

'This house isn't strange, I've visited Uncle Martin and Aunt Ludwiga lots of times. Haven't I, Auntie Martha?'

'You have. Now I've seen your room and your new toys and clothes I'll go downstairs and help Minna lay the table for coffee and some of that apple cake we brought with us. See you both downstairs in five minutes.'

'Thank you, Auntie Martha.' Heinrich glanced up at Wolf from under his lashes.

Wolf hated asking the question but he had to know. 'Did you call Uncle Franz "Father"?'

'He tried to make me.'

'As I said yesterday, you can call me Papa if you like.'

'It's what Ralf, Felix, and Meta call Uncle Ralf.'

'It's up to you.'

'I'll call you Papa.'

'I didn't ask you yesterday, but thinking about it, I should have. Would you have preferred to have stayed with your mother in Lichtenhagen?'

'Auntie Martha said I should come here to live with you, and it wouldn't have been much fun in Lichtenhagen without Aunt Pippi, Ralf, and his brother and sister.'

Wolf noticed Heinrich had avoided mentioning his mother. 'You could have stayed if you'd wanted to.'

He shrugged his thin shoulders. 'I like this house and I like Uncle Martin, Aunt Ludwiga, Aunt Lotte, and my cousins, even though they're girls. And Auntie Martha is here. Did you know that Uncle Wilhelm and Uncle Paul live in an apartment in the garden?'

'Yes.'

'They're fun. They play ball with me. Uncle Wilhelm showed me his gun. Do you have a gun, Papa?'

A lump rose in Wolf's throat. It was the first time Heinrich had called him "Papa" without being prompted. He thought of the weapon he was carrying but he couldn't bear the thought of showing it to Heinrich. His son was young – innocent. He wanted to delay telling him about the cruel and violent side of life for as long as possible. 'I did have a gun before the Allies

154

captured me. They took it from me.'

'And Uncle Peter?'

'His too. We were in the same prisoner of war camp.'

'Was it horrible?'

'Not very, we had a warm place to sleep and food to eat.'

'But they took your guns away from you.' Heinrich sat on the bed and looked at the boxes of toys.

'You can open those if you like,' Wolf wanted to move on from the topic of prison camps.

'Can I set them out on that desk?'

'I think that would be a very good place for them.' Wolf carried the largest box over. He looked around. Ludwiga had succeeded in making the room comfortable, homely, and very much a boy's room, with plain blue curtains and bedcover, and prints of horses, dogs, and eighteenth-century soldiers on the walls. She'd also arranged some old books of his and Martin's on a bookcase beneath the window seat. He pulled one out. 'I remember reading this one about the Teutonic Knights when I was your age. There are stories in here about Helmut von Mau.'

'He was our ancestor?'

'So my father told me.' Wolf indicated the suit and shirt he'd bought for his son. 'Aunt Martha told me green was your favourite colour, but if you'd don't like them they can be changed. In fact we should go shopping on Monday anyway. You need more clothes than this one suit. Would you like to choose your own?'

Heinrich shrugged his shoulders again. He was showing a distinct lack of enthusiasm, but Wolf remembered that he hadn't like receiving clothes he had to say 'thank you' for at that age either.

'Aunt Martha told me your size, but it might be as well you try them on in case they need changing.'

Heinrich pulled his sweater over his head and unbuttoned his patched and threadbare shirt. He winced as he moved his arms. The bruises Wolf had noticed on his face and hands were only the visible ones. Both of Heini's arms were black and blue to his shoulder blades and there were ugly dark red marks on his

155

chest above his vest.

Heinrich saw Wolf looking at them and hung his head.

Wolf wanted to hug his son but sensed he'd withdraw. 'I'm your Papa, and I promise you, I won't allow anyone to hurt you when I'm close by and I will never, ever, hit you.'

'Not even when I'm naughty?'

His blue eyes looked enormous. If Franz had been in the room Wolf would have punched him to a pulp. Just as he had a British soldier who'd knocked Peter down after they'd been captured. It had cost him a beating but it had been worth it.

'That's not to say I won't tell you off if you're naughty, but words don't leave marks like these. Would you like to go to the zoo tomorrow after church?'

Heinrich shrugged again.

'We'll see what the others want to do, shall we?'

'If these clothes are for me, shall I put them away if they fit?'

'That would be good. I have to go out tonight to see my lawyer but I'll be back in the morning and we'll spend tomorrow together.'

'You won't be sleeping here?'

'Not tonight, no. But Martha and your Uncle Martin and Aunt Ludwiga will.'

'I thought you'd be staying here.'

'I will, very soon.' Wolf hoped he wasn't misleading his son. 'But it costs money to live and I have to find a job. How about you leave the new things on your bed for the moment and we go downstairs and get coffee and cake?'

'I suppose so.'

A cry downstairs sent Wolf running to the door. He looked down the stairs. Lotte was standing in the hall holding the telephone.

'Dedleff Gluck has been murdered. I must go to Lilli.'

Carriage House, Engels' Brewery, Hoker Strasse, Konigsberg, Saturday January 11th 1919

Helmut jerked into consciousness. Disorientated, he stared at the unfamiliar surroundings before the unaccustomed warmth and smell of food prompted his memory. He smiled. Who would have thought Dolf Engels would turn out to be his saviour?

The couch was comfortable but his skin was itching. Much as hated the thought of leaving the office he needed to wash. He reluctantly threw back the rug and left the sofa. He'd visited the lavatory when he and Dolf had arrived. It was at the opposite end of the building, clean, but basic with bare concrete floor and walls. It had also been freezing cold.

He rummaged in his kit bag for his soap and razor and opened the door. The air outside the office was bitter. Draping the rug around his shoulders like a shawl, he picked up the lamp and stepped into the carriage house.

The lamplight cast eerie shadows that jumped out at him as he walked the length of the building. He was glad when he was able to thrust the bolt across the inside of the washroom door. He set the lamp on the floor, used the toilet, immersed his hands in water that felt as though it held needle-sharp shards of ice and tried – and failed – to rub his soap to lather. He decided to take Dolf's advice and boil a kettle so he could wash and shave in warm water. He couldn't wait to return to the office. He couldn't be that dirty after cleaning himself up in the station earlier that day. Perhaps he could wait until morning ...

He left the washroom. The office light shone; a beacon at the far end of a darkened hall populated by threatening silhouettes. They loomed around and over him, assuming monstrous shapes as he rushed back to the warmth. Misjudging a distance he collided painfully with a waggon wheel. He heard a sound. A new one he didn't recognise.

Hairs prickled on the back of his neck. He called out.

'Who's there?'

His voice wavered. He quickened his step and ran into the office. He took a deep breath and slammed the door behind him.

Something pressed against his neck. He tumbled headlong into darkness.

CHAPTER NINETEEN

Von Mau house, Gebaur Strasse, Konigsberg, Saturday January 11th 1919

'I'm going through my officers' reports now.' Georg Hafen's clipped tones echoed down the telephone line from police headquarters to Wolf in Martin's study. 'They called at Herr Engels' house this evening and interviewed Dolf. He'd been out all day on the brewery delivery waggon and had settled in for the evening with his parents. He has no intention of going out again.'

'I thought Engels' outburst against Norde was worth mentioning.'

'It was. Thank you, but given these murders my last concern is Paragraph 175 of the penal code. Provided no force is used, I couldn't give a damn what homosexuals do in private. Never have and never will, but as I can be asked to produce my notebook at any time by a superior officer I haven't documented your information. I trust you to remember that if it becomes relevant in any way?'

'I will,' Wolf assured him.

'Lilli told me you're moving into the Richters' tonight?'

'After I've seen my lawyer.'

'You'll be there before midnight?'

'Yes.'

'You're sure?'

'My sister and sister-in-law are paying a condolence visit to Lilli Richter. I'll go with them and leave them there while I visit my lawyer. Martin's coachman will pick me up from Johanna Behn's on his way to fetch them.'

'You'll watch the Richters' front door from the inside?'

'You don't have to tell me to do something twice, sir.'

'Meet me tomorrow morning in the Green Stork at nine.' Georg ended the call.

Carriage House, Engels' Brewery, Hoker Strasse, Konigsberg, Saturday January 11th 1919

Helmut dreamed he was lying in a snow-filled trench. The drift closed around him, freezing his blood and icing his skin. Agonising pains shot up his legs and arms. He lurched awake, his back arched and his entire body locked in painful spasm.

A lamp flickered somewhere behind his head sending the shadows dancing. The air was foul and rancid with the stench of low-grade oil. He tried to move his arms and realised they'd been lashed to something hard and unyielding. The entire weight of his body was supported by bonds that bit into his wrists and ankles. He twisted his head. It felt strangely heavy. He saw wooden railings and realised he'd been suspended on a barrel cradle on the back of a brewery waggon.

His limbs burned from the sting of ropes and the weight of his body. His neck hurt from the strain of supporting his head. He weakened and it jerked painfully backwards.

Figures moved around him shrouded in black hooded cloaks that concealed their faces. One was holding something long. It shone, reflecting light.

'Shall we begin?'

The language was German but heavily accented.

The glittering blade plunged downwards. Pain escalated until it was unbearable. Helmut thrashed as warm liquid cascaded down his groin, on to the inside of his thigh.

A door opened. Footsteps resounded. He sensed eyes staring, studying him.

'He's not the one.'

It was the last thing he heard.

'Isn't your brother coming in?' Johanna asked when she opened the door to Wolf and saw Martin's carriage turn the corner of the street.

'He isn't in the carriage. I just accompanied Ludwiga and Lotte to the Richters' to offer my condolences. Lilli Richter's husband ...'

'Was found murdered this morning, I heard.' Johanna frowned. 'Thank you for coming. My private apartment's on the first floor,' She led the way through the vestibule, past the doors that led to the offices and into a vast wood-panelled hall decorated with hundreds of deer and elk antlers. A circular carved staircase adorned with medieval figures led up to the first floor.

'I've admired this house since the first time my father brought me here to introduce me to the family lawyer. Before then, I thought Waldschloss was the oldest building in East Prussia. This house seems so much older.'

'Perhaps not so much older, as untouched,' Johanna qualified. 'My family never had the imagination to make improvements to the lifestyle of their parents and grandparents.'

Wolf ran his fingers over the contours of the banisters and looked out of a mullioned window at the ribbon of lights that followed the curve of the river bank. 'I'm glad they didn't. Perfection can't be improved upon.'

'That sounds like something my father would have said. He believed this house was the original farm and inn on the island: kneip – inn and farm – hof.'

'Was he right?'

'Who knows? There are enormous beer and wine barrels and benches and tables in the cellars. The house must have been built around them. Certainly it required more effort than any Behn, past or present, was prepared to make to remove them.'

'Do the barrels still contain beer and wine?' Wolf asked.

'I said my family were reluctant to instigate change, I didn't say they were saints. The barrels haven't retained a sniff of the original contents, probably because my forefathers licked them out. I remember that visit you made with your father. You had rats in your pockets.'

'They were my pets.'

'Peculiar pets. You were an annoying child. You looked disappointed when I told you I wasn't frightened of them.'

'I kept them to guard my bedroom. Lotte never went near there because she was terrified of rodents and knew I allowed them the run of the place. I hoped all girls were as squeamish.'

'You also had a catapult you used to shoot dried peas at my legs.'

'I apologise. I really was annoying, wasn't I?'

'You need to ask? But at that age I found all small boys disgusting. I took myself immensely seriously. A student in my final year in university, working as my father's clerk in the holidays, I believed I had a glittering career that included judge's robes ahead of me.'

'You've lost your ambition to become a judge?'

'It died when I was forced to accept that women will never be appointed to high office, legal or political. Your father must have known I was here that day because he brought my father a gift of cigars and me a bottle of cologne.'

'Sorry not to be more original.'

Wolf handed her a parcel after she opened a door on the landing and showed him into a large room that overlooked the river. The walls were hung with green, bronze and gold embroidered tapestries and ancient family portraits. The sofas and chairs were upholstered in dark brown hide. The dining table, chairs, bookcases, desk and coffee table were crafted from age-stained, dark wood. The impression was of solid wealth that hadn't changed in centuries. Little imagination was needed to conjure men and women sitting there in the same armour and crinolines they'd worn when their likenesses had been captured in oils.

Johanna unwrapped the cologne. 'You shouldn't have been so extravagant.'

'Thanks to you, I can afford to be extravagant.' Wolf walked through the French doors that opened on to a glazed balcony that extended the full width of the back of the building. A small table had been laid at the far end that overlooked Honey Bridge. The balcony was even warmer than the living room because it had its own tiled stove. Another set of doors opened back into the kitchen. Wolf went to the table. 'This view is wonderful.

'Isn't it? I eat here most nights.' Johanna lifted a cloth to reveal plates of cold meat, cheese, rustic bread, butter, herrings in sour cream, and winter salad.

'I haven't seen a table like that since before the war.'

'All traded for my services. I feel sorry for those who have nothing to barter.'

'It looks delicious. You shouldn't have gone to so much trouble on my account.'

'I didn't, my housekeeper did. Would you like to see to business or eat first?' she asked.

'Business, so we can relax while we eat.'

She poured two glasses of wine from a bottle that had been cooling in a basket outside the window, handed him one, and taking the bottle went to the desk in the living room.

'I hope not all those papers are relevant to the Lichtenhagen Estate.' Wolf eyed a daunting pile of files.

'They are, but not all of them require a signature. We – that's the Behn law firm on your behalf – lodged an appeal this morning against the court case your brother Franz instigated. This afternoon Gretel, or more likely Franz, as he was the one who insisted that Gretel was entitled to more than you left her, dropped the claim to the von Mau estate.'

'Just like that?'

'Just like that,' she reiterated. 'From your point of view it's perfect. There'll be no court costs and you won't be left with a large bill for my – or Gretel's – legal expenses.'

'I trust I wouldn't have had to pay Gretel's expenses.'

'Given that Gretel is legally your wife and responsibility until you're divorced that's arguable. I advise you to post a notice in the *Konigsberg Times* stating you won't honour any

163

debts other than those directly incurred by you.'

'Better still, post a notice stating I am not responsible for debts incurred by Franz or Gretel. If any of my other relatives are in trouble, I'd be happy to help them.'

'Your money won't last long if you do that.'

'Lotte's working, Martin's doing all right, and the twins have their college trust funds and Liesl her dowry– don't they?'

'They do, but that's not to say the twins and Liesl won't come to you for hand-outs when they finish studying.'

'I'll deal with that problem if it arises. You'll put that notice naming Gretel and Franz in the *Konigsberg Zeit*?'

'You're the client. I follow your instructions. I'll see it's done tomorrow. I spoke to Franz's lawyer about Franz and Gretel moving out of the castle and into the Post Office. Apparently they've decided to leave Lichtenhagen.'

'To go where?' Wolf wasn't sure why he was asking. 'The thought of his ex-wife and brother making a new life for themselves away from Konigsberg, him, and Heinrich was appealing.

'Perwilton.' Johanna named a village even closer to the city than Lichtenhagen.

'They're moving into Gretel's family home?' Wolf fished.

'Could be, given that Lars von Poldi has disappeared and Gretel's mother is living alone. I didn't ask, but it leaves you with an empty Post Office.'

'That's Gunther Jablonowski's problem. I'll telephone him tomorrow and ask him to find a tenant.'

'These,' Johanna pulled a sheaf of forms towards her, 'are the papers you asked me to draw up to reassign ownership of the Gebaur Strasse house to Martin, and apartments to your brothers and sisters. But I caution you, signing away this much income will make it difficult to balance the books on the von Mau estate.'

'I have Gunther to help me do that.' He took the pen she handed him.

'You seem more optimistic than you were this morning.'

He checked the document that transferred ownership of the

164

house in Gebaur Strasse to Martin before signing it. 'This morning I didn't realise I was home.'

'You do now?'

He looked at her. 'I do now.'

Police Headquarters, Konigsberg, Saturday January 11th 1919

Georg Hafen was in his office sifting through witness statements when the door burst open. Kriminalrat Adelbert Dorfman strode in.

'Working late, Hafen?'

'As you see.' Georg rose. There was a gleam in Dorfman's eye which he knew from experience boded ill.

'What do you have to say about these?' Dorfman flung a file on to the desk.

The file contained copies of the notes Lilli Richter had received and a list of the dates and times she'd received them. 'I would have thought they were self-evident, sir.'

'I'm in charge and you didn't see fit to show them to me?' Dorfman raged.

'You are in charge of the police, Kriminalrat Dorfman,' Georg acknowledged, 'but I am in charge of the investigation into the murders of three police officers.'

'You answer to me, yet you deliberately kept evidence from me.'

'Lilli Richter handed you the last note she received at the crime scene this morning. You gave it to me.'

'You should have told me it was important.'

'I wasn't aware of its importance until I read it. If you want an update on evidence you had but to ask.' Georg was finding it a strain to remain calm.

'I am your superior ...' Spittle ran down Dorfman's chin and he stopped to wipe it.

'May I ask who gave you these notes, sir?'

'An officer who knows where his loyalties lie. You ordered a watch on the Richters' house after the first note was delivered?'

'I did, sir.'

'The men reported they saw no one approach the Richters' front door when the last two notes were pushed into the letterbox?'

'That was their conclusion, sir.' Georg confirmed. He knew exactly who'd informed Dorfman about the watch. Shortage of manpower had forced him to place Kappel with Klein.

'Yet Lilli Gluck produced these notes. I demand to see the statements of the officers you ordered on watch last night.' Dorfman held out his hand.

'The only statements I took from the officers were verbal, sir.'

'You have no written record of what they saw?'

'They saw nothing, sir. I saw no point in making a written record of what they didn't see.'

'Are you being humorous?'

Georg strained to look impassive. 'Not intentionally, sir. I ordered the house watched, but it was dark. The officers could have missed someone moving in the shadow of the building.'

'A pathetic excuse, Hafen. Officers are trained to be vigilant even in the dark. These,' Dorfman rammed his finger on the file Georg had dropped back on his desk, 'are proof that Lilli Gluck had prior knowledge of all three murders. Why haven't you arrested her?'

Georg was mystified. 'For what?'

'The murders of Anton von Braunsch, Nils Dresdner, and Dedleff Gluck.'

'There's no evidence to link her to their murders, sir.'

'These notes coupled with circumstantial evidence prove her guilt. She discovered von Braunsch's body. She was at the scene of Dresdner's murder minutes after the police. She alerted you to her husband's murder this morning.'

'What possible motive could Lilli Richter have for killing three police officers?'

'It's common knowledge her husband beat her,' Dorfman snapped.

166

'Many husbands beat their wives. Few wives resort to murder.'

'Lilli Gluck assumed her father's position as editor of the *Konigsberg Zeit* after his stroke. A woman would never have been appointed editor if the Richter family hadn't owned the newspaper. I interviewed Gluck's colleagues who confirmed that when Dedleff Gluck returned from serving his country he found his wife changed. She refused to use her married name and had become overbearing, arrogant, self-willed, and too grand to fulfil her domestic duties.'

'Lilli Richter uses her father's name because she is the third generation Richter to edit the *Konigsberg Zeit*. As for domestic duties, she employs a housekeeper –'

'When Gluck tried to keep her in check as any normal husband would,' Dorfman continued as if Hafen hadn't spoken, 'she took exception to his chastisement.'

'Chastisement! I saw the result of Gluck's "chastisement". Gluck almost killed her. When the doctor examined her, he warned me she could die ...'

'The police doctor?' Dorfman interrupted.

'Dr von Mau.'

'Ah yes, Dr Martin von Mau. The doctor you called to attend Dresdner's corpse.'

'The doctor who was called out by the authorities, when Dr Feiner was unable to attend Dresdner to certify his death,' Georg clarified.

'I saw a request signed by you asking for von Mau to be considered for the position of police doctor.'

'Dr Feiner is unwell ...'

'He told you he is unwell?'

'He admitted as much the last time I saw him.'

'It is not within the remit of the kriminaldirektor to appoint a police surgeon.'

'I'm aware of that.'

'Then why send the request?'

'Because the report Dr von Mau gave me after attending Dresdner's corpse was the most comprehensive I've received from a police surgeon.'

'Your job, Hafen, is not to evaluate the reports of police surgeons but investigate crime and gather evidence that can be used to arrest criminals and prepare a case to put before the courts. Instead you are procrastinating, I suspect deliberately because Lilli Gluck is your goddaughter. As your superior I'm ordering you to prepare the necessary paperwork, take four officers, go to Munz Platz and arrest Lilli Gluck.'

'I have no evidence to link Lilli Richter with the murders.'

'Do you have the original notes?'

Georg retrieved them from his desk drawer and handed them to Dorfman.

The kriminalrat studied them. 'These notes are blood-stained.'

'It could be red ink or even if it's blood, it might not be human.'

'After seeing these notes you allowed Lilli Gluck to remain in her house? You didn't bring her in for questioning?'

'I have no evidence ...'

Dorfman cut in. 'It is clear to me that if anyone other than your goddaughter had received these notes, you'd have arrested them. They would be charged and in the cells right now awaiting trial. Go, arrest Lilli Gluck, Kriminaldirektor Hafen. Have her in the cells by midnight! That is an order.'

CHAPTER TWENTY

Behn's House, The Kneiphof, Konigsberg, Saturday January 11th 1919

'To the von Maus, Waldschloss, and the Lichtenhagen estate.' Johanna emptied the last of the bottle of wine between her own and Wolf's glass.

'To Johanna Behn, who saved the von Mau inheritance from my scheming wife and brother.' Wolf touched his glass to hers.

'Glad to be of service.' She pushed the plate of cold meats towards him.

'I couldn't eat another thing.'

'Not even a slice of plum tart with whipped cream?'

'You know the way to an old soldier's stomach.'

'Was the food that terrible in the army?'

'It might have been terrible but as it was inedible we had no way of knowing what it tasted like. We had excellent scavengers in our battalion so we didn't fare too badly when we were stood down from the trenches. Active service was another matter. We were supposed to get bread or field biscuit. In practice it was always twice-baked field biscuit, harder than house bricks, a spoonful of dried vegetables, and a couple of raw potatoes.'

She opened the window and brought in a fresh bottle of wine. 'No wonder you returning soldiers are so thin. Open this for me please while I clear the plates.' She handed him the bottle and corkscrew, closed the window, cleared their plates into the kitchen, and returned with the tart and a bowl of cream.

'I wish I'd had this meal before I volunteered. I could have dreamed about it. A perfect supper, good wine, beautiful moonlight view of the river, the company of an elegant, intelligent, female ...'

'Who loathes insincerity and flattery.' There wasn't a trace of a smile on Johanna's face.

Wolf changed the subject. 'Did you always want to be a lawyer?'

'No more than you wanted to take over Waldschloss and the Lichtenhagen estate.'

'How do you know I didn't want to take over the estate?'

'You don't recall telling my father on that first visit that you wanted to be a fisherman?'

Wolf laughed. 'That was our housekeeper Martha's brother Claus's influence. He calls himself a fisherman and lives in Rauschen, although the only fishing he's does is in holidaymakers' pockets, organising boat trips for them. We had some good times with him and his family when we were children.'

'You no longer want to be a fisherman?'

'I grew up. Duty kills ambition. Did you always want to be a lawyer?'

'No, a dancer. My parents were kind enough to keep my lack of talent and clumsiness secret until I was old enough to discover them for myself.'

'That's when you decided to study law?'

'That came later. When I was twelve, my mother and two brothers died of diphtheria. Johann – my eldest brother – was in his final year at the Albertina. My father expected him and my younger brother to join the Behn practice. When I saw how devastated my father was, not only by their loss but the thought of having no one to succeed him in the family firm, I resolved to do what I could to take their place.'

'I can't imagine you as anything other than a lawyer.'

'I'll take that as a compliment.' She cut a generous slice of tart and handed it to him along with the bowl of cream. 'Would you like coffee?'

'I'm enjoying this wine too much to adulterate it with coffee.' Wolf opened his pocket watch.

'You're leaving early?'

'Only if you throw me out.'

She sipped her wine. 'Why would I do that?'

'If you were bored with my company.'

'I'll let you know if that should happen. You've ordered a carriage?'

'My brother's coachman is picking me up around ten thirty so I can drive to the Richters' with him when he picks up Lotte and Ludwiga.'

She glanced at the clock on the wall. 'That gives us an hour and a half.'

'To sit and talk, because I really couldn't eat another morsel.' He spooned the last mouthful of plum tart and cream into his mouth.

'To admire the view from my bedroom balcony. This house is built on a promontory. Not only the back but also the side overlooks the river. There's a fine view of Lomse Island and the new synagogue from there.'

'I didn't realise.'

'You can't see the balconies from the front of the building.' She took her glass and left the table. 'Bring the wine.'

He picked up his glass and the fresh bottle he'd opened and followed her into a corridor. She opened a door on the left.

'The bathroom. My father's one concession to modernity in the house.' Johanna showed Wolf a modern, fully equipped bathroom with a sink, lavatory, and gas hot water heater above the bath. She continued to the end of the corridor and walked into an enormous bedroom dominated by a carved four-poster bed.

'That looks even more ancient than the ones in Waldschloss,' Wolf commented.

'I've never considered its age, probably because, like the house, it's always been there.' She switched on the overhead and bedside lamps.'

'Electric light? You said your father hated change.'

171

'I won a victory with the bathroom but felt I couldn't subject my father to any more upheaval. I didn't put electricity in until after he died.'

Wolf saw a book on the bedside table. 'You like Schiller?'

'You're familiar with him?'

' "Life is serious, art serene." '

'From Wallenstein.' She recognised the quote.

'Not all soldiers are barbarians. Most of us carried a book or two in our kit bags. Art is what separates us from the beasts. It's good to read before sleeping so the masters can infiltrate our dreams.'

'Did Schiller infiltrate yours?'

'Not often in the trenches.'

'But now you're home?'

Images came unbidden to his mind of his brother-in-law and the other two victims, filthy, mud-stained, battle-weary, arguing about nothing and everything as they all did after they'd been at the front for too long. He saw Johanna watching him. 'I've only been back a day and a night, although it seems longer.'

'The view.' She opened the French windows and walked through. After he joined her, she pulled the drapes behind them to shut out the light. As on the living room balcony, there were enormous windows that could be folded back in summer. It was also as warm, heated by its own stove.

They looked down at the lights that ribboned Honey Bridge and the Linden Strasse on the island of Lomse across the river. Lamps burned in the mullioned windows beneath the high dome of the New Synagogue and flickered in the prows of the moored boats.

'Beautiful and peaceful.' Wolf gazed up at a sliver of new moon surrounded by glittering stars.

'As you see from the comfortable chair, and well-placed lamp, this is where I read my Schiller before bed.'

' "Talent is formed in quiet retreat, character in the headlong rush of life." '

'You read Goethe as well as Schiller.' She moved towards him. Unbuttoning her dress she stepped out of it. She was naked apart from heeled slippers and black stockings fastened by silver garters. She held out her hand. 'Let's talk about that kiss you promised me?'

Astounded, he froze. She drew his jacket over his arms. It fell to the floor with a clatter.

'I hope that wasn't something breakable.'

He found his voice. 'Keys, tobacco tin ...'

Taking his hand she led him back into bedroom and folded back the bedcover. Her mouth closed over his, her hands unfastened the buttons on his flies.

'Johanna ...'

'It's time for silence and action – and before you go looking for the author of that quote, it was pure Johanna Behn.'

She helped him out of his clothes. Closing her hand over his erection, she examined his penis.

'You checking for disease?'

She pulled back the bedcovers and pushed him on to the bed. The mattress was soft, smooth. The linen crisp and clean, the pillows yielding.

Johanna stood over him for a moment. Her figure was that of a marble Juno. Broad-hipped and full-breasted, her nipples a deep rose against the pallor of her skin. She slipped in beside him.

'Don't look worried, Wolf. I'm not proposing marriage. Just sex. I happen to like it and I don't get enough.'

'I'm married.' He regretted the superfluous remark as soon as he made it. It was hardly as if he was trying to seduce her by keeping his marriage secret.

'Not for much longer.' Her hand slid between his thighs, cupping his testicles, engendering a response he could no more control than he could stop breathing. 'You're tense.' She moved over him, covering his body with her own.

'I have a strange woman in my bed.'

'You're in a strange woman's bed.'

Wolf had never considered himself sexually naïve until that moment. He'd seduced two older women – or rather they'd allowed him to seduce them – before he married Gretel. The

173

single aspect of his relationship with Gretel that had worked was sex because they couldn't quarrel when they were making love. Unfortunately, as he'd also discovered, it wasn't possible to make love continuously.

Love – had he ever really 'made love' to Gretel? Johanna had been right to use 'sex' rather than love. He didn't love Johanna – in a sense he'd only just met her – so love couldn't possibly be a factor in what they were sharing. But one thing he did know. He'd never felt more passionate, more stimulated, or so totally erotically involved.

He'd also never felt so manipulated. Johanna utilised muscles he'd never suspected women of possessing. Even when he lay beneath her, too exhausted to move, she persisted in enflaming, provoking, and ultimately arousing him until he was oblivious to everything except desire.

When Johanna eventually moved away from him, she reached out to her bedside table, lit two cigars and handed him one.

He took it and slumped on the pillows. 'Thank you.'

'For the cigar or the sex?'

'Both. I had no idea ...'

'What?'

He tried to be tactful. 'That either could be so good.'

'The cigars are good,' she drew on hers. 'But they should be. They're Cuban, imported by one of my clients.'

He looked into her eyes, dark, enigmatic in the subdued lighting. 'You astound me, Johanna Behn.'

'You're surprised a straight-laced spinster likes sex enough to make love like a whore? Admit it, Wolf Mau, you didn't even think of me as a woman until I climbed into bed with you.'

'I admit I never thought of you as a Venus.'

'To be compared to the Roman goddess of eroticism is flattering.' She turned on her stomach and set her cigar on an ashtray on the bedside cabinet. 'I like sex and have taken the trouble to study the responses it engenders in the human body. At the risk of sounding conceited I believe I'm fairly good at it.'

'I'd say expert.'

'There are so few pleasures open to a woman we owe it to ourselves to take advantage of those we can. Have I shocked you?'

'No.'

'Not even a little?' she probed.

'What we shared might not come into the category of behaviour expected of a well-bred Prussian lady but it was fun.'

'In other words I behaved like a whore.'

'That I couldn't say.'

'Really?'

'I've never visited "a lady of the night", as the Pastor in Lichtenhagen used to euphemistically refer to them.'

'You must be about the only male student who went to the Albertina who didn't.'

'I only had time for two dalliances before I was engaged to Gretel.'

'You didn't wander afterwards?'

'I was naïve enough to believe in true love and "until death do us part".' He was angry with himself for allowing bitterness to taint his voice.

'In the trenches? You were away for five years.'

'I thought married men shouldn't risk getting the clap,' he used the army's slang for venereal disease without thinking. Johanna's astounding honesty had infected him. 'You checked me for signs?'

'A necessary precaution all women should take in this age of returning soldiers.'

'Contrary to what you might have heard, most soldiers, ranks and officers, were more concerned with survival than sex.'

She slipped her fingers between his legs. 'All the more reason to have fun now.'

He grabbed her hand and held it tight. 'How many men have you worn out with your insatiable demands, Fraulein Behn?'

'Didn't you see the bodies under the bed?

'Is that your doorbell?' He dropped his cigar on the ashtray on his side of the bed.

175

'I'm not expecting anyone.' She squinted at the hands on her bedside clock. 'It's too early for your carriage.'

He left the bed and went to the chair where she'd thrown his clothes.

Johanna followed him. 'I'll look out of the hall window.'

'Be careful.'

'Are you worried about me, or the caller?'

'The caller if he's male. One look at you like that might be enough to give him a heart attack.'

She lifted a robe from a hook on the back of the door, left, and returned a few minutes later.

'There's a police carriage outside my door.'

CHAPTER TWENTY-ONE

Behn's House, The Kneiphof, Konigsberg, Saturday January 11th 1919

'I'll see what they want.' Wolf flung on his clothes as the bell sounded a second time.

Johanna opened a small drawer in her dressing table and took out a key. 'There's a door at the back of the building. It opens into a hall that has a staircase leading directly to my kitchen.'

'Is that an invitation?'

'I wouldn't give you this if it wasn't.'

'You could mistake me for a burglar?'

'If a light's burning on the balcony outside the kitchen, I'd welcome a visitor. If it's not …'

'I'll stay away.'

'Don't feel obliged to visit just because we've shared a bed.'

'You'll see me again, Johanna. Just as soon as I've recovered my strength.' Wolf kissed her and ran down the stairs.

Konigsberg, Saturday January 11th 1919

Wolf stepped out of Behn's building and closed the door behind him. He tested it to make sure the lock had latched before walking to the police carriage. The door opened before he reached it. Steps clattered down, unrolled from inside by someone sitting too far back to be seen.

He approached. The blinds were down covering the windows.

'You took your time. The driver rang the bell five minutes ago.'

Wolf sat opposite Georg, lifted the steps, and closed the door.

Georg hit the roof and shouted, 'Munz Square.

'Did you enjoy your evening with Fraulein Behn?'

'We shared an excellent supper.'

Georg adjusted the oil lamp so the light fell on Wolf. 'Your shirt is unbuttoned and your waistcoat inside out.'

Wolf removed his coat, jacket and waistcoat. While he rearranged his clothes Georg brought him up to date on Dorfman's summation of the evidence, and warned him that the kriminalrat had taken control of the murder investigation. 'Dorfman is questioning everything I've done. I'm sorry, Mau, there's no way I'll be able to get you a salaried position.'

'Not a problem. Do you think Lilli Richter is implicated?'

'She had no motive to kill von Braunsch or Dresdner. She had plenty of reason to wish Gluck out of her life, but I've known her since the day she was born. I'd stake my life on her innocence. However, Dorfman's my superior and he's given me a direct order. If I want to keep my post I have to arrest Lilli. When I think of the impact that will have on her daughter and father ...'

'My sister and sister-in-law are spending the evening with Lilli. They could take her daughter and father to my brother's house?' Wolf suggested.

'Herr Richter's bedridden and can't be moved. I've arranged to meet Peter and Klein there. I'll order them to stay overnight. With luck the kriminalrat will see sense after he's talked to Lilli.'

'If he doesn't?'

'I'd prefer not to consider that possibility. You'll stay in the Richters'?'

'I will.'

'About the rent ...'

'It's already paid. Given the situation, money is the least of our worries.'

'Thank you for that but I can reimburse you.'

'We'll talk about it later. Thanks to my brother, Martin, and the family lawyer I'm better off than most returning soldiers. Have your men tracked down all the surviving officers from the battalion?'

'With the exception of Helmut Norde. I've arranged protection for every one, except him and you – and before you ask, Peter won't be working alone until we've tracked down the murderer.'

'I'm glad to hear you've delegated someone to watch Peter but I can look after myself.'

'I'd rather you left it to us. I'll pick you up from the Richters' tomorrow morning at seven. I've arranged for the surviving officers from the regiment to breakfast in the Green Stork. I'm hoping when my men interview them they'll come up with information that will help break this case.'

'I can get a tram …'

'Please don't. The discovery of another corpse in the city wouldn't look good for the police.'

'What about Lilli Richter? She'll need a lawyer.'

'I telephoned Rudi Momberg before I left headquarters. He's the best defence lawyer I know. He's agreed to represent Lilli and meet us when we get in.' Georg glanced out of the window when the carriage slowed. 'Munz Square. I should have resigned before agreeing to this.'

'And given Dorfman the pleasure of arresting Lilli and having everything his own way?' Wolf challenged. 'You're still working on the case, aren't you?'

'Under the direction of the kriminalrat and I have to report to him every day.'

'What time?'

'Six o'clock.'

'A lot can happen before tomorrow evening, Kriminaldirektor.'

Richters' House, Munz Platz, Konigsberg, Saturday January 11th 1919

Ludwiga took control of the situation just as she'd done when Wolf and Peter had turned up unannounced in Gebaur Strasse. She closed all the doors in Lilli's father's apartment after checking that he and Lilli's daughter, Amalia were sleeping. Leaving Sister Luke to care for Herr Richter and watch Amalia, she sent Bertha, Lotte and Lilli up to Lilli's apartment to help Lilli pack an overnight bag.

Drawing Georg from Herr Richter's apartment lest they be overheard she talked to him in the hall.

'I'm a nurse ...'

'I know who you are, Frau von Mau,' Georg said.

'Lilli's in a state of shock. Clinical shock,' she emphasised, 'after being told of her husband's murder.'

'I can see that.'

'She doesn't know what she's doing or what she's saying. She's simply not fit to be questioned by police officials. No one in their right mind would believe she's responsible for her husband or Anton or that other man's death.'

'You're right, Frau von Mau,' Georg agreed, 'which is why I've no intention of leaving her. I've arranged for her to be represented by a lawyer.'

'Which will cost a fortune Lilli doesn't have.'

'That can be sorted later, Ludwiga,' Wolf said. 'As you say, no one with sense would believe the charges against Fraulein Richter.'

Georg looked at his watch. 'I dare not delay. The kriminalrat is watching my every move.'

'I'll hurry them up.' Wolf ran up the stairs.

Lilli and Lotte were standing in the doorway of Lilli's apartment locked in one another's arms, kissing. Wolf had seen kisses as passionate, but never between two women.

Lotte saw him and extricated herself from Lilli's arms.

'Wolf ...'

'When this ridiculous charge is dropped it might be as well if you and the girls move in here, Lotte.' He smiled at Lilli. 'Don't worry, she can pay the rent.' He drew Lilli aside and whispered. 'Whatever else you do in police headquarters, don't be heroic or make any confessions. I know your husband wasn't killed by whoever killed the other two ...'

'I killed Dedleff Gluck and I'm not sorry. Lilli couldn't even stand upright when I did for him.' Bertha carried a tapestry travelling bag out of Lilli's apartment.

Wolf held his finger before his lips. 'Keep your voice down. I don't care who killed Gluck, you, Ernst, or Lilli. Given the batterings Gluck meted out to Lilli, whoever did it, saved Lilli's life, but keep your confessions to yourself. Both of you,' Wolf advised, looking to Lilli as well as Bertha. 'The least said, the less likely any official will regard his Gluck's death as different from the others.'

'How did you find out his death was different?' Bertha demanded.

'A set of very clean walking sticks and a different arrangement of the corpse.'

'Does Uncle Georg know?' Lilli asked.

'He's not a fool.'

'Why are you covering for me, Herr von Mau, and it was me ...'

'It was not,' Bertha contradicted Lilli. 'When Lilli returned from Koggen Strasse Gluck was hammering on her father's apartment door loud enough to wake the dead. He woke after she left the house and came downstairs looking for her. He heard her open the front door, and hit her the moment she came in. I was inside Herr Richter's apartment. I heard Lilli scream. I couldn't stand it any more. I told Ernst to close and bolt the apartment door behind me and came out into the hall. I saw Gluck laying into Lilli, reached for a stick, and brought it down on his head. He fell and I brought it down on him again. I may have hit him a few times but I had to stop him thrashing Lilli. I didn't mean to kill him but I won't be shedding any tears for the

181

beast –'

Wolf heard a noise downstairs. 'I said no confessions,' he interrupted. 'You don't have to explain your actions to me. Any of you. I knew Gluck and what he was capable of. Remember, Fraulein Richter, not a word unless your lawyer is present.' He took Lilli's bag from Bertha. 'Give my sister and Lilli a few minutes' peace to say goodbye.'

Bertha followed him down the stairs. When they reached the next floor, Wolf whispered, 'Just one thing. Police have been watching the house. How did you get Gluck's body into the inn?'

'We had help, Herr von Mau.'

'From Ernst's coal man brother, Fritz Nagel?'

'How did ...' Realising she'd said too much Bertha fell silent.

'Brilliant, while the police watched a delivery being made into the cellar they didn't notice sacks being loaded on to the cart. Remind me never to cross you, Bertha. It is Bertha, isn't it?'

'Frau Friedmann to you, Herr von Mau. And it's not the fault of the coal man. He only did what I asked him.'

'Dispose of the body?' Wolf guessed.

'It was my idea to turn to him for help. If Ernst and I had carried the body through the streets we would have attracted notice. We carried Gluck into the cellar porch, and left him there while Ernst telephoned his brother. The two of them loaded Gluck on to the cart and hid him under the coal sacks. They intended to dump him in the river but Ernst's brother had promised to make an early coal delivery to the hotel in Koggen Strasse. When they arrived the day receptionist was busy in the breakfast room. Ernst noticed the front door was open, the key to Room Two was on the hook. Ernst had read about the other murders ...'

'And decided to add one more to the tally.'

'He said he hated mutilating Gluck ...'

'Enough details, Bertha. The subject is now closed. For ever. Anyone asks you any questions, refer them to me.' Wolf took

Lilli's bag from Bertha, ran down the last flight of steps, and handed it to Georg when they reached the hall.

Lilli followed them down with Lotte a few minutes later. Ludwiga hugged Lilli after helping her on with her coat. 'You'll be home before morning,' she reassured her.

'You'll stay with Lotte to look after Amalia and help Sister Luke with my father if he needs to be turned in the night?' Lilli pleaded.

'I'll take care of Amalia and your father as much as Sister Luke and Bertha will allow me too,' Ludwiga promised.

'Your husband ...'

'Martin isn't helpless,' Ludwiga glanced at Wolf. 'Besides, Wolf has brought Martha down from Lichtenhagen. She'll see everyone behaves themselves in Gebaur Strasse.'

'I'll go into the office first thing, Lilli,' Lotte volunteered, 'although I'm not sure how much I can do without you.'

'Use all the fillers you find in the filing cabinet and try to get the paper out,' Lilli begged.

Desolate, Lotte looked helplessly at Lilli.

Georg opened the front door. An icy draught blasted in but given the tears in the women's eyes he saw no sense in prolonging their goodbyes.

Georg drew Peter out of earshot of the others in the hall. 'You'll stay awake, keep an eye on the letterbox and ensure the safety of everyone in the house.'

'Yes, sir. You can rely on Klein and me to keep the house and its inmates secure.' Peter looked around the marbled hall. Given the temperature, he suspected he and Klein were in for a cold night.

'If another communication should be delivered ...'

'I'll telephone headquarters right away, sir,' Peter assured Georg.

Georg tapped Lilli's shoulder, extricated her from Lotte's arms and escorted her out.

Konigsberg, Saturday January 11th 1919

Lilli huddled into her muffler and fur coat as she sat in the back of the police carriage alongside Georg.

'Remember ...' Georg began.

'It's all right, Uncle Georg,' she broke in. 'Wolf Mau warned me not to say a word unless my lawyer was present.'

'Did he?' ·

Lilli looked at him. 'You both know what happened. Please don't pretend.'

'What I do know is a killer murdered three not two police officers in the last eight days. Remember that at all times.'

They sped past the elegant six-storey apartment blocks that lined Vorderrossgarten. The driver slowed before turning the horses right into Kirchen Strasse where the buildings were older, more ornate, with castellated embellishments that cut black silhouettes in the skyline. They turned right again in Wilhelm Strasse and a sharp left into the courtyard that fronted Police Headquarters.

The complex was massive and forbidding, enclosed on five sides by six-storey buildings and accessed by three sets of high gates. At that time of night only the central gates were open. They were manned and the duty officers checked the interior and roof of their carriage as well as Georg's papers before waving them through.

Lilli wondered if the architect had deliberately designed the building to look grim in the hope that it would strike fear into every citizen, innocent or guilty.

'I'll stay with you.' Georg reached inside her muff and gave her hand a reassuring squeeze.

'Not at the risk of losing your job, Uncle Georg. You have to obey the kriminalrat.'

'Answer his questions as honestly as you can. Rudi Momberg will ensure you're treated fairly. If the kriminalrat shouts or tries to intimidate you, leave the protesting to Rudi.'

The driver stopped. Georg helped her out and they entered the building. Given the brick tiled walls, floors, high ceilings and barred windows Lilli found the interior of Police Headquarters as forbidding as the exterior.

An officer met them, keys rattling on his belt as he walked. 'The kriminalrat's waiting for you and your prisoner in interrogation room 2, Kriminaldirektor. Herr Momberg is with him.'

'I'll escort Fraulein Richter.' Georg gave Lilli an encouraging look before walking her down a corridor, up a flight of stairs and into a room furnished with a plain wooden table and four chairs.

Rudi Momberg was sitting at the table, a notebook and pencil in front of him. Dorfman was flanked by two junior officers, one whom Hafen recognised as Luther Kappel. All three were standing behind Momberg's chair.

'Frau Gluck, at last,' Dorfman said when she walked in. 'Hafen, you may leave.'

'I promised Fraulein Richter ...'

'Frau Gluck,' Dorfman corrected.

'Frau Gluck I would stay with her,' Georg protested.

'You are her godfather?'

Georg couldn't deny it. 'Yes.'

'You have a choice, kriminaldirektor. Either leave this room or risk suspension and dismissal.'

'I'll be fine, Uncle Georg. Thank you for bringing me this far.'

Georg had never been prouder or more afraid for Lilli.

Dorfman stared at Georg. Reluctantly the kriminaldirektor went to the door.

'Kappel, the charge?' Dorfman prompted.

Kappel cleared his throat, held up a sheet of paper and began reading. 'Lilli Gluck, you are charged with the murders of Anton von Braunsch, Nils Dresdner, and Dedleff Gluck ...'

Georg turned back from the door to see Lilli waver and grip the back of a chair.

'Frau Gluck, allow me to help you.' Rudi pulled out the chair next to his and assisted Lilli on to it. 'Given the late hour, Kriminalrat, please allow my client time to become accustomed to the surroundings. And bring some tea – for both of us.' When he was sure Dorfman wasn't watching, Rudi winked at Georg.

Richters' House, Munz Platz, Konigsberg, early hours of Sunday morning January 12th 1919

Peter was sitting on the floor of the outer hall of the Richters' with his back to the wall and his legs extended in front of him. He'd wrapped himself in three of the rugs Bertha had given him, Klein, and Wolf, but he was still shivering. So much so, he was loath to move his hand out of the nest of blankets to turn the pages of the book he'd borrowed from the parlour. A German translation of Dumas's *The Three Musketeers*.

He stared at the page he'd read and realised he hadn't absorbed a word. Then he realised the book was loose in his hands and he suspected he'd been sleeping. He glanced at Klein. He was slumped sideways, his eyes closed. So much for the vigilance the kriminaldirektor had asked for. He couldn't see any sign of Wolf or the blanket he'd borrowed.

He stretched his arms and rose awkwardly to his feet. His legs were numb. Ernst had invited him, Klein, and Wolf to use the bathroom in his flat. Needing the toilet, he climbed the stairs, wondering if Wolf was already up there.

Wolf watched Peter rise and walk up the stairs through the keyhole of the door that connected the Richters' hall with the passage that led into the newspaper offices. After Klein and Peter had fallen asleep he'd used the keys he'd borrowed from Ernst to open the cellar door as well as the connecting door to the offices. The keyholes of both gave a reasonable view of the hall, but only the keyhole in the door to the offices had an unobstructed view of the wire basket beneath the letter box.

He turned back to look at it. It remained resolutely empty.

He leaned against the door and rubbed his eyes. He heard a door opening followed by footsteps, and returned to the keyhole. It was blocked by something black. He couldn't see a glimmer of light emanating from the hall. Did someone suspect him of hiding behind the door? Had they blanked off the keyhole? Were they lying in wait for him to emerge?

Whatever blocked his view moved. He saw a figure and

heard a click as the door to the Richters' apartment closed.

He looked again at the wire basket that hung beneath the letter box. There was something in the basket? But the bell hadn't rung. Then he saw Peter's blankets abandoned in a pile on the floor and Klein sleeping. If it had rung, Klein would have woken.

He climbed to his feet. Fighting cramp in both legs he opened the connecting door, removed the paper and read it.

Eye for eye, tooth for tooth, hand for hand, foot for foot, burn for burn, wound for wound, stripe for stripe. For the wages of sin is death.

Brewer's yard Hoker Strasse. The sixth is third.

He shook Klein awake. 'Telephone the kriminaldirektor. Now!'

CHAPTER TWENTY-TWO

Police Headquarters, Konigsberg, early hours of Sunday January 12th 1919

'This,' Dorfman held up a file in front of Rudi and Lilli, 'contains all the evidence we need to convict you, Lilli Gluck, of the brutal murders and mutilation of three police officers. It would save time and trouble if you would confess, Frau Gluck.'

Lilli raised her eyes and stared unflinchingly at the kriminalrat. 'I've murdered no one.'

'Then how do you explain the appearance of these notes in your private residence?' Dorfman produced the original notes and laid them in front of her.

'Someone posted them through my letterbox.'

Dorfman opened another file and extracted a sheet of paper. 'This is the doctor's report on your husband's body. Dedleff Gluck was struck on the back of the head by a heavy object. What heavy object did you use?'

'I never struck my husband on the back of his head.'

'But you have struck your husband?'

Lilli tried to recollect all the fights she'd had with Dedleff since his return.

'I repeat. Mrs Gluck, have you ever struck your husband?'

'In self-defence.'

'On the head?'

'Not that I recall.'

'"Not that you recall".' He was caustic. 'But you did hit him?'

'In self-defence when he beat me.'

'Where exactly did you hit him?'

'Anywhere I could reach.'

'His arms?'

'Probably.'

'His chest?'

'Possibly?'

'His head?'

She thought for a moment. 'I have no memory of hitting Dedleff on the head.'

'Why the hesitation? Was it your habit to hit your husband so often that you can't remember where you hit him.'

'No.'

'How do you explain his head injury?'

'I can't, other than Dedleff was habitually drunk and frequently fell.' She continued to meet Dorfman's eye.

'You accused your husband of beating you?'

'Not accused, stated a fact, Kriminalrat Dorfman. Dedleff beat me. I have the bruises on my face and body to prove it.'

'Did you complain to anyone he beat you?'

'To Dedleff when he'd sobered enough to listen and remember what I said.'

'How do you explain that officers who worked with your husband were aware of rumours that he hit you?' Dorfman demanded.

'Anyone who saw me would have been known I'd been beaten.'

'Beaten, but not necessarily by your husband.'

'No one other than Dedleff was ever violent towards me.'

Dorfman made a show of looking at his notebook. 'You and your husband led separate lives, Frau Gluck?'

'We lived in the same apartment in my father's house.'

'Slept in the same bed?'

'Yes.'

'Even when your husband worked nights?'

'Dedleff only worked two nights before ... before his body was found.' She struggled to regain her equanimity. 'He worked

190

day shifts after his return from the army last November. At the end of every shift, he went to a bar, and usually didn't come home until after midnight, by which time he was drunk. Then he beat me.'

'So, Dedleff Gluck beat you every night, yet despite these beatings and your husband's drinking you both went to work every morning as if nothing had happened.'

Rudi laid a restraining hand on Lilli's arm. 'We've been patient long enough, Kriminalrat Dorfman. I fail to see the connection between Fraulein Richter's domestic arrangements and these murders.'

'It's simple, Herr Momberg. Dedleff Gluck returned from the war expecting to resume his married life. Instead he found a wife, who no longer wanted him. A wife who was having an affair ...'

'That's ridiculous,' Lilli broke in.

'You deny you were having an affair with another man?'

White-faced, tight-lipped, Lilli said. 'I do.'

'I can see we're in for a very long night, Frau Gluck, Herr Momberg.' Dorfman sat opposite Lilli.

'Please explain the relevance of your questioning, Kriminalrat Dorfman,' Rudi Momberg asked.

'Dedleff Gluck discovered that his wife had found consolation during his absence at the front. He confronted her. They argued. Occasionally, during these altercations Gluck lost his temper and chastised Lilli Gluck. She resented her husband's justifiable punishments and wished to return to the life she'd followed during his absence. So, she killed him.'

'I reject your description of my client's private life and unfounded allegation of an affair,' Momberg asserted. 'Do you possess any evidence connecting my client to these three murders?'

'All three victims were ex-soldiers, all returned from the war. Nils Dresdner was the first to reach the city in late October. He called on his friend's wife, Lilli Gluck, to assure her that her husband had survived. She seduced him ...'

'That's ridiculous. Nils Dresdner came to my house once.'

'You don't deny he called on you, Frau Gluck?' Dorfman countered.

'He called on my caretaker Ernst, not me,' Lilli insisted.

'Why?'

'I've no idea.'

'You expect us to believe that a strange man came to your home ...'

'Hardly a stranger to the people who live in my house,' she broke in. 'Nils Dresdner was a colleague of my husband's in the police before and after the war. He'd been in the same regiment as my husband and caretaker. He knew them both.'

'You saw Nils Dresdner?'

'We exchanged pleasantries. I passed him in the hall on my way to the office.'

'When was this?'

'I can't recall exactly. Two weeks, maybe more ago.'

'As there is a connecting door between the hall of your father's house and the *Konigsberg Zeit* office, your movements cannot be monitored or verified.'

'My grandfather had the door put in for convenience's sake, decades before I was born. As for monitoring my movements. I can't believe anyone would want to.'

'Really, Mrs Gluck?' The kriminalrat was sceptical. 'Now we come to Anton von Braunsch. You knew him?'

'Of course, I knew him.' Lilli saw the warning glance Rudi Momberg sent her way and made an effort to conceal her irritation. 'Anton von Braunsch is my assistant Lotte's husband.'

'Was her husband, Frau Gluck,' Dorfman corrected. 'You saw him socially?'

'In the company of his wife and brother and sister-in-law.'

'You deny you were having an affair with him?'

Lilli finally snapped. 'How many men do you think a woman who has a daughter, an invalid father, a house to care for, and works full-time can have an affair with, Kriminalrat?'

'I don't know, Frau Gluck. You tell me.' Dorfman opened the file that contained photographs of the mutilated corpses,

192

removed them, and spread them on the table.

'Kriminalrat Dorfman, I protest,' Rudi Momberg rose.

Dorfman ignored him. 'I want you to look at those photographs, Frau Gluck, and tell me if you can identify the men.'

Determined not to give Dorfman any cause to belittle her, Lilli picked up the first photograph. She stared at it until the image danced before her eyes. There was a buzzing in her ears. She fainted.

Hoker Strasse, Konigsberg, early hours of Sunday January 12th 1919

Peter opened his pocket watch and held it up to the light of oil lamp that hung from the roof of the carriage. 'Half past three.'

'The street is quiet.' Georg braced himself as the police sleigh skidded around the icy corner from Luther Strasse into Hoker Strasse.

'The brewery's in darkness.' Wolf scanned both sides of the street. 'Are you sure this isn't a fool's errand? My sister and sister-in-law ...'

'Are perfectly safe at the Richters'. We've been through this,' Tension was making Georg terse. 'I've left four armed and experienced officers with Klein.'

'Experienced officers you trust?' Wolf questioned.

'I trust Klein and he's senior. If Dorfman makes no progress questioning Lilli, escorts her home, hears about the note from Klein – who wouldn't dare lie to a superior – he could follow us here. If he arrives before we've had time to check whether the note's a hoax and discovers we've wasted time on a fool's errand, he'll be in an even worse temper than he is now.'

'I shouldn't have shown the note to Klein,' Peter muttered. 'If he hadn't seen it, he couldn't tell Dorfman about it.'

'If you hadn't, Dorfman could accuse me of hiding evidence from my officers.' Georg stepped out of the sleigh as soon as the driver stopped. He looked up and down the street.

Lamps burned, puncturing gold circles of light in thick black shadows, illuminating towering brick facades. Dark furrows sliced through the iced snow on the pavements and the street but the scene was static, still, devoid of life. A dog barked in the distance, causing all three men to start. Cats fought unseen on a rooftop above them. Georg took his gun from his holster. Peter followed suit and lifted one of the lanterns from the sleigh.

'Stay here,' Georg ordered the driver. He stepped up alongside Wolf. 'Your gun?' he whispered.

'My hand is on it.'

'You'll make a hole in your coat if you shoot through your pocket.'

Wolf removed his hand but kept the barrel pointed downwards.

Peter positioned himself to the left of the massive doors, opposite Georg who'd stationed himself on the right. Georg jerked his head.

Understanding the gesture, Peter moved behind the hinged side of a small door set in one of the larger ones. Georg stood alongside it, reached out and lifted the latch. The door swung open into the carriage house.

'Police! Is anyone there?' Georg called.

A horse whinnied.

'We're armed. If anyone is there, speak now.'

They picked up the scraping of horseshoes over stone.

Peter lifted the lantern behind Georg's head. Holding his gun in front of him, Georg entered.

Wolf walked behind Georg, alongside Peter. He looked for electric lights and saw none, but there was an array of oil lamps and Lucifers on a shelf behind the door. He struck a match and lit two of the lamps. He handed one to Georg and kept the other.

'Light ahead,' Peter called.

'Stay together,' Georg ordered, 'move slowly, eyes right, front and left.'

Peter continued to hold the lamp high as they inched forward down the length of the building towards the source of the light.

'You could hide an army behind these carts,' Peter said when Wolf side-stepped to check the surrounding area.

'Anything?' Georg asked.

Wolf lowered the lamp and looked beneath the axles. 'Nothing obvious, sir.'

'Peter?'

'Nothing, sir.' Peter moved back behind Georg.

Georg inched forward, Wolf and Peter trailing behind, swinging their lamps wide to illuminate the areas right and left of the walkway between the brewery waggons.

'This place is even colder than outside,' Georg pulled his muffler high, covering his mouth. He stopped in front of the office, swung the door wide and checked inside. When he was certain it was empty he waved Peter forward.

Peter disappeared inside. Wolf drew closer to Georg.

'Did you hear that?' Georg whispered.

'Metal striking metal? Horse's tack, harness, or bridle?' Wolf suggested. He and Georg stood stock still straining their ears.

'A creak. Wood on wood? Or a moan?' Georg's features were sharp, his cheeks hollow in the subdued light.

'Over there.' Wolf pointed to the back corner of the building.

Side by side, halting every few steps to glance around and behind them, they moved forward.

Peter shouted from the office doorway. 'I've found something, sir.'

Wolf looked to Georg.

'We'll check it then search the corner.'

Wolf felt relieved.

CHAPTER TWENTY-THREE

Carriage House, Engels' Brewery, Hoker Strasse, Konigsberg, early hours of Sunday January 12th 1919

'It's Helmut Norde's kitbag, sir.' Peter held it up.

'How do you know?' Georg questioned.

'Name tag's inside.'

'Check the contents.'

'There's a military issue wash kit on the floor.' Wolf picked up the battered tin and opened it. 'The soap's damp.'

'Helmut must have been here.' Peter tipped the bag out on the sofa.

'Or someone stole the bag.' Wolf watched Peter rummage through Helmut's belongings.

'Laundry bag is full, sir.' Peter turned to Georg. 'Do you want me to look inside?'

Georg could tell from Peter's tone he was reluctant to sort through soiled clothes. 'Check everything else first.'

'A clean shirt and socks wrapped in brown paper. The newspapers you were reading on the train, Wolf. For all Helmut's mocking he must have decided they were useful. An army blanket in need of a wash. A book in an American cloth waterproof bag.' Peter opened it. 'It's a Bible, containing a photograph of a man and woman in what was probably the height of rural village Sunday best twenty years ago.'

Wolf glanced over Peter's shoulder. 'They could be Helmut's parents.'

'I suppose he must have had a mother and father. Whether or

not they loved him is another matter.'

'The contents of the kit bag, Plewe,' Georg reprimanded.

'One housewife sewing kit.' Peter opened the small cloth book. 'Needles, thread.' He unbuttoned a cloth pocket at the back, 'Spare buttons, small scissors, and last of all,' he held up a tiny battered wooden teddy bear, 'a toy.'

'I've seen Helmut slip that into his battledress pocket before an advance.' Wolf commented.

'A good luck charm?' Georg queried.

'Helmut's mother died when he was a child. That bear probably had sentimental value. Most of us carried a talisman. Peter's was a key ring with a locket that held photographs of Pippi and his boys.'

'And you?' Georg asked.

'My father's pipe.'

Georg eyed the items Peter had laid out on the desk. 'Helmut travelled light.'

'All POWs did. What little we had in our pockets when we were captured, the Allies took the first time they searched us. Especially valuable items like watches, cigarette cases – and wallets,' Wolf added.

'What the hell ...' Peter backed instinctively into a corner.

Georg peered through the door into the gloom of the carriage house. 'That's what Mau and I heard earlier. If the phone on the desk is working, Peter, contact Headquarters and ask them to send down as many men as they can spare. Wolf, come with me and keep your gun in your hand.'

Police headquarters, Early hours of Sunday morning January 12th 1919

Although Lilli regained consciousness within a few minutes of fainting, Rudi Momberg insisted Dorfman summon a doctor. Dr Feiner had proved "unavailable" – yet again – so Martin von Mau had been substituted, infuriating Dorfman even more.

The first thing Martin did was turf Dorfman, his officers, and Rudi Momberg out of the interview room so he could examine Lilli in private. Finding her clinically shocked; exhausted and disorientated he laid her on a wooden bench, wrapped her in her coat and sedated her. He didn't leave her until he was certain she was asleep.

Dorfman pounced on Martin the moment he emerged from the interview room.

'I need to resume questioning my suspect, Dr von Mau.'

Martin returned his stethoscope to his doctor's bag. 'Impossible for at least twenty-four hours, probably longer, and then only under medical supervision.'

'That's ludicrous.' Dorfman went to the door of the interview room.

Martin blocked his path. 'Fraulein Richter is sleeping.'

'Then wake her.'

'I've sedated her.'

'I didn't give you permission to sedate her.' Dorfman's colour mounted.

'I don't need your permission to care for my patient, Kriminalrat Dorfman.'

'You don't appreciate the seriousness of this situation, Dr von Mau. Lilli Gluck is charged with multiple murders ...'

Martin dared interrupt him. 'Lilli Richter is in a state of shock after being told of her husband's murder, Kriminalrat.'

'Being informed of her husband's murder could hardly come as a surprise when she is his killer,' Dorfman snapped.

'You're certain of that, Kriminalrat?'

'I am.' Dorfman was resolute.

'You have absolute incontrovertible proof that Lilli Richter killed her husband?'

'I will, as soon as I resume questioning her. It's obvious she feigned a faint to avoid facing facts that would have forced a full confession. It can only be a matter of time.'

'Lilli Richter fainted because she is mentally and physically exhausted. She must be taken to a hospital so she can rest under medical supervision.'

'She's in custody.' Dorfman was obdurate.

'You can't imprison a sick woman.'

'The only place for a murder suspect of either sex is the cells.'

'No woman – or man – in Lilli Richter's condition would be considered medically fit to be placed in the cells.' Martin continued to block Dorfman's access to the door of the interview room.

'I'm in command of police headquarters, Dr von Mau. Lilli Gluck is *my* prisoner. She's devious, dangerous, the chief and only suspect in three linked murders. It's imperative she be detained to ensure the safety of the people in this city. She *is* going to the cells.'

'In which case I demand I be allowed to exercise my right as her medical advisor.'

'Which is?'

'To remain with her.' Martin drew himself up to his full height which was several inches shorter than his twin – and Dorfman. 'If Lilli Richter isn't allowed to rest, I will not answer for the consequences to her health.'

'It's vital I question her. And for that she needs to be awake.'

'That will not be possible without denying Lilli Richter the medical attention she requires.'

'I have not denied Lilli *Gluck*,' Dorfman emphasised her surname, 'medical attention. You are here.'

'And requesting that I be allowed to remain with my patient.'

Irritated by the impasse, Dorfman turned his back to Martin. 'I am sending Lilli Gluck to the cells. If you insist on staying with her, feel free to accompany her, Dr von Mau. But you, like her, will be locked behind bars.'

'You're sending Lilli Richter to the cells in direct contravention of my advice?'

'Which is?'

'That she be admitted to hospital.'

Dorfman glanced at his watch. 'Mrs Gluck may rest in the cells for two hours. After that time she will be brought back here and I will resume questioning.'

'She will still be sleeping.'

'Two hours, Dr von Mau, not a minute longer. Asleep or awake, I will resume the interrogation. Take them to the cells,' Dorfman shouted to the constables as he swept from the corridor.

Carriage House, Engels' Brewery, Hoker Strasse, Konigsberg, early hours of Sunday January 12th 1919

Georg peered into the dense shadows outside the flickering circle of lamplight. 'Can you see anything?'

'No more than you can.' Wolf stifled the urge to laugh. He found it ludicrous that Georg was whispering after shouting warnings of 'Police!' when they'd entered the building.

'Something's moving in that cart.'

Keeping his back to the side of a brewery waggon for protection, Wolf crept forward. He lifted his oil lamp. An enormous rat was sitting on its haunches in front of him. It stared back, mesmerized by the light. Behind it, three more were lapping beer dregs from the floor of the waggon.

'Drunk rats,' Wolf muttered.

'The back corner,' Georg prompted as another eerie groan echoed through the vast building.

'Too loud and deep to be a rat. A cat maybe?'

'That was no cat,' Georg declared.

'I've heard the wild cats in Lichtenhagen make some weird noises at night.'

'Really?'

'I'm certain the noises I heard were made by cats, not the werewolves and vampires the locals attributed them to.' Wolf froze. 'Did you see that?'

'Movement. Inside the cradle on the waggon at the end of the line on the left?'

The harsh rasping groan filled the air again, eerie, unnerving.

Georg shouted. 'Armed police. Who's there?'

When the only reply was an even louder groan, Georg

added, 'Show yourself!'

Wolf stole to the waggon. When he reached it he lifted his lamp on to the back.

A naked man was slung above the floor of the cart. His arms and legs were roped to the wooden rail that held barrels in place. Blood had run from a wound in his groin down to the floorboards where it had puddled and solidified to ice. Wolf climbed alongside the man. The floor creaked beneath his weight, the ropes rubbed against the wood 'groaning' in protest.

Wolf leaned over the man's head. It had been fastened into a similar grotesque branks to the ones he'd seen on the photographs of Dresdner and his brother-in-law. He placed his fingers on the side of the arched neck and detected a flicker of pulse.

'Dear Lord, not another ...' Georg reached the back of the cart.

'He's alive. Send for a doctor.' Wolf steadied the victim. His neck was tipped back at a precarious angle, weighed down by the branks. Keeping his grip on the man's head, Wolf slid beneath him, supporting the man's weight with his own body before pulling a knife from his boot and cutting through the ropes that bound the victim's arms and legs. Only when he was certain the man would fall on him did Wolf lower him, first on to his own body then the floor of the waggon.

The man was ice cold. Wolf looked around for something to cover him. Seeing nothing, he removed his own coat and laid it over him. He was examining the wound in the victim's groin when Georg returned.

'Peter's phoning for a doctor. How is he?'

'Unconscious. He has a deep wound alongside his penis. It looks as though someone started to sever it then stopped. He's lost a lot of blood. We need to get this bridle off.'

Georg clambered on to the driver's seat and from there into the back of the cart. He pulled out his lock pick and set to work.

Lamp in one hand, gun in the other Peter ran up. 'The telephone operator is contacting a doctor. Can I help?'

'Bring me that sewing kit of Helmut's, a bowl of water, the

202

clean shirt and a blanket.' Wolf exerted pressure on the severed blood vessels in the wound.

'I didn't know you were a doctor as well as your brother.' Georg fought with the rusty lock.

'On the Western Front, every soldier had to be a doctor.'

Careful not to move the man more than necessary Georg sprang the lock and unstrapped the mask from the head.

'He would have bled to death if it wasn't so cold.' Wolf looked at the still white face. 'Helmut Norde.'

'Which explains the kit bag in the office and why my men weren't able to find him,' Georg declared.

'It doesn't explain why whoever's doing this began to mutilate him then left him alive.'

'Try to keep him that way, Mau. Live men can talk. I hope he can identify whoever did this.'

'Not the one ...'

'What did he say?' Georg asked.

'He's not the one,' Helmut murmured, 'not the one ...'

CHAPTER TWENTY-FOUR

Carriage House, Engels' Brewery, Hoker Strasse, Konigsberg, early hours of Sunday January 12th 1919

Unable to rouse Dr Feiner or contact Martin, the hospital dispatched a final-year student, Aloysius Katz, to answer the police call. Georg left him with Wolf, returned to the office and sent Peter to wake the Engels. Only then did he telephone Headquarters and ask for Dorfman.

A voice he recognised as Kappel's announced, 'Kriminaldirektor Hafen is on the telephone for you, Kriminalrat.'

'I'm on my way to the cells. Tell him to call back.' Georg heard footsteps. They stopped. Dorfman's voice broke in from a distance. 'Are you telling me the kriminaldirektor is not in the building?'

'No, sir. He left some time ago, sir.'

'For where?'

'He didn't confide in me, sir.'

'Wait outside for orders.'

Georg heard more footsteps and a door close before the receiver was picked up. Dorfman's voice boomed down the line. 'Hafen?'

'Sir.'

'I didn't give you permission to leave the building.'

'I wasn't aware I needed your permission, sir.'

'You report to me. I am in authority ...'

'I am still investigating officer in the murders of our officers, sir,' Georg interrupted.

'Answerable to me ...'

'I received a call from Kriminalobersekretar Plewe. Another note was delivered to Lilli Richter's house in the early hours.'

Dorfman fell silent. When he next spoke, it was in more measured tones. 'A note like the others?'

'Apart from a few details in the content, identical, sir. Same phrasing, ink, handwriting, and paper.'

'When exactly was it delivered?'

Georg crossed his fingers. Something he'd begun to do as a child whenever he'd told a lie. 'Shortly before three o'clock, sir, shall I read it to you?' Georg didn't wait for Dorfman to answer.

'*Eye for eye, tooth for tooth, hand for hand, foot for foot, burn for burn, wound for wound, stripe for stripe. For the wages of sin is death. Brewer's yard, Hoker Strasse. The sixth is third.*

'As you see, sir, there's a suggestion of at least six victims.'

'I can count, Hafen. It is now forty-five minutes past four. If you received this note just after three o'clock ...'

'I didn't pick it up until twenty minutes past three, sir.' Georg was relieved that this time at least could be checked and verified with his police driver.

'Why didn't you deliver the note directly to me?'

'Because I thought it might be a hoax, sir.'

'You said the note was the same as the others.'

'It is, sir, but the paper, writing and ink are commonplace. I wanted to check the details before disturbing you. I knew you'd be questioning Lilli Richter.'

'That was my intention. The woman however, had other ideas. I take it you're in Hoker Strasse?'

'Yes, sir.'

'There's another body?'

'There's a victim, sir. He's injured but alive and unconscious. A doctor is in attendance.'

'I'm on my way.'

'The doctor will have moved the victim by the time you

reach here.'

'Keep him there until I've arrived, Kriminaldirektor. That's an order.' Dorfman ended the conversation.

Georg replaced the receiver. Peter knocked on the open door.

'Herr Engels and his son Dolf are here, sir.'

Georg suddenly felt drained. He couldn't remember the last time he'd slept. He wanted to close his eyes and allow his mind to go blank, not interview witnesses and suspects – or fence words with his superior. The stove was belching out heat, the office was warm. The sofa looked comfortable. There were even blankets ...

'Show them in, Plewe, then check the victim's condition. Alert me the moment he wakes.'

'Yes, sir.'

Georg realised from the way Peter walked that he was as tired as he felt.

'Kriminaldirektor, would you please tell me what's going on?'

'Herr Engels,' Georg shook the old man's hand before taking Dolf's. 'Please sit down. I'll answer your questions as soon as you've answered mine.'

'You're a doctor, sir?' the student asked Wolf.

'A soldier who's seen too many shattered bodies the past few years.' Wolf held the lamp while Katz packed and bandaged Helmut's wound.

'You stitched this man up better than any hospital sister.'

'Or doctor?' Peter joined them.

'Everyone in the hospital knows doctors can't compete with nurses when it comes to stitching. We have five thumbs on each hand.'

'The kriminaldirektor asked me to check the patient's condition.' Peter set his lamp down in the cart next to Wolf's.

'If the wound remains clean and clear of infection, he'll survive,' Katz declared.

'Will there be permanent damage?' Wolf asked.

'Difficult to say. It was a deep cut but you did a reasonable job of repairing the blood vessels, sir.'

'So, he'll have to wait until he tries to use his tackle before he finds out whether it's working or not?' Peter suggested.

'He might not find out then if he's the nervous sort.' Katz tied the last bandage. 'It doesn't take much to put some men off their performance. I've done what I can. Rest and care is what's needed to complete his recuperation.' He returned his bloodied instruments to the tin he'd taken from his bag.

'When can we question him?' Peter asked.

'He should come round from the injections I gave him in about eight to twelve hours but he'll be tired and confused.'

'Injections – morphine or cocaine?' Peter guessed.

'Morphine. A wound as deep as that is painful.'

Wolf eyed Helmut. 'Given what he said when we found him, he should be taken somewhere secure.'

'You can't get more secure than a hospital with an officer at his bedside.' The student climbed over the back of the waggon and jumped down. 'Do you want me to send an ambulance for him?'

'We can do it but thank you for offering.'

'I recommend the town hospital on the Schloss Teich. It's closest to police headquarters. Less travelling for the officers who'll guard him. I can vouch for the doctors. Only the best work there. I'll be there myself as soon as I get my final certificate.'

'Thank you for your advice and thank you for coming out.' Wolf shook his hand.

'I'm glad he survived. I hope he helps you – the police –' the doctor looked at Wolf, confused by his lack of uniform, 'to find whoever did this.'

'The police will track the villain down.'

'This isn't connected to the murder of those police officers, is it? I heard their genitals had been sliced off.' When Wolf didn't answer, he added, 'Those murders have upset the entire city.'

'A lot of good men are working on the case and they'll be

looking into this one too. Stay with Norde, Peter. I'll see the doctor out.' Wolf ushered Katz to the door. After he'd seen him into his hired carriage he went to the office where Georg was talking to the Engels.

Dolf Engels rose, clicked his heels and saluted when Wolf entered. Wolf shook his head.

'Neither of us is in uniform any longer, Dolf.' He offered father and son his hand. 'The doctor's done what he can for Norde. He suggested we send him to the city hospital.'

'I'll telephone headquarters and order a double guard. They can accompany the ambulance. I want to know the moment he regains consciousness. May I use your telephone, Herr Engels?'

'Of course.'

'Perhaps now is the time to tell you this won't be the first time we've used your telephone tonight.'

'Anything to help that poor boy, Herr Kriminaldirektor.'

'Dolf told me he'd been sleeping in the office until last night,' Georg revealed.

'We had a stupid family argument over the late hours Dolf was keeping,' Herr Engels explained.

'So you moved into the office, Dolf?' Wolf asked.

'I've slept here for the last week,' Dolf admitted. 'My mother brought me breakfast here yesterday morning and persuaded me to go home.'

'How did Helmut Norde end up here?'

Dolf explained how he'd met Helmut. 'Helmut looked so dejected I felt sorry for him. I guessed he didn't have anywhere to go even before he asked me to take him to the cathedral. Everyone knows the Pastor has opened a hostel for homeless servicemen there. I thought he may as well stay here. It's warm and dry, there's a wash room and the sofa's quite comfortable.'

'Which you would know,' his father added sourly.

'Helmut was a comrade. One time at the front he gave me his only pair of clean socks when my kit bag was sucked into the mud. You wouldn't believe how good those dry socks felt. I wanted to repay him by doing something for him.'

'You knew Norde was here?' Georg asked Herr Engels.

'No, but Dolf asked me if there were any vacancies in the brewery as a friend of his needed a job, so I guessed he was trying to help someone. It didn't occur to me Dolf would allow someone to sleep in the office.'

'Would you have minded?' Georg asked.

'Not if I knew they were trustworthy, which in this case I didn't.'

Anxious to avoid a time-consuming argument between father and son, Wolf interrupted. 'Are there any jobs?'

'No. We turn away dozens of people every day. Given the number of unemployed in the city I wish we could take on more, but people haven't the money to buy bread for their children, let alone beer. If it carries on like this I'll have to close the brewery.'

A carriage stopped outside. The door opened and Dorfman strode in, flanked by a cohort of police officers.

Georg went to the office door. 'Excuse me, Herr Engels, Dolf. I must speak to the kriminalrat and check on our patient with Kriminalobersekretar Plewe. Herr Mau, I was establishing a time-line for the night's events.' Georg handed Wolf a notebook, 'could you please take over.'

'I'll stay with the Herren Engels until you return.' Wolf moved his chair before Dorfman spotted him. Georg saw what he'd done and closed the office door behind him.

'Did anyone know Helmut was here beside you?' Wolf asked Dolf.

'There weren't many people about, it was dark, but someone could have seen us drive in. We were both sitting on the driver's seat of the cart.'

'You didn't tell anyone Helmut was here after you went home?'

'No, he didn't,' Herr Engels vouched.

'You went straight home?'

'It's two doors down, sir. I didn't see anyone to tell.' Dolf couldn't bring himself to call his colonel anything other than 'sir'.

Wolf saw the saucepan and plates. 'You ate here?'

'I sent the boy out for sauerkraut and sausage for two.'

'What boy?'

'An orphan who helps in the stables.'

'Where does he live?'

Herr Engels answered. 'No one knows much about him other than he turns up here every day. We buy him lunch and give him a few marks at the end of the week. One of the drivers told me he'd seen him in the old town. I assume he lives there.'

'He saw Helmut?' Wolf questioned.

'He would have when we came in,' Dolf agreed.

'He got the food from where?'

'The Green Stork.'

'Did he tell anyone in the Green Stork you'd brought Helmut back here?'

'He might have,' Dolf conceded. 'I didn't ask him.'

'Would it have been unusual for him to buy two meals?'

'Three,' Dolf corrected. 'He bought two all of last week. One of which he ate in the Stork while he was waiting for them to pack mine.'

'You've been eating alone here?' Herr Engels demanded of Dolf.

'Once I finish at the end of the day I don't want to go out again, especially in my working clothes.'

'You didn't introduce Helmut to the boy, or mention his name?' Wolf persisted.

'No,' Dolf answered.

'Why so many questions, Herr von Mau?' Herr Engels asked.

'I'm trying to work out if whoever attacked Helmut thought he was Dolf.'

Wolf monitored Dolf's reaction. He was certain Dolf knew more than he was telling him. The question was, what?

CHAPTER TWENTY-FIVE

Carriage House, Engels' Brewery, Hoker Strasse,
Konigsberg, morning of Sunday January 12th 1919

'Take your lamps and search every inch of this carriage house and stables. Turn over the hay in the mangers, the straw in the stalls. Crawl under and into the back of every waggon and check each barrel. You're looking for anything that doesn't belong here. If you find weapons or blood-stained items, alert me immediately. Go!' Dorfman watched the officers who'd accompanied him scatter before going in search of Georg.

He found the kriminaldirektor with the ambulance crew and the kriminalassistents who'd been detailed to guard the victim. Georg was issuing orders.

'Kappel, Henz, accompany the victim to the hospital. Plewe, go with them. Don't let him out of your sight. Two of you will remain with him at all times, even when he is being medically examined. Notify me the moment he wakes.'

'Yes, sir.' Peter climbed from the cart to make room for the ambulance orderlies to lift in their stretcher.

When they saw Dorfman all the junior officers snapped to attention.

'You will contact me not the kriminaldirektor the moment the victim regains consciousness, Kriminalobersekretar ... it is Plewe?'

'Yes, sir.'

'Kriminaldirektor Hafen's son-in-law?' Dorfman looked for confirmation.

'Yes, sir,' Peter acknowledged.

'Kappel, I will interview the victim the moment he recovers. If he talks before I arrive, remove everyone except yourself from the room and that includes medical personnel. If the victim says anything – even something that makes no apparent sense before my arrival, write it down and show it to no one except me. I am making you responsible for the victim's safety and entrusting you with full authority over your colleagues. Understood!'

'Understood, sir,' Kappel reiterated.

Peter looked uneasily at Georg.

'Do not look to the kriminaldirektor, Kriminalobersekretar Plewe. I'm in charge of the force and this investigation. You report directly to me and no one else.'

Georg's nod to Peter would have been imperceptible to anyone who didn't know him.

Peter clicked his heels. 'Kriminalrat.'

Dorfman moved so the orderlies could hoist the loaded stretcher from the back of the brewery waggon. Peter, Kappel and Henz followed it to the door. Georg and Dorfman walked behind them.

The ambulance attendants lifted the stretcher into the back of the ambulance. Kappel and one of the attendants climbed in alongside it. Peter and Henz closed the door on the vehicle before joining the driver on the front box.

Dorfman confronted Georg after they'd driven off. 'Kriminaldirektor, don't try to exercise an authority you no longer possess. Not if you wish to continue working for the Konigsberg police.'

Georg was taken aback by Dorfman's vehemence. 'Is that a threat, Kriminalrat?'

'A warning from your superior.'

'Am I, or am I not still working on this case?'

'You're working on this case at my discretion and under my direction.'

Georg braced himself for another outburst. 'Can I assume you will now be releasing Lilli Richter, Kriminalrat?'

'On what grounds?' Dorfman demanded.

'She was in police custody when Helmut Norde was attacked.'

'We have absolutely no idea what time Norde was attacked ...' Dorfman faltered. He raised his hand and pointed to the office. Wolf was standing in clear view behind the glass door of the office. 'What's that man doing here?'

'Herr Engels ...'

'Not Herr Engels, he has every right to be here as he owns this brewery. I'm talking about von Mau.'

'Herr Mau was at the when I picked up the latest note from Plewe. As Herr Mau knows the Engels, I invited him to act as liaison officer between us and them.'

'Is the Konigsberg police force so short of officers you have to recruit civilians?'

'Not recruit, sir. I am not paying Herr Mau.'

Dorfman approached the office.

'Kriminalrat Dorfman ...'

Dorfman ignored Herr Engels and went directly to Wolf. 'What are you doing here, Mau?'

'Three of my men have been murdered and one attacked.'

'Your men, Mau? The war is over, we lost. All the victims were serving police officers?'

'With the exception of the last, Kriminalrat,' Wolf pointed out.

'You have no business here, Mau ...'

Georg broke in. 'I asked Herr Mau to establish a timeline of the events of the evening so Plewe and I could attend to the victim.' Georg crossed his fingers again. 'Have you established a timeline, Herr Mau?'

Wolf produced Georg's notebook but didn't offer it to Dorfman.

'Kriminaldirektor.' Herr Engels backed towards the door. 'My son and I have to prepare for work ...'

'You live nearby?'

'Number 14.'

'You may go but come at once if I should send for you.

Mau, let's look at this timeline.' Dorfman sat behind the desk effectively taking over the office.

On the point of collapse after twenty unbroken hours of duty Georg sank into the visitor's chair. Wolf remained standing.

'The timeline, Mau,' Dorfman prompted.

Wolf opened the book and read, 'Dolf Engels picked up Helmut Norde in the Lobenich area of the city between five and six o'clock.'

'First rule of police work, Mau, establish the exact time,' Dorfman sneered.

'Dolf couldn't be more precise as he didn't look at his watch. He said it was obvious Norde had nowhere to go, so he invited him to spend the night here, in the office.'

'Does young Engels make a habit of picking up homeless veterans and housing them in his father's business premises?'

'That I couldn't tell you, sir. I didn't ask about his previous encounters with homeless veterans.'

'You should have. Continue, Mau.'

'Dolf Engels drove straight here. Dolf unhitched the horses and sent a stable boy to fetch food for him and Norde. After he'd seen to the horses Dolf ate with Norde and stayed with him until a few minutes before eight o'clock. Dolf is certain of the time as he went directly home. It's a two-minute walk and Herr Engels confirmed his son walked into the family home as the clock was striking eight.'

'Norde was left alone here?'

'Correct, Kriminalrat,' Wolf acknowledged.

'What about the boy who fetched the food and beer?'

'He went home after he brought it.'

'Where does he live?'

'In the old town. He's a casual worker. Herr Engels said he'd need time to track down his address.'

'Norde was attacked here sometime between eight o'clock and a quarter to four. That's when I arrived here with Plewe and Mau,' Georg said.

'Almost eight hours, Hafen.' Dorfman commented. 'A great deal can happen in that time and Lilli Gluck's house is what? A kilometre away?'

'As the stork flies, Kriminalrat,' Georg concurred.

'She could have walked here in less than half an hour, driven in five to ten minutes if she found a sleigh or carriage for hire.'

'I arrested her at a quarter past ten o'clock. Frau von Braunsch and Frau von Mau were in the house with Lilli Richter, as were the Richters' servants and Herr Richter's nurse.'

'That proves nothing. She could have gone out at seven thirty, attacked Norde just after eight o'clock, and returned by the time you arrived to arrest her.'

'Not possible, Kriminalrat Dorfman,' Wolf contradicted. 'I escorted my sister, Frau von Braunsch, and sister-in-law Frau von Mau to the Richters'. We arrived shortly before eight o'clock and paid our condolences to Lilli Richter. I left after a few minutes to meet with the family lawyer after arranging to return with my brother's carriage at ten thirty to fetch my sister and sister-in-law who remained with the Richters.'

'Frau von Braunsch and Frau von Mau were at the Richters' house when I arrived to arrest Lilli Richter. They had been with Lilli Richter all evening,' Georg added.

'Where were you when the kriminaldirektor arrived at the Richters', Mau?' Dorfman asked suspiciously.

'The Richters' apartment. I arrived early to pick up my sister and sister-in-law.' Wolf was determined the kriminalrat wouldn't find out from him that Georg had fetched him from Johanna Behn's, or that he'd rented an apartment in the Richters' house. 'My sister told me that she and my sister-in-law would be staying overnight in the Richters' to care for Lilli's father and daughter. I decided to remain with them in case they needed help.'

'What kind of help did you think you could give them, Mau?' Dorfman looked sceptical.

'Lifting Herr Richter who is bed-bound, or conveying a message.'

'I understand Lilli Gluck employs nurses to care for her father rather than look after him herself. And what possible

217

message were you envisaging that could be so urgent it would need sending at night?'

'As Lilli Richter had been arrested, I wouldn't like to guess,' Wolf answered.

'What is important, sir, is that Lilli Richter couldn't possibly have attacked Norde,' Georg intervened. 'She was in her apartment all evening from eight o'clock onwards and has witnesses to prove it.'

'She might have witnesses to prove her whereabouts from eight o'clock onwards yesterday evening, Kriminaldirektor, but her whereabouts are immaterial. The nature of these murders suggests more than person is involved. Circumstantial evidence, including the letters, points to Lilli Richter as one of a number of perpetrators.'

'The man's a complete ass,' Georg raged when the kriminalrat left him and Wolf in the office to see if the search had yielded anything.

'There are a few questions begging answers, and one is: why is the kriminalrat so determined to implicate Lilli?'

'You think the kriminalrat is involved?'

'I have no idea whether he is or isn't. Peter keeps telling me the police deal in facts not supposition. Let's look at the facts,' Wolf suggested.

'I'm too tired to look at anything.'

'You look mostly dead,' Wolf agreed.

'Thank you for that.'

'Go home, get some sleep.'

'You're not tired?'

'The army taught me how to survive without sleep.'

Georg pulled his pocket watch from his waistcoat. 'It's almost five. I've re-arranged the breakfast meeting in the Green Stork for seven.'

'That gives you two hours more sleep than I'll have.' Wolf pulled on his gloves and wrapped his muffler around his neck.

'Where are you going?'

'To see someone who hasn't told me everything he knows.'

218

Engels' House, Hoker Strasse, Konigsberg, morning of Sunday January 12th 1919

'Colonel von Mau, it's an honour to have you in our home.' Frau Engels joined the maid in the hall of their apartment as soon as she heard Wolf announce himself. 'Please, take off your coat. Won't you breakfast with us?' She opened the door to the dining room. 'We're eating earlier than usual, but then you would know why with all the horrible things happening in the stables. Sit next to Dolf. I'll get a place setting.'

'Please, don't trouble yourself, Frau Engels; I only called to have a quick word with Dolf.'

'But you will have coffee with us?'

'It smells so good, I can't resist.'

'If you don't want to speak to me, Herr von Mau, I'll be off to the brewery,' said Herr Engels. 'We're going to be in a right mess if the police insist on spending all day crawling around the waggon house. It might be the Lord's Day but we have deliveries to make.'

'I think the police had almost finished their search when I left, sir.'

'Not before they upset the horses, I'll be bound, and they all have a full day ahead.' Herr Engels looked at his son. 'I'll see you as soon as you've finished speaking to the colonel, Dolf.'

'Have you forgotten the meeting, Father? In the Green Stork. The one Kriminaldirektor Hafen called for the comrades of the murdered men.'

Herr Engels gave a non-committal grunt and left. Shortly afterwards the front door banged shut behind him.

'Your coffee, Colonel von Mau.'

'Thank you, Frau Engels.'

'I'll leave you and Dolf to chat. Our maid needs constant supervision.'

'Thank you for the coffee and warm welcome, Frau Engels.'

'It's the least we can do for the officer who took such good care of our boy.' She smoothed her son's hair back from his forehead, and much to his disgust, kissed his cheek. 'Close the

door behind me to keep the warmth from the stove in, Dolf.'
She picked up a tray of dirty dishes and carried them out. Dolf
opened and closed the door for her and returned to his seat.

Wolf sipped his coffee.

'What did you want to ask me, Colonel?' Dolf asked.

'I would like you to tell me exactly what happened in France
after I, along with five other officers from our regiment, was
taken prisoner and Colonel Dorfman was appointed senior
officer.'

CHAPTER TWENTY-SIX

City Hospital, Hinterrossgarten, Konigsberg, morning of Sunday January 12th 1919

'I told you to sit in that corner and not move.'

The middle-aged nursing sister glared at Peter. He retreated from the window and sat down. 'This chair is uncomfortable.'

'A real police officer would be tough enough to shrug off discomfort without complaint.'

'Real nursing sisters are kind and gentle, not trainee sergeant majors, Sister.'

'The war and the sergeant major were hard on you?'

'No harder than they were on anyone else.' Peter nodded to Helmut. 'The doctor who treated him in the carriage house said he would recover. Will he?'

'Who do you think I am to contradict a doctor?'

'He was a student doctor.'

'In that case I will venture an opinion. Time will tell.' She took Helmut's pulse and lifted the blankets, exposing his buttocks so she could take his temperature. When she finished she noted the results on a chart before dropping the thermometer into a bath of alcohol. 'I suppose the next thing you'll be asking for is a cup of coffee.'

'One of my colleagues is fetching some.'

'You police officers have an easy life. Three great big strapping men to guard one man who can't rise from a hospital bed. You afraid he's going to crawl out and lick your boots? Because that's all he'll be able to reach after the injections he's

221

been given. A man in his condition could be guarded by a child with a bow and arrow. What's he done that makes him so dangerous?'

Peter didn't correct the assumption she'd made that Helmut was being guarded because he was a criminal. 'I'm only an obersekretar, they don't tell men of my rank anything.'

'You didn't ask why three of you have to guard him?'

'I didn't have to. I know the answer. The kriminalrat likes to keep us busy.'

Henz knocked the door, opened it and brought in three cups of coffee. He handed one to Peter and stared at Kappel who was asleep on a chair behind the door.

Peter shook Kappel awake. He grunted and took the coffee.

'There's no cake or sandwiches,' Henz declared.

'Just where have you three princes been living to expect cakes and sandwiches in this city? I can't remember the last time I had enough sugar and butter to make a cake. In fact, I can't even remember the last time I saw butter, sugar, or a cake.'

'The only way to live, is in hope, Sister.' Peter returned to his chair.

'After five years of a war you men have lost for Germany, I haven't enough hope left to even dream of cake.'

'Tell you what, the next time I see a cake at a price I can afford I'll buy it for you.'

'You're no different to the rest of the men in my life. All I get from your sex is empty promises. I'll be back in fifteen minutes to check the patient's vital signs again. Any change in the meantime come and get me.'

'Are you expecting a change?' Peter asked.

'If he wakes, his eyes will open and his tongue will wag. That's the only change I'm expecting.' She went out.

'She's a bundle of fun.' Peter left the chair and carried his coffee to the window. 'I'm almost too tired to put one foot in front of the other. I'd give a week's pay for a night's sleep and I've only been back a day.'

'This coffee should help keep us awake.' Kappel moved

from his chair on to the one Peter had vacated. 'Henz, take first corridor guard duty.'

'It's draughty out there.'

'All the better to keep you awake.'

Kappel lowered his voice after Henz left. 'Do you think the murderer will kill another one of us?'

'Probably, if we don't stop him.'

'He didn't kill Helmut.'

'Lucky Helmut.'

'Why do you think he only injured him?'

'He could have been disturbed before he had time to kill him.'

'Some of the boys said Helmut told a senior officer the killer was after someone else.'

Peter eyed Kappel. His face was as white as Helmut's and his hands shook as he lifted the cup to his lips. 'Are you worried, Kappel?'

'Aren't you?'

'I have you and Henz to protect me.'

'Always the joker, Plewe. But you could be next. Like the three dead men, you were in the regiment and like them you've returned and joined the police. Whoever's doing this could have it in for all of us.'

'Which is why we have to stick together, as we did at the front. We have guns. We know how to use them. I suggest we do just that the moment the killer appears.'

'How do we recognise him?'

'It's only a guess but I doubt he'll be wearing an Australian or British uniform.'

'You lot and your damn jokes.'

'What lot?' Peter was confused.

'You lot that were taken prisoner. Some of the boys said you gave yourself up because you were too cowardly to keep fighting.'

'You believed them, after fighting with us for four years?'

'Just telling you what they said.'

'Who the hell is "they"?'

Taken aback by the vehemence in Peter's voice, Kappel mumbled, 'The boys.'

'What boys?' Peter demanded.

'I don't know what or who to believe any more.' Kappel finished his coffee and held out his hand for Peter's cup. 'But what I do know is we had it harder than ever after you and the others were captured.'

'Because of Colonel Dorfman?'

Kappel glanced around as though he expected Dorfman to materialize. 'Dorfman was no von Mau.'

'I agree. He's six inches shorter.' Peter leaned against the wall. 'What happened after we were captured?'

'In what way?'

'There are only two ways in war, the front and off duty.'

'Did you know we went into battle again the day after you were captured? We weren't stood down for a month. It was hell.'

'If we weren't with you it wasn't by choice and it wasn't exactly a picnic where we were. So what happened?'

'Active service until our nerves were shredded. The guns never stopped. All Dorfman was interested in was snap inspections and God help any man who had anything Dorfman considered unmilitary in his pockets. Photographs, letters, religious keepsakes, all personal items had to be left in kit bags. Anyone caught with what Dorfman called "contraband" in his battledress was put on a charge, which meant loss of free time when we were stood down.'

'No wonder you regretted the loss of von Mau.'

'He could be strict, but unlike Dorfman he was always fair. Want another coffee?'

'As Dorfman made you senior officer I'll get it.' Peter flicked his watch open. 'It's almost six. With luck the cooks will be in the kitchen. If they are I'll try to scrounge us something to eat.'

Engels' House, Hoker Strasse, Konigsberg, morning of Sunday January 12th 1919

'I keep telling you, Colonel, we hardly ever left the front ...'

'But when you did?' Wolf broke in.

'We were too exhausted to do more than eat and sleep.'

'So, you can't think of any incident involving von Braunsch, Gluck, Dresdner, or yourself that might have given someone a reason to want any or all of you dead?'

Dolf paled. 'You really think whoever attacked Helmut thought he was me?'

'Before he passed out Helmut told me that they – whoever "they" are – said "he's not the one". That suggests they were after someone else. You said you'd been sleeping in the office for a week. Anyone who'd been watching the premises might have assumed you'd be there last night.'

'Helmut's nothing like me. He's taller, thinner, his hair is darker ...'

'Which would explain why someone looking at him would say, "He's not the right one." I don't give a spent bullet what you and the others did. But I want to help the kriminaldirektor arrest the bastard that's killing men from our regiment.'

'You think I don't want to stop them?' Dolf challenged.

'Them? – You know who they are.'

'I wouldn't be sitting here if I knew who was killing our comrades. I'd be in police headquarters talking to the kriminaldirektor. I have no idea who's killing our comrades, sir. If you'll excuse me, I have to go to the office to speak to my father.' Dolf left his chair.

'You'll be in the Green Stork at seven?' Wolf asked.

'I'll be there, sir.'

Wolf was convinced Dolf knew more than he was telling him but, whatever it was, he was no closer to getting it out of him.

Hoker Strasse, Konigsberg, morning of Sunday January 12th 1919

Like Wasser Strasse the day before, Hoker Strasse was crawling with police who were conducting a lamplight search around the brewery. Klein was watching from the doorway of the carriage house.

Wolf approached. 'Is the kriminaldirektor still here?'

'Inside, sir.'

'The kriminalrat?'

'Has returned to police headquarters, sir.'

'Do you know if the kriminaldirektor still intends to hold a meeting in the Green Stork this morning?'

'Ask him yourself, sir. He's interviewing the boy who brought food to Mr Engels and Mr Norde yesterday evening.'

'Thank you, Klein.' Wolf undid his coat and reached for his watch. He opened it. Almost six o'clock. He felt as though a million small insects were crawling over his skin. His eyes were gritty and stinging as if sand had blown into them. Symptoms, he knew from experience, that were down to a lack of sleep. He knocked the office door.

Georg shouted, 'Come in.'

The kriminaldirektor was sitting behind the desk. A young boy who looked about twelve was perched on the edge of the sofa. He was painfully thin and his hands and face were covered with flea bites.

'Thank you, Lutz.' Georg rose and shook the boy's hand. 'You've been very helpful. If you think of anything else that happened yesterday evening, no matter how insignificant, ask Herr Engels to allow you to use the telephone to contact me.'

'Yes, Kriminaldirektor.' The boy bowed and clicked his heels, first to Georg then Wolf.

'Was he helpful?' Wolf closed the door after the boy left.

'In confirming the times Dolf gave us, yes.'

'Is the Green Stork still on for this morning?'

'Seven o'clock. You're coming?'

'I'll be there but I want to see Johanna first.'

Georg smiled.

Wolf shook his head. 'Not for the reasons that are going through your mind.'

'How do you know what's going through my mind?'

'I can see it in your face. I've just left Dolf. I'm certain he

226

knows more than he's telling us but whatever it is I couldn't get it out of him. Yesterday morning I saw Dorfman in Johanna's ...' Wolf hesitated, uncertain whether or not to voice his suspicions because he suspected they would sound ridiculous. 'Dorfman was donating what Johanna Behn intimated was a large sum of money to a French convent. A man's entitled to do what he wants with his money. It would make sense for Dorfman to send a gift to the convent, if his story proved true, and the nuns had nursed him and other officers from the battalion back to health.'

'But?' Georg looked expectantly at Wolf.

'Before I say more I need to talk to Johanna Behn.'

'If Dorfman's her client, she won't give you any information. If she did, she'd risk losing her licence to practise. Dorfman is a man with powerful friends. I'm not telling you to stay away from Johanna, but I warn you to tread carefully.'

'I will.'

'I don't suppose you remember any more about seeing that note appear in Richter's letterbox?'

'Can we talk about that later?'

'Lilli said you'd warned her not to say anything in Police Headquarters without her lawyer being present.'

'That's common sense,' Wolf moved to the door.

'Nothing to do with coal smears on Gluck's corpse?'

'Nothing to do with coal smears,' Wolf repeated.

'Or Ernst Nagel's brother being a coalman who lives on Kohlmarkt?'

'That's interesting. I had no idea Nagel even had a brother.' Wolf opened the door. 'See you at seven o'clock in the Green Stork.'

City Hospital, Hinterrossgarten, Konigsberg, morning of Sunday January 12th 1919

Peter dumped his coffee cup on the floor, and walked over to Helmut's bed.

'Any change?' Kappel asked.

'Not that I can see.' Peter stretched. 'I need to soak my head in cold water if I'm going to stay awake until we're relieved.'

He went into the corridor. Henz was slumped so low in the chair outside the door his nose was practically touching the floor. Peter tweaked his ear. Henz woke with a start. He stared up at Peter, disorientated.

'Kappel and I going to the meeting in the Green Stork if the kriminaldirektor remembers to send men to relieve us. I'm hoping cold water can wake me up. See you in a few minutes.'

'Wait, I'll come with you.'

'Two people guarding Norde at all times, remember, Henz.' Kappel opened the door. 'I'll wash when Peter returns. You can sit with Norde now.' Kappel took Henz's chair as soon as he vacated it.

Henz went into Norde's room. He cleared Peter and Kappel's coffee cups on to a tray he'd left on the windowsill. Bored, he picked up Helmut's chart and studied the nurse's notes. As he couldn't understand her writing it was a fruitless exercise. He walked from the bed to the door, counting his steps. One ... two ... three ... four ... five ... He turned on his heel and continued walking to the window. He could hear nurses talking outside the door.

He looked out at the view of the Castle Lake. Imagined it on a summer's day, frozen no longer but dotted with pleasure boats. He'd take a girl out there, row her from one end to the other and after they'd returned the boat to the man who rented them out, they'd cross the bridge and go to the Park Hotel where he'd buy her a fine supper with a white wine ...

Lost in the pleasure of anticipation he didn't give a thought as to what Peter and Kappel were doing until a high-pitched scream blasted his daydream from his mind.

He unbuttoned his police issue gun and opened the door to see a nurse transfixed in the doorway of the room opposite.

CHAPTER TWENTY-SEVEN

Konigsberg, morning of Sunday January 12th 1919

Wolf left the brewery and walked to the Schmeide Bridge. The orbs of the jugendstil triple-headed lamps glowed wraithlike above the parapet. Beneath him ice packs bumped and ground on the surface of the river, grazing the banks and hulls of the berthed boats.

He thrust his gloved hands deep into his coat pockets. Had winters always been this cold in Konigsberg? Every wet, mud-filled day in France and Belgium he'd dreamed of the dry cold of home. Skating on the Schloss Teich, skiing in the woods around Lichtenhagen, racing sledges against his brothers on country lanes. The dreams had been real. So real the high spot had been a return to Waldschloss to find one of Martha's fine suppers laid on the table in the great hall, with jugs of mulled wine, beer, and warming schnapps to wash down the food. But he always woke before he was able to fill a glass or take a bite.

He left the bridge and dived into the network of narrow medieval thoroughfares that surrounded the cathedral. The lamps weren't as tall, numerous, or bright as on the bridge, but most houses had an electric light or oil lamp burning in a window close to the door.

He suddenly felt overwhelmingly proud of his home city. It had been a long time since he'd felt remotely patriotic. Probably not since the first sergeant had yelled at him during his military training in 1914. This was his home as much as Lichtenhagen. He, Peter and his siblings had spent days, occasionally weeks, in Gebaur Strasse when his father had had business in Konigsberg, and later when he'd been a student at the university he and Peter had moved into one of the family's apartments in Theater Strasse.

So many memories were centred in these streets. Most good. Would he have considered leaving East Prussia if it hadn't been for the war? Would he have stayed in Waldschloss for the rest of his life living in domestic harmony – or more likely discord – with Gretel until he died?

If he hadn't gone to war, he wouldn't be 'working' without pay for Georg Hafen nor intent on visiting Johanna Behn before dawn. He felt in his pocket for the key she'd given him. A few hours in Johanna's bed had shattered his preconceptions about spinsters who opted for a profession rather than marriage.

He toyed with the idea of walking around to the back of the Behn's house to see if she'd left a light burning, before reflecting it was doubtful she'd welcome a visitor at that hour, even if she'd left the lamp on.

He walked up the icy path to the front door. An electric light, angled to illuminate the brass-embossed sign *Behn Legal Services*, burned in the porch. He opened his watch beneath it. Almost six thirty. It was a good half hour walk to Wasser Strasse. Even if he spent only ten minutes with Johanna it would make him late for the meeting in the Green Stork. He pulled the copper bell.

The door was opened by an elderly man. 'Office isn't open on Sundays, sir.'

'I have to speak with Fraulein Behn, urgently on a police matter.'

'Your name?'

'Wolf Mau.'

'von Mau?'

'Just Mau,' Wolf corrected, wondering if he'd ever be rid of his aristocratic heritage. The more he protested, the more it followed him.

'I'll see if she's available.' The man dropped the coal bucket he was carrying, wiped his hands on his canvas apron and walked up the stairs. Wolf heard him knock the door. He imagined Johanna leaving her bed – but he'd reckoned without the hours she kept. The old man returned a few seconds later.

'Fraulein Behn is at breakfast, but if you don't mind joining her at the table she can spare you a few minutes, sir.'

'Thank you.'

The heat in the hall was suffocating after the freezing cold of the street. Wolf unbuttoned his coat and ran up the stairs. The apartment door was open and he walked into the living room. Johanna was sitting at the table on the covered balcony. She waved him in.

'I didn't expect to see you again so soon.'

He kissed her cheek.

'Coffee?'

'Please.'

'Take off your hat and coat. Throw them on the sofa and sit down.'

He did as she suggested and took the cup she handed him.

'Otto said you wanted to talk to me about a police matter. If you'd wanted to see me, all you had to do was use your key. As you see,' she indicated the lamp burning on a shelf behind her, 'the light is burning.'

'I wasn't sure your generous invitation extended to the early hours of the morning.'

'I rise at five even on Sundays. The habit's hard to break. On weekdays I like to read through my appointment diary and plan the day ahead. If you came hoping to jump into my bed again, it's best not to ring the doorbell. My caretaker is discreet but I'd rather not flaunt my private life in front of him.'

'The thought of returning your bed is very appealing, but as I haven't been to bed yet, I'd only fall asleep. I have a breakfast meeting in the Green Stork at seven and I have to go to Gebaur Strasse afterwards. I promised to spend the day with my son.'

'Why haven't you slept?'

Wolf told her about the attack on Helmut in Engels's brewery and his conversation with Dolf. 'Helmut was badly injured but before he lost consciousness he said he heard one of his attackers say, "he's not the one".'

'You think Dolf Engels could be the right one?'

'It's possible the killer mistook Helmut for Dolf.' He spooned sugar into his coffee and added cream. 'I think something might have happened in France after I was captured and Dorfman was promoted to replace me.'

'What?' She passed him a basket of bread rolls.

He realised he was hungry, took one and bit into it. 'I've no idea, but I'd like to know why Dorfman is sending money to a French convent.'

'The nuns cared for him and his officers when they were wounded and I'm only saying that much because I overheard him telling you.'

'How much money is he sending them?'

'That information is confidential under lawyer/client privilege. I couldn't tell you even if I wanted to and I don't. I respect my clients. They entrust their personal affairs to me and I treat their privacy with the utmost circumspection.'

'I'm talking about murder.'

'You think I'd compromise my integrity for a theory? That's all you have, Wolf.'

He looked at her. 'You're right. I had no right to ask you for information and I had no right to come here.'

'You have every right to come here on personal business any time you chose.'

He left the table. 'Provided the lamp is burning.'

'Provided the lamp is burning,' she reiterated. 'I'll see you out.'

City Hospital, Hinterrossgarten, Konigsberg, morning of Sunday January 12th 1919

Dorfman crouched over the sink in the hospital bathroom. The place stank of ammonia and antiseptic and something foul he'd rather not think about. He'd been retching for what seemed like hours and felt empty and light-headed. He ran the cold tap and splashed water on to his hands and face. Sensing someone

232

moving behind him he whirled around. Klein was in the doorway.

'Yes?' he growled.

'Should I send for Kriminaldirektor Hafen and a doctor, sir?'

'What do I need a doctor for?' Dorfman failed to expel the image of the emasculated and mutilated corpse from his mind. So much blood and tissue – more than he'd ever seen in a single corpse on the Western Front ... spread over a hospital bed ... The man had been alive and then ... in the space of less than ten minutes, if Henz's timing was right, he'd been reduced to a heap of chopped dog meat.

'A doctor has to certify death, sir.' Klein swayed on his feet and Dorfman realised he wasn't the only one in shock.

'This is a hospital, Klein. Get a doctor here to pronounce death. Given what the man's been reduced to, he shouldn't find it difficult.'

'Should I inform Kriminaldirektor Hafen, sir?'

'I'm in charge. There's no need to inform anyone.'

'The photographer, sir?'

'Photographer? What in heaven's name do you want a photographer for?'

'Kriminaldirektor Hafen ...'

'How many times do I have to repeat that I, not the kriminaldirektor, am in charge of this case? Find a doctor to certify death. Get what's left of the corpse to the mortuary and order the hospital to clean that room.'

'Helmut Norde and the other officers, sir?'

'Are to remain in Norde's room until I have time to question them. If you value your job, you'll stay with Norde. Contact no one and keep everyone away from Norde except the doctor and nurse who are treating him.'

Klein clicked his heels and bowed.

Konigsberg, morning of Sunday January 12th 1919

Snow began to fall as Wolf crossed the Kramer Bridge that connected The Kneiphof with the Old Town. He turned up his

233

coat collar and trudged into Wasser Strasse. Lights burned in the Green Stork. He pushed the door open, stepped inside and breathed in warm, bread perfumed air.

Adele, the waitress who'd served him the day before, helped him off with his coat. She took it and his hat and hung them up close to the stove. 'If you're here for the meeting, sir, Herr Frank ordered the table laid in the kitchen.'

'Thank you.' He sniffed theatrically. 'Rye bread?'

'And poppy seed rolls, sir. Herr Frank ordered the cook to come in early.'

Wolf walked through to the kitchen. Ralf was presiding at the head of a scrub down preparation table, laid with a typical East Prussian breakfast of bread, butter, rolls, cold meats, cheeses, and jams.

Josef was on Ralf's right, Georg his left. There was no sign of Peter or Luther Kappel, but Emil Grunman, Reiner Schult, and Dolf Engels were eating and talking in equal measure. They rose to their feet when they saw him.

'Sit down, please.'

'We were talking about the war, sir,' Emil explained.

'It's over.' Wolf took an empty chair at the foot of the table. 'Are Peter and Luther working?' he asked Georg.

'I don't know.' Georg left his chair. 'Ralf offered me the use of his office and telephone. I was about to contact police headquarters to find out if they've left.'

'I have an urgent message for Peter from Martha,' Wolf lied, needing an excuse to speak to Georg. 'I'll come with you.'

'We'll keep the coffee hot, Wolf,' Ralf held up his cup.

'You made no progress with Johanna Behn?' Georg guessed when they were alone.

'None,' Wolf admitted.

'Warned you.'

'I still think there's a link.'

'You could be right but police officers don't think ...'

'They act on facts.'

Georg sat behind Ralf's desk which was amazingly clear and picked up the telephone. 'Police headquarters, please.'

'Is there any way you can find out how much money the kriminalrat has donated to this convent?' Wolf asked.

Georg put his hand over the speaker.

'I doubt his bank manager will be any more amenable to answering confidential questions based on your guesses than Johanna Behn. Do you really want to speak to Peter?'

Wolf shook his head.

'Is that the duty officer? ... This is Kriminaldirektor Hafen. Can you tell me what time Plewe and Kappel were relieved at the hospital? What ...'

Georg eyes were bright. His face pale. 'An officer has been murdered at the hospital.'

Wolf could hear his own blood thundering through his veins. All he could think about was Peter. Please God ... not Peter ... Please God ...

He heard his own voice. 'Who?'

CHAPTER TWENTY-EIGHT

City Hospital, Hinterrossgarten, Konigsberg, morning of Sunday January 12th 1919

The young officer shifted his weight from one foot to the other as he stood on the step outside the main entrance to the hospital. 'I'm sorry, Kriminaldirektor,' he apologised. 'Kriminalrat Dorfman has locked down the building. He ordered every officer on sentry duty to detain anyone who tries to leave and stop anyone from entering. He warned not even high-ranking police officers are to be allowed in.'

'My son-in-law, Kriminalobersekretar Plewe ...'

Klein opened the door and addressed the man on duty. 'Baucher, you're needed to relieve Plewe and Henz in Helmut Norde's room.'

The reassurance wasn't enough for Georg. 'Peter's unharmed?' he checked as soon as Baucher left.

'He is, sir.'

'Kappel's been murdered and mutilated like the other victims?' Wolf demanded.

Klein was surprised. 'How did you know it was Kappel, sir?'

Frustrated, Georg didn't give Wolf time to answer. 'What the hell's going on?'

'The kriminalrat arrived shortly after Kappel's body was discovered by a nurse, sir.'

'Branks – same mutilations?' Wolf asked.

'No branks and it looked as though his throat had been cut as well as his body mutilated. From what we've gathered, he seems to have been killed in the space of ten minutes. Kriminalrat Dorfman took charge of the crime scene. Kappel's body is already in the mortuary and the room being cleaned.'

'After a doctor examined the body and Otto recorded the scene I hope.'

Klein heard footsteps echoing behind the door and lowered his voice. 'No, sir. The kriminalrat insisted there was no time to make a record. Not if we were to avoid panic in the hospital.'

'Where were the other officers when Kappel was murdered?'

Dorfman opened the door. Assuming the kriminalrat was about to leave the building, Klein stepped down to street level.

'We have to return to our meeting, Kriminaldirektor.' Wolf deliberately spoke loud enough for Dorfman to hear.

'Kriminaldirektor, a moment of your time.' Ignoring Wolf, Dorfman led Georg out of earshot. He returned a few seconds later – alone. 'Keep the door closed, Klein, and not a word to anyone, whoever they are.'

'If anyone asks for information, sir?'

'I said not a word, Klein. Not even to the Kaiser should he appear. Not if you value your position.' Dorfman entered the building and closed the door behind him.

Wolf returned to the carriage. Georg was already inside. 'Are we returning to the Green Stork, sir?'

'As civilians, Mau. The kriminalrat has removed me from my post.'

Konigsberg, morning of Sunday January 12th 1919

Wolf closed the door of the carriage and sat back in the seat. He heard the sound of paper crinkling in his pocket, reached in, and discovered the letter the girl with green eyes had given him – had it really only been yesterday?

He opened it. There were two scrawled lines.

Warn the soldiers. If they don't leave Konigsberg they will all be murdered.

238

A friend.

He glanced at Georg who was sunk deep in thought and handed him the note. 'A girl in the Green Stork gave me this yesterday.'

Georg read it. 'Only now you're giving it to me?'

'The envelope was sealed. I assumed it was a begging letter from a discharged soldier. I forgot about it until now.'

'Why did you think it was a begging letter?'

'Because a veteran was looking at me through the window of the Stork when she approached me.'

'All veterans look at you. You were their colonel, Mau. You did the unthinkable. You led them well enough for them to survive the war so they're hoping you can solve their current problems.'

'I only wish I could.'

'What happened in France?' Georg asked.

'I was hoping someone would enlighten us as to that in the Stork.'

'You still think Dorfman is involved?'

'Don't you?'

'Given the high-handed way Dorfman's behaving, my suspicions could be no more than wishful thinking. I grant you, he's behaving oddly ...'

'Oddly!' Wolf interrupted. 'Cleaning up a crime scene without making a record. Arresting an innocent woman on evidence that will never bear the scrutiny of a court. Sending money to a convent in France when his old comrades and their families are starving in Konigsberg. Firing you ...'

'He doesn't work the way I would,' Georg agreed. 'But his mistakes – if they are mistakes and only time will prove that – could be down to inexperience. I looked into his background when he was appointed Kriminalrat. Aside from a few months as colonel towards the end of the war, he has no experience of command and no qualifications. He didn't finish his law course in the Albertina. Damn! Dorfman relieving me of my command put everything else from my mind. I meant to ask Klein if Lilli Richter is still in Headquarters. I need to contact Rudi

239

Momberg ...'

'You need to rest, sir,' Wolf advised. 'Pippi will be worried about Peter, especially if she's heard about the murder of another veteran. Go home, tell her he's safe and get some sleep.'

'Leaving Dorfman in charge of the police?'

'You have no choice, Herr Hafen.' Wolf deliberately addressed Georg as a civilian to remind him of his change of status. 'He's relieved you of your post. There's nothing you can do at present but if you remain out of sight for a few hours, you'll minimise the risk of annoying him more than you already have.'

'What do you intend to do?'

'Return to the Stork. Someone must know what happened in France.'

'But will that someone tell you?'

'If they do, you'll be the first to know.'

'You'll contact me?'

'The moment I have something that will help track down the killer, sir. You have my word.'

The Green Stork, Wasser Strasse, Konigsberg, morning of Sunday January 12th 1919

Wolf walked into the kitchen to find the staff preparing for the midday dinner trade but he couldn't see the girl who'd given him the envelope.

'If you want Herr Frank, sir, he's in his office.' An assistant chef who was gutting fish looked up from his table. Wolf left the kitchen and walked in on Ralf and Emil Grunman. A tray of coffee was on the desk between them.

'Peter and Kappel?' Ralf asked urgently.

'Kappel's dead.' Wolf sat next to Emil and poured himself a coffee.

'Murdered?'

Wolf studied Emil. He was knotting his fingers and plucking at the cloth on his sweater. The result of shellshock or something more recent? 'I didn't see his corpse but was told he'd been murdered and mutilated like the others.'

'Peter?' Ralf asked.

'Fine according to one of his fellow officers.'

'You didn't see him either?'

'The kriminalrat's locked down the hospital. No one's allowed in or out.' Wolf saw no sense in announcing Georg Hafen had been removed from his post before the news became known throughout the city. 'This is turning out to be quite a reunion. All three of us. Where are the others?'

'Josef needed to return to the store to oversee stocktaking because his father's away. They can only do it when the store's closed so Sunday, as it's not the Jewish Sabbath, is the obvious choice. Dolf's father hauled him out after reminding him beer barrels don't drive themselves. So, no day of rest for Engels's brewery, and Reiner said it was his turn to clean the boat ready for tomorrow's fishing.' Ralf pushed the sugar bowl and cream jug towards Wolf. 'As Peter and Kappel hadn't turned up and you'd left we thought it best to move the meeting to this evening.'

Wolf spooned sugar into his coffee. 'So, Emil,' he spoke quietly, conversationally. 'What happened in France after Ralf, Peter, Josef, Helmut, and me were captured?'

Emil answered quickly. Too quickly. 'The same as happened before you were taken, sir. War.'

'By war you mean fighting?'

'We spent most of our time in the front line, sir.'

'But you had some leave?'

'Some, not much,' Emil squirmed under Wolf's steady gaze.

'Where did you spend it?'

'Usual places.'

The silence was palpable, oppressive.

Wolf continued to watch Emil. 'Such as?'

'Cowshed bars – villages – towns – when we could get to one.'

'Anywhere special?'

'Like where, sir?

'Like a convent.'

Emil's hand shook when he attempted to spoon more sugar into his coffee. The bowl tipped and he spilled the cubes on the desk.

Ralf returned the cubes to a bowl, opened a drawer, removed a cloth, and brushed the crumbs into a waste paper basket.

'Why would we go to a convent, sir?'

'I heard that some of you were injured, and nuns nursed you,' Wolf revealed.

'The Schmidt brothers were killed, outright. A shell exploded on top of them.'

'I'm sorry to hear that. They were good men. However, if they died instantly no amount of nursing, even by nuns, would have helped them.'

'A dozen or so of us were wounded.'

'Seriously?'

'Vogel took a bullet in his lung, he died three days later.'

'He was also a good man. Did the nuns take care of him – and you?' Wolf asked.

'No nun took care of me, sir. But I went through the entire war without picking up a scratch.'

'What about the others?'

'What others, sir?'

'Vogel – the rest of the wounded – Colonel Dorfman?'

'Colonel Dorfman!' Emil mocked. 'When did you ever hear of a colonel getting injured?' He remembered Wolf's leg wound and added, 'Yourself excepted, sir.'

'Colonel Dorfman wasn't injured?'

'Not that I knew about, sir.'

'What about Nils Dresdner, Anton von Braunsch, Dedleff Gluck, and Luther Kappel?'

'Anton von Braunsch was seriously wounded, but as you and Peter Plewe were in the hospital tent with him, you know about that, sir. Nils was in for a few days with a bullet in his arm.'

'In the convent?'

'Why do you keep on about a convent, sir?' Emil demanded.

'The wounded were treated in the hospital tents.'

Emil's story was directly at odds with Dorfman's that he and other German officers had been cared for by nuns. 'I've been told that Dorfman and other wounded officers from our regiment were looked after by nuns in a convent.'

'If they were, I don't know about it, sir.' Emil lifted his chin high, defying Wolf to say otherwise.

'If colour is an indication of lying, Grunman, I'd say you've just told us one the size of Big Fat Bertha. I could fry eggs on your cheeks,' Ralf observed.

'I should go ...'

'Your family have an estate outside Konigsberg?' Wolf moved his chair, so it blocked the door.

'A farm in Lowenhagen, not an estate. The house is fraction of the size of your castle in Lichtenhagen, sir, and we only have a few fields. I must go ...'

Wolf retrieved his pocket watch from his waistcoat pocket and opened it. 'You have an appointment?'

'I promised to pick up shoes for my mother from the cobbler in Schmiedes Strasse.'

'On a Sunday?' Ralf enquired sceptically.

'He's a friend of my mother's. He told me to knock on the side door to his house.'

'Schmiedes Strasse is around the corner,' Wolf said. 'I'm sure the cobbler will keep the shoes until you get there.'

'I promised to meet someone for lunch.'

'You're thinking of lunch after the breakfast you ate. I'm disappointed, Emil. I thought I'd fed you well,' Ralf reprimanded him.

'You have, sir ... but I have to go.' Emil left his chair and hovered in front of Wolf's chair.

'You'll return this evening to meet the others?' Ralf pressed.

'I have to return to Lowenhagen.'

'If you meet the same people as Dresdner, von Braunsch, Gluck, and Kappel, you won't reach Lowenhagen in one piece,' Wolf warned.

'I need to get back before nightfall.'

'You think you won't be attacked in daylight?'

'The others – all the others were attacked at night. Weren't they, sir?' Emil asked.

'No one can be sure. Especially about Gluck,' Wolf answered.

'Stay ...'

'No, Ralf. I really can't tell you anything.'

'Can't because you don't know anything? Or won't because you know too much and are afraid of someone finding out you've talked?' Wolf didn't move when Emil tried to squeeze past his chair. 'Just what did you and the others do in that convent, Emil?'

'I told you, sir, I know nothing about any convent.' Emil lunged sideways, intending to push Wolf's chair away from the door. Wolf jumped to his feet and Emil staggered as he slammed the empty chair into the desk.

Emil closed his hand into a fist. He aimed a punch at Wolf who'd stationed himself in front of the door. Wolf feinted and lashed out. Emil crumpled. He fell and hit his head on the corner of the desk.

Ralf examined him. 'Out cold,' he declared. 'What was all that about Dorfman and a convent?'

'I wasn't sure it had any relevance until I saw Emil's reaction,' Wolf admitted.

'So, what happened in France?'

'I have suspicions, but I need proof. Dorfman's taken control of the police and removed Georg from his post. You've a girl working in your kitchens I need to talk to.'

'I have a lot of girls working in the kitchens.'

'This one has the face of an angel.'

'Dark hair, green eyes, about so high.' Ralf held out his hand.

'Sounds like her.'

'She never leaves the kitchen. How did you meet her?'

'She opened the door for me as I was leaving the last time I was here.'

'I've never seen her in the restaurant. She rarely says a word more than necessary, and is the one girl who never entertains in her room. I know, I asked her if I could spend the night with her when I returned. She refused. The rest of the girls were queuing up to jump into bed with the boss's war hero son but not her.'

'She wasn't in the kitchen when I came in.'

'Did you ask about her?'

'I don't know her name.'

'If it's the girl I'm thinking of, her name's Cherie. Hardly fitting for a chaste angel but none of us can choose our own names.' Ralf opened his desk drawer and removed a pair of handcuffs. He fastened one around Emil's wrist, the other to the massive iron radiator on the wall behind his desk.

He opened the door. 'Manfred?' he called to a porter who was hauling a sack of potatoes into the kitchen. 'Man here has hit his head. Watch him. If he gets worse call a doctor but don't release him, even if he begs you.' Ralf pocketed the keys to the cuffs to make sure.

'Look like Emil isn't the first customer you've locked in your office,' Wolf said.

'When the party gets raucous there's always at least one fool who drinks too much and thinks he's Attila the Hun.'

Manfred dropped his potatoes in the storeroom and went into the office.

'Dorothea,' Ralf called to a girl who was scrubbing carrots, 'have you seen Cherie?'

'Not since yesterday, sir.'

'Run up to her room and tell her I want to see her right away.'

The girl dried her hands on her apron and left the kitchen.

Ralf turned to the chef. 'Fritz, you know everything that goes on around here. What can you tell us about, Cherie?'

'She's quiet and she does her work.'

'Anything else?'

'She doesn't like nuns. In fact, sir, I'd go as far as to say she's terrified of them.'

246

CHAPTER TWENTY-NINE

The Green Stork, Wasser Strasse, Konigsberg, morning of Sunday January 12th 1919

'What makes you say that?' Wolf asked Fritz.

'Every night the sisters come to the back door looking for leftover food to distribute to the homeless. I've notice Cherie runs the moment she sees Sister Ignatius. She's a large middle-aged woman, plain even for a nun. Cherie doesn't always manage to get away, and when she doesn't, we know we're going to have to do without Cherie for half an hour. That nun can talk faster and longer than any auctioneer.'

'What does she talk to Cherie about?'

'I don't know because she takes Cherie around the corner where they can't be overheard. But I do know whatever it is, Cherie doesn't like it.'

'She argues with them?' Ralf suggested.

'Cherie would go like a lamb to the slaughter, sir. She hasn't it in her to fight or argue with anyone. When she can't get away from Sister Ignatius she hangs her head and nods agreement with whatever the nun says.'

Dorothea returned and bobbed a curtsy to Ralf. 'Cherie's not in the Stork, sir. I've looked everywhere.'

'The old stables? I've seen her in there talking to the women and children.'

'That was the first place I went, sir.'

'Are her things still in her room?'

'Such as they are, sir. She hasn't much beyond a change of

clothes, bar of soap, toothbrush, Bible, crucifix, and hairbrush.'

'Where's her room?' Wolf was already at the door.

'Room 12. Next door to me in 11. I'll take you up.' Dorothea lowered her eyelashes flirtatiously.

'Back to work, Dorothea. I'll show you, Wolf.' Ralf led the way back to his office. Manfred was sitting in the visitor's chair watching Emil, who was still comatose on the floor. Manfred had placed a folded towel beneath Emil's head and covered him with a blanket.

'Nice of you to make him comfortable, Manfred.' Ralf took a set of master keys from a drawer and left by a door Wolf hadn't noticed. It was covered with the same wood panelling as the wall and opened into a windowless back hall dominated by a carved turret staircase.

'That leads to the family apartments.' Ralf pointed up before opening another door disguised as panelling to reveal a narrow unvarnished wooden staircase.

'Old servants' quarters?' Wolf asked when they'd climbed to the fifth floor and finally reached the attics.

'Old and present servants' quarters. This building has been an inn for centuries.' Ralf looked down a long dark corridor punctured by doors and lit by two narrow skylights. 'Anyone in?' he shouted.

A door opened halfway down and a tousled dark head emerged. Wolf recognised Adele.

'I'm looking for Cherie,' Ralf explained.

'Sunday is her day off, sir. She always goes out early.'

'Do you know where?'

Adele left her room and posed provocatively below one of the skylights in a transparent muslin nightgown. Wolf couldn't help but notice she was wearing very little beneath it.

'Could be church. I've seen Cherie with a rosary and heard her reciting Hail Marys at bedtime so she must be Catholic.' Adele winked at Wolf. 'It's lonely in my bed, sir and I've finished my early morning shift. I don't have to work again until six tonight.'

The word bed conjured images of Johanna's crisp linen

sheets and pristine plumped pillows. Wolf realised how tired he was. 'Thank you, but I need my own bed. I didn't see one last night.'

'All the more reason to keep me company now, sir.'

'You're very kind but all I need is sleep.'

'Don't forget to visit me when you're feeling more lively, sir.' Adele disappeared back into her room.

Wolf scribbled a telephone number in his notebook, tore out the page and handed it to Ralf. 'That's my brother's number in Gebaur Strasse. Telephone the moment Emil comes round or Cherie returns.'

'If you're as exhausted as you look, you could stretch out on the sofa in my quarters,' Ralf offered.

'Thank you, but I have a son waiting to spend the day with me.'

'Poor son. He's in for a tedious time. You look as lively as a spent shell.'

'I remember seeing you after you'd gone without sleep for forty-eight hours.'

'It would appear civilian life is being no kinder to you than the army, Wolf. You'll be here tonight?'

'Unless I'm needed elsewhere.'

'Like where?'

Wolf shrugged.

'You're expecting another murder?'

'That's a question for the killer.'

Konigsberg, morning of Sunday January 12th 1919

Wolf left the Green Stork. He checked the time before remembering it was Sunday. Before the war trams had run less frequently on Sundays except for those that serviced the routes to the city's various churches. Knowing he'd have a better chance of picking up an eastbound tram in the old town, he headed north. When he entered the Altstadt Lang he saw an old man paying off a private hire carriage. Succumbing to a temptation that ignored his present unemployment, he hailed the driver and asked him to take him to Gebaur Strasse.

The boy, who looked too young to be driving a hire carriage, beamed at the prospect of a decent fare. Wolf was climbing in when he recalled the old Propsteikirche or 'provost Catholic church'. It was the closest Catholic Church to the Green Stork and no more than a five-minute drive away. He asked the boy to turn around and take him to the other end of Kirche Strasse.

As Wolf had hoped, the congregation was leaving the church. A priest who looked younger than him and two altar boys shivered in thin robes as they stood outside the old stone building, shaking worshippers' hands as they left the building.

There was no sign of Father Mathias and Wolf assumed the senior priest was officiating at services in the newer and grander Catholic Church of the Holy Family in the Haberberg District, south of the city. He opened the window and called up to the driver.

'Turn around and pull up where I can see the people as they walk towards the old town.'

The boy stopped outside the new market. Wolf sat with his back to the front of the carriage and leaned forward. Less than five minutes later he saw the girl leave the church. She was dressed in a plain black woollen coat, thick knitted woollen gloves, and a woollen shawl that she'd used to cover her hair and most of her face. Her clothes were worn, but clean, brushed and pressed. The impression was of someone clinging desperately to the trappings of respectability.

Wolf watched her cross the road. A uniformed police officer was walking close behind her, dogging her steps.

The Green Stork, Wasser Strasse, Konigsberg, morning of Sunday January 12th 1919

Ralf was talking to the chef in the kitchen when he heard raised voices in the bar, followed by his barman shouting 'Police.'

Ralf smiled. 'My father has you staff well trained.'

'That's Kriminalrat Dorfman's voice,' the chef said, recognising an answering shout. 'He's not as forgiving as

Kriminaldirektor Hafen. Life would be simpler for us hard-working citizens if the powers in the Rathaus had confirmed Georg Hafen as Kriminalrat instead of demoting him to Kriminaldirektor and appointing Dorfman chief of police.'

'Delay the kriminalrat as long as you can.' Ralf locked his office door behind him. Manfred was dozing in the chair, Emil still cuffed and comatose at his feet.

Ralf shook Manfred awake, went to the wall at the side of his desk and pressed a concealed button in the panelling. It swung open to reveal a two-metre square windowless cell that held a safe, military-style travelling cot, lamp, and chair. Ralf unlocked the handcuffs from Emil's wrist and took his shoulders. Manfred his feet. They carried him to the cot. Ralf fastened the handcuffs to one of the metal legs and tossed Manfred the key.

'Stay with him and don't let him make a sound.'

'Yes, sir.'

Ralf closed the panel. It wasn't the first time Manfred had been in the cell. He knew how to get out if he had to. Ralf's father had employed Manfred as security muscle for over ten years to keep the restaurant trouble-free during opening hours and to guard the proceeds of his 'special' deals in the safe when the place was closed.

There was loud hammering on the office door. The knob turned but the lock held.

'Police.'

'One minute.' Ralf opened a drawer and took out a small sack of low denomination coins he'd been keeping for the bar float. He tipped it on the desk, and opened out a ledger next to the pile. Only then did he open the door.

'Kriminalrat Dorfman,' Ralf feigned surprise. 'How can I help you?'

Dorfman stalked in. 'I'm looking for the men who met here this morning for the military reunion breakfast.'

'They've all left.'

'Where did they go?'

'I've no idea, Kriminaldirektor.'

'Georg Hafen was with them?'

'For some of the time,' Ralf conceded.

'You allowed him to organise a meeting on your premises?'

'He visited yesterday and told me he was concerned about the murders of returning officers from the regiment I served in. As am I. He wanted to warn my old comrades to be on their guard. So I allowed him to use my premises. But as you see, there is no one here now, but me.'

'Wolf Mau?'

'Left after breakfast.'

'With Georg Hafen?'

'I really couldn't tell you, Kriminalrat. There was an emergency in the kitchen. I said goodbye to my guests and went to attend to it. When I returned they'd gone.'

Dorfman went to the door and faced the officers who'd accompanied him.

'Search this building, four of you to a floor. Open every door, every cupboard. Look under and in the beds. Leave two men manning the front door and two the back. Five men to be stationed, one on every floor of the staircase. Klein, you're in charge. If you need extra men send to Headquarters.'

All but two officers left.

Ralf sat behind his desk. 'Would you and your bodyguard like refreshments, Kriminalrat? Coffee, perhaps, or tea?'

'Not on duty, Herr Frank, and these are officers under my command. Not a bodyguard.'

'My apologies. May I ask what you're hoping to find, Kriminalrat?'

'Not what, Herr Frank – who. Among others I am looking for Wolf Mau.'

'Any reason?'

'To arrest him for complicity in the murders of Anton von Braunsch, Nils Dresdner, Dedleff Gluck, Luther Kappel, and the wounding of Helmut Norde.'

'That is a very poor joke, Kriminalrat.'

Dorfman leaned on the desk and loomed over Ralf. 'It's not a joke, Herr Frank.'

'Wolf Mau was in Berlin with me and three other officers when Nils Dresdner and Anton von Braunsch were murdered.'

Dorfman straightened his back. 'I have uncovered a conspiracy of enormous proportions, Herr Frank. One that involves several people. Not all were present at every killing but given time I will prove all equally culpable. I have two perpetrators in custody. By the end of the day I will have more.'

Konigsberg, morning of Sunday January 12th 1919

Wolf opened the carriage door and stepped down as the girl approached.

'May I offer you a ride to the Green Stork?'

She looked nervously over her shoulder. The police officer quickened his pace. He pulled a piece of paper from his pocket, looked at it and looked back at the girl.

'Fraulein? A moment ...'

The girl froze.

The officer ran towards them. 'You're wanted for questioning in Police Headquarters, Fraulein.'

Wolf snatched the paper from the officer's hand. It was a sketch of the girl's face. He recognised the penmanship as Kappel's.

'Why do the police want to question this young lady?'

'That's none of your business, sir.'

Wolf stepped between the officer and the girl. 'Get into the carriage, quick!'

The girl climbed in.

He backed in after her. 'Go, quickly,' he shouted to the driver.

'Do as your fare says and you'll be arrested,' the officer threatened.

Wolf opened the door behind the girl. 'Jump down.' He followed her on to the pavement, grabbed her hand and dragged her down the alleyway alongside the New Market. He could hear the officer's footsteps close on their heels. He heaved on the girl's hand. Ahead was the quayside and rows of moored boats. On their left a narrow lane.

The girl slid on the icy path. He steadied her and pulled her into the lane. He spotted a gap in the wall a few metres ahead and ran through it. They were in a snow-covered yard hemmed in on all sides by buildings. It was crammed full of handcarts, some covered by tarpaulins. He hauled the girl up on to a cart and clambered over them, dragging the girl behind him until they reached the row ranged against the wall of the new market at the far end. Peeling back a tarpaulin to reveal a row of crates, he motioned to the girl to lie down on top of them. When she'd done so, he lay beside her, held his finger to his lips and shook the tarpaulin over both of them.

The tarpaulin smelled of fish and felt dirty and oily. Nauseous, he held his breath and listened intently. The girl's breath resounded harsh, ragged, loud in his ears.

The footsteps moved closer. There was a crunch of heavy boots compacting snow. He wrapped his arm around the girl's waist, held her close, and waited.

CHAPTER THIRTY

Weissgerber Strasse, Konigsberg, Sunday January 12th 1919

Georg Hafen was dreaming of a golden summer. He and his long-dead wife were sitting on the beach at Rauschen. It was warm but she insisted on heaping more and more rugs and towels over him although he protested he was baking.

'Papa, Papa ...'

He jerked awake to hear Pippi knocking on his bedroom door.

'Yes,' he mumbled groggily. Tangled in a constricting mass of sheets and blankets he felt as though he'd just closed his eyes. But when he looked at his bedside clock he realised he'd slept for three hours.

'The kriminalrat is downstairs. He needs to see you urgently.'

'I'll be down as soon as I've dressed.' Georg left his bed, tipped water into the bowl on the washstand and immersed his hands and face. He looked at the uniform he'd stripped off, remembered he was no longer entitled to wear it, and opened his wardrobe.

There was little choice besides his dress uniform. A green knickerbocker suit he kept for hunting and trips to the country and a plain dark blue suit he wore to weddings and funeral. He opted for the dark blue suit.

'Are you sure I can't get you anything, sir?' Pippi showed

Kriminalrat Dorfman into the parlour.

'No, thank you, Frau Plewe.'

'Please, take a seat.'

'I prefer to stand, Frau Plewe.'

Young Peter crept to the door. 'Mama ...'

Pippi took him by the hand. 'Go to the kitchen with your brothers and sister, Peter, and don't annoy the cook.'

'Yes, Mama.' Peter bowed and clicked his heels before the kriminalrat, but Dorfman didn't acknowledge the child's presence.

Pippi couldn't think of anything to say to the kriminalrat. She heard Peter ask her father's cook questions about the strange man who'd been allowed into the 'best room'. Most of the men she knew would have smiled at the child's prattling, but not Kriminalrat Dorfman.

Unable to bear the tension a moment longer, she repeated, 'Are you sure I can't get you refreshments, Kriminalrat?'

'The only thing I require is your father's presence, Frau Plewe.'

'He won't be long, Kriminalrat Dorfman. He was sleeping. He's been on duty for days.'

'As have we all, Frau Plewe.'

'Yes, of course. My husband ...'

'Kriminalobersekretar Plewe.'

'Yes, sir.' Pippi heard her father's step on the stairs.

'Please don't let me keep you from your domestic duties, Frau Plewe.'

Relieved at being dismissed, Pippi opened the door. Her father was outside. He nodded to her, entered the room and closed the door.

'You wanted to see me, Kriminalrat Dorfman?'

'I'm here to take you to Headquarters, Herr Hafen. I have a vehicle waiting outside.'

The 'Herr Hafen' wasn't lost on Georg or the inflection in Dorfman's voice when he said it. 'To assist you with the case I was investigating?'

'No, Herr Hafen. To formally charge you with complicity in

murder.'

'Whose murder?'

'Really, Herr Hafen. Do you have to ask?'

Georg didn't argue. He opened the door of the parlour. Pippi was in the hall.

'Papa ...'

'Please, fetch my coat, Pippi.'

She did as he asked.

He put it on and buttoned it. 'I know Peter will take care of you and the children. Remember you're my daughter and try not to worry.' He reached for his hat and stepped outside.

Four officers who'd been waiting on the street moved either side of him and escorted him to the back of one of the secure, closed and barred police vans that was used to transport criminals.

'Good day to you, Frau Plewe.' The kriminalrat placed his helmet on his head and followed them.

Pippi closed the door and picked up the telephone.

Konigsberg, Sunday January 12th 1919

The footsteps had long faded from the yard before Wolf dared risk lifting a corner of the tarpaulin. The snow on the outer edge next to the lane had been trampled but the snow below their cart was pristine.

'Cold?' he whispered to the girl.

'No,' she lied. Her face was white, her lips blue.

He looked up at the sky. 'It'll soon be dark; when it is, we'll leave.'

'The police ...'

'Rest while you can. Leave everything to me.' He pulled the tarpaulin over them again. He could feel the girl, muscles tensed, next to him.

He ignored the creeping paralysis that came with the cold, the stink of fish. The hard, cramp-inducing boards he was lying on and tried to collect his thoughts. Whatever had happened in France had been serious enough for someone – he suspected

257

Dorfman – to order Kappel to produce a sketch of the girl, which meant she was either a witness or a criminal. Dorfman knew of the girl's existence and wanted her in custody alongside Lilli Richter because if Lilli had been released Klein would have mentioned it to Georg.

The girl was acquainted with nuns, and he'd seen a nun put a note into the Richters' letterbox. He suspected Dorfman was trying to cover something connected to the murders that he didn't want Georg to investigate. With Georg relieved of his post there was no one in the police in a senior position who would dare question Dorfman's decisions. Even if they'd been tempted, Georg's dismissal would be reason enough to fear the loss of their own jobs.

If Dorfman was confident enough to hand out sketches of the girl to his officers, was he also having the Green Stork watched as well as the Richters'? Georg's house? Martin's house in Gebaur Strasse? If Dorfman arrested the girl before he'd had a chance to talk to her – and he was too afraid of being overheard by a passer-by to question her now – he'd never find out what she knew. He trusted Ralf and Martin implicitly but what if Dorfman apprehended him and the girl before he reached them?

He toyed with the idea of heading to the wharf, stealing a boat, sailing over to The Kneiphof and asking Johanna if he and the girl could hide out in the Behn's house. That would give him the time he needed to question the girl about her relationship with the nuns and ask her if she knew why Dorfman was looking for her. Then he remembered Dorfman trusted Johanna enough to appoint her as his agent to send money to France.

Just what was Johanna's relationship with Dorfman? All he'd shared with her was passion. On her own admittance she'd only been interested in his body, a novel twist on men's obsession with sex. He'd never realised women could consider sex in the same way. Was he building too much on an hour of lovemaking? Would Johanna contact Dorfman the moment he appeared at her door?

The more he considered his situation the more he realised how few people he trusted beyond Martin, Ralf, and Peter. Then he remembered there was one other person he trusted. Someone it might not occur to Dorfman to watch.

The Green Stork, Wasser Strasse, Konigsberg, Sunday January 12th 1919

'... Papa has been arrested and Johanna Behn said there was nothing she could do until the morning ... I've tried telephoning the police station, and Wolf Mau, but no one would speak to me at the station and I couldn't reach Wolf. No one seems to know where he is. Martha, Lotte, and Martin said the same as Johanna. There was nothing anyone could do until tomorrow but ...'

Ralf cut ruthlessly into Pippi's hysterical outburst. The hollow tone on the line suggested that Dorfman, or what was more likely, his cohorts, were listening in. 'They're right, Pippi. There's absolutely no point in telephoning anyone ...'

'Don't you understand,' she cried. 'My father's been arrested ...'

'Kriminalrat Dorfman wouldn't have detained your father without good reason. As for a lawyer, I'll help you find one tomorrow.'

'Johanna Behn said she wasn't interested in taking his case ...'

Ralf knew if Johanna has said that much she'd realised her telephone line wasn't secure. 'Then we'll find a lawyer who will take your father's case. There's no point in bothering anyone on a Sunday, Pippi.' He hated sounding unsympathetic but he knew of no other way of curbing Pippi's well-intentioned but potentially catastrophic efforts on behalf of Georg Hafen. 'Now, go, look after your children and wait. That's all any of us can do. It's what your father would advise.'

Distraught, hysterical, Pippi burst into tears.

'Go and wash your face and compose yourself, Pippi. You're no use to anyone, least of all your father, the way you are. I'll visit you tomorrow. In the afternoon, three o'clock,' Ralf snapped before hanging up.

Konigsberg, Sunday January 12th 1919

No one gave the old man pulling a handcart a second glance. With his head and shoulders wrapped in a tattered old tarpaulin, he bent almost double as he pushed the cart along the pavements of the old town. He stopped and looked around when he reached the secondary school at the end of Luther Strasse. There were few people about, and those appeared to be too intent on heading for home and warmth to be interested in him.

He crossed Linden Strasse and walked along Lang Strasse until he reached Koggen Strasse, the province of the largest and most exclusive stores. There, he stopped and studied his surroundings again.

Baumgarten's five-storey edifice dominated the corner between Koggen Strasse and the Aldstadt Lang. There were even fewer people there than there'd been on Luther Strasse. He saw two police officers manning the crossroads. They'd stopped a carriage and were checking the passengers' identity papers. They didn't give him a second glance until he'd passed. Then one shouted, 'Good evening, Granddad.'

He lifted his hand in acknowledgement that he'd heard, but he didn't turn his head, move the tarpaulin or raise the hat he was wearing beneath it. He walked alongside the department store and down the alley that led to the loading bay. He pushed his cart up to the door and knocked.

The sound echoed ominously through the building. Hoping someone would still be stocktaking, and more important within hearing distance, he banged again.

'We're closed,' growled a deep guttural voice.

'Special delivery ordered by Mr Josef Baumgarten for his wedding. It will spoil if it isn't delivered today.'

'He said nothing to me about a special delivery.'

'Get a message to him.'

'Who shall I say wants him?'

Wolf though rapidly. He dare not use his name. Then he remembered the code they'd devised to warn one another of dangerous orders being handed down in the trenches.

'The coffee will be ready soon.'

'Pardon?'

'He'll understand.'

Ten freezing minutes later Wolf heard the bolts being drawn back. The door swung open. If Josef was surprised to see Wolf covered by an old tarpaulin and pushing a cart, he hid it well.

'Come in. We'll go up to the office, it's warm there.'

Wolf looked at the old man who'd carried his message.

'Saul, I'll lock this door, you can go to your apartment.'

'I work until seven o'clock on a Sunday, Mr Josef.'

'I'm here, Saul. Go, keep your wife company and enjoy your coffee and her Sunday cake.'

The man still hesitated.

'If he asks, I'll tell my father it was my idea. My friend and I need to have a private conversation.'

The old man wandered off. Wolf waited until the door banged shut behind him before lifting the tarpaulin that covered the cart. The girl looked up at him and Josef through terrified eyes.

Josef extended his hand to the girl. 'Thank you, Wolf, but as you know I'm about to be married. There's no need to deliver a young lady to me.'

'Cherie, this is a friend of mine, Josef Baumgarten. His family own this store.'

'Come, we'll talk in the office.' Josef shook her hand before leading the way to an elevator. When they reached the fourth floor he showed Cherie into a private bathroom behind his father's office. 'You can wash off the fishy smell in there.'

She murmured, 'Thank you,' closed and locked the door.

Glad to be in the warm Wolf sat near the stove and told Josef about Georg being relieved of his post and the police officer with the sketch of Cherie who'd tried to arrest her.

Josef listened in silence, before offering Wolf a cigar. 'How long have you been hiding out?'

'Two, maybe three hours.'

'A few things have happened in that time. Georg Hafen's been arrested and charged with the murder of our old comrades, along with Lilli Richter. Rudi Momberg called on Johanna and told her about the charges levied against Lilli. He also told her that your brother Martin has been charged with interfering with a police investigation because he refused to leave Lilli when she was taken ill at Police Headquarters. Ralf telephoned me an hour ago from a restaurant near Johanna Behn's to give me the news and warn me to be on my guard if the police come here. The Green Stork's been searched and Dorfman has stationed officers outside there, your family home in Baumgarten Strasse, the Richter house and Georg Hafen's place. They're stopping everyone who enters or leaves. Ralf phoned from the restaurant because he thinks the police are listening to all the calls in and out of the Green Stork, Martin's house and Behn's. Johanna Behn and Rudi Momberg want to help Lilli, Georg, and Martin but as Dorfman won't allow them access to "his prisoners", there's nothing they can do until the court opens tomorrow. Then they'll make an application to a judge to be allowed access to their clients. Meanwhile Dorfman has officers scouring the city ...'

'For Cherie.'

'No, Wolf, for you. I forgot to mention, Dorfman told Ralf he intends to arrest you for murder as well. He said something to Ralf about uncovering a conspiracy.'

'What conspiracy?'

'I've no idea. Personally I think the man's taken leave of his senses. You and the girl need somewhere safe to hide out. You're welcome to stay here as long as you like.'

'And put you and your family at risk?' Wolf broke in. 'It's good of you to offer, Josef, but ...'

'No "buts", not tonight. If Dorfman had any idea of your whereabouts or the girl's he'd be hammering on the door. I'll get you and the girl some food and coffee. Then we can sit and think out our next move.'

' "Our"? You're about to get married.'

'Our!' Josef reiterated. 'I'd be mouldering in a mass grave on the Western Front if it wasn't for you, Wolf.' He looked up. Cherie was framed in the doorway. 'Come in, sit next to the stove, warm yourself.'

'I heard what you said, Mr Baumgarten.'

'Which part?' he asked.

'The part about Colonel Dorfman arresting people for the murder of the officers. He's arrested the wrong people.'

Wolf looked at her. Pale, exhausted, she still had the face of an angel. 'How do you know?'

'Because I enticed those men into the rooms where they were murdered, Colonel von Mau.'

'Do you know who killed them?' Like Wolf, Josef was incredulous.

'Yes, Mr Baumgarten. I know who killed them.'

CHAPTER THIRTY-ONE

The Green Stork, Wasser Strasse, Konigsberg, Sunday January 12th 1919

When Ralf ordered his father's sleigh harnessed so he could visit Johanna Behn on The Kneiphof he expected the men Dorfman had left in the Green Stork to stop him from leaving the restaurant. They didn't, but two of the officers trailed him in a hire carriage. They waited within view of her house while he visited her and one of them followed him and Johanna when he took her to a nearby restaurant for coffee and cake. When he left Johanna at her door, they followed him back to the Green Stork.

He knocked on the window of their carriage and waved cheerily after he alighted from his sleigh outside the front entrance of the restaurant. They both turned their backs to him. Ralf opened the door and offered them refreshment. They refused.

Still smiling, Ralf pushed open the door and walked through the restaurant and kitchens into his office. Manfred was sitting in the visitor's chair.

'Emil Grunman?' Ralf asked.

'Woke up. He started bellyaching so I stuffed a rag in his mouth and came out here.'

'Open the door.'

'You sure, boss?'

'I'm sure.'

Manfred did as Ralf asked. Emil was still cuffed to the cot

265

but he'd spat out the rag Manfred had jammed in his mouth. He sat up and started shouting.

'One more word from you, Emil, and you'll never see the light of day again.' Ralf unlocked a drawer in his desk and lifted out a gun and a file of papers. He set both in front of him. 'Are you going to be quiet?'

'I haven't much choice,' Emil growled.

'No you don't. These papers,' Ralf held up the file and showed Emil pages of closely written script, he closed it before Emil was able to read a word. It was the Green Stork's recipe file but Emil had no way of knowing that, 'are the sworn statements of Reiner Schult and Dolf Engels. While you were recovering from your concussion they returned here and made a full confession to me and Colonel von Mau.'

'Confessed what?' Emil demanded, his pallor at odds with his belligerence.

'Everything.' Ralf flicked through the papers and pretended to read. When Emil remained silent he ventured, 'France … nuns … '

'They told you?' Emil's voice dropped to a whisper.

'They confessed everything,' Ralf reiterated.

'Will they go to prison?'

'That is entirely up to the judge. They made full and frank statements in the hope that the judge would see them as an indication of their contrition, remorse and sincere wish to make amends.'

'You think the judge will look leniently on both of them?'

'I believe their confessions will affect his judgement.' Ralf took his time unscrewing the top from his inkwell and taking a pad of clean paper from his desk. He was careful to lock his cook's file back in one of the drawers but not the gun. He held up a pen. 'Are you ready, Emil?'

Emil pulled on the handcuffs that fastened him to the cot.

'If I unlock the cuffs you'll sit here quietly, and write a full account of everything that happened?'

'If I don't?' Emil wavered.

'The judge will set your obduracy against Reiner and Dolf's

266

full confessions.'

'You want me to write down *everything* that happened?'

'*Everything*,' Ralf repeated.

'If Dolf and Reiner said I took part. I didn't. I was there but I didn't do anything. It was the others. And Dorfman. He egged us on ...'

'If you don't put your case forward, the judge won't be able to take it into account.'

'When I've finished you'll let me go?' Emil pleaded.

'When you've finished I'll return you to the cell and there you'll stay until I've spoken to the judge tomorrow morning.'

'And then I'll be free to go?'

'That will be up to the judge. It's the best offer I can make you. Take it or leave it.'

Emil thought, but not for long. He held up his cuffed hand. 'I'll take it.'

Baumgarten's Store, Konigsberg, Sunday January 12th 1919

Josef returned to the office with a pot of coffee, cheese rolls, and biscuits.

'Sorry, Wolf, Cherie, the rolls aren't as fresh as I'd like. They were made this morning for the staff who helped with the stocktake.'

'The coffee smells good.' Wolf warmed his hands on the cup Josef gave him before retrieving the envelope the girl had given him from his pocket. 'Thank you for the warning, Cherie. I regret to say I didn't open this in time to help the soldier who was attacked in the brewery last night, or the policeman who was murdered in the hospital this morning.'

'I heard about them, sir.' She bit her lip and looked down at her hands.

'You know who killed the police officers?' Wolf reiterated.

She refused to meet his eye.

'Cherie ... that is your name isn't it, Cherie?' Wolf checked.

'It's what they call me in the Green Stork, sir.' She spoke so

267

softly he could hardly hear her.

'It's not your name?'

She shook her head before taking the coffee Josef handed her.

'This is going to be a very short conversation if you don't talk. I promise you, neither I nor Mr Baumgarten will repeat a word of what you say, unless you give us permission.'

She finally looked up at Wolf. Her eyes seemed enormous. They were a deeper green than he remembered. He sensed he could lose himself in their depths if he wasn't careful.

'If you weren't concerned about the men who'd been murdered you wouldn't have given me that note,' Wolf handed it to Josef.

'I wanted to stop the killing. There's been so much killing – in the war – and afterwards.'

'You didn't murder those men?'

Her eyes flashed momentarily. 'I told you, I enticed them into the rooms. Nothing more. I could never hurt anyone or break one of God's laws ...' her voice dropped even more. 'Never!'

'Yet you knew the killings were planned before they happened?'

'They made me help them. They said I had to. That I owed it to God.'

'Who are they, Cherie?' Josef read the note and set it aside.

'Please don't call me that.'

'What should we call you?'

'My name was ...' she hesitated.

Wolf and Josef waited patiently.

'When I was a child it was Colette.'

'Colette is a pretty name,' Wolf commented.

'When I became a bride of Christ it became Sister John.'

'You were a nun?' Wolf was surprised a nun would leave a convent for the louche surroundings of the Green Stork

'I admit I played a part by enticing those men to their deaths, Colonel von Mau, Mr Baumgarten, but I cannot – will not implicate anyone else.'

'Innocent men have been murdered.'

'If those men were innocent, they would still be alive.'

'Every man is entitled to a fair hearing and trial in a court of law before he is condemned,' Wolf said.

'The Bible teaches us to take an "Eye for eye "…'

' "… Tooth for tooth, hand for hand, foot for foot, burn for burn, wound for wound, stripe for stripe. For the wages of sin is death". I read the notes that were sent to Lilli Richter. But do you really believe any person has the right to kill another?'

'It's what the Bible teaches us.'

'Psalms also says, "The Lord is good to all: and his tender mercies are over all his works." No matter what those men did they were entitled to be heard. If they'd been found guilty and sentenced by a judge, a guillotine would have ended their lives more swiftly and humanely than the torture they were subjected to.'

'Some crimes do not deserve a humane death, Colonel von Mau.'

"Judge not, and you will not be judged; condemn not, and you will not be condemned; forgive, and you will be forgiven."

'You know your New Testament, Colonel, but the crimes those men committed did not deserve to be dealt with mercifully. God punishes the guilty.'

'No one will disagree with you on that, Miss Colette, but it seems to me that whoever killed those men considered their authority equal to God's when it came to taking life.' Josef topped up their coffee cups.

'They considered themselves to be the instruments of God, Mr Baumgarten.'

'Or the instrument of their own pride?'

'You are a Jew, Mr Baumgarten?' Colette asked.

'I am.'

'Then your God is not my God.'

'Better men than me of all religious persuasions have debated that point, Miss Colette, but I believe the God who watches over us all is a just and forgiving God.'

'The people who killed those men have suffered and are

suffering for their actions but they had no choice. God chose them to carry out His will. You want to know who they are so you can persecute them through men's courts, not God's.'

Wolf imagined the hours of 'persuasive arguments' that had been used to make Colette believe what she was saying. 'I want to know who the killers are to prevent Emil Grunman, Reiner Schult, and Dolf Engels suffering the same agonising deaths as the last four victims. Which you and I both know, they soon will.'

'They might not die,' Colette countered.

'Do you know they won't be killed, Colette, or is that just the wishful thinking of a guilty conscience?' Wolf asked.

Josef sat opposite Colette, leaned forward and took her hand into his. 'Tell us what you know and we promise not to reveal who gave us the information. You can leave it to us to decide what needs to be done to safeguard future victims. That way, whatever happens will be down to Wolf's and my actions, not yours.'

Colette tensed as she looked at both men. 'You promise, both of you, on the lives of those you hold dear, that you won't tell anyone that it was me who told you who killed those men?'

'I promise, on the lives of all I hold dear, that I won't say a word of what you're about to tell us without your permission, and I promise never to reveal that it was you who gave us the information,' Wolf amended.

'I swear on the God of my fathers and the lives of all those I hold sacred,' Josef concurred.

'You won't punish them for doing what they felt they had to?'

'That I can't promise, Colette. No one can,' Wolf said. 'But I can promise you that I'll listen to them and do all I can to help them.'

'To escape from the police?'

'You said they had no choice but to kill those men. I find that hard to believe.'

'Then I must make you understand.' Colette began to speak. Once she began, Wolf and Josef couldn't have stopped her, even if they'd wanted to.

The words poured out, tumbling one after the other as she sat oblivious to everything except what she was telling them.

CHAPTER THIRTY-TWO

Baumgarten's Store, Konigsberg, Sunday January 12th 1919

'My sister and I were brought up by our grandparents. It was common in the French villages. Our parents left to find work in Paris when I was two and Michelle four. After a few years they stopped writing, but our grandparents were kind and loving and Michelle and I sought consolation in the church. I received my calling when I was twelve and took my final vows in the spring of 1917. The convent that became my home was in a small village outside Rheims ... you wouldn't have heard of it ...'

Wolf and Josef were sure they would have but they didn't interrupt her.

'The front line moved continuously. One day we'd be behind German lines, the next the Allies'. Four times we had to evacuate to a school in Rheims. That was the hardest. Having to pack up and move the convent's sacred possessions as well as safeguard those who'd taken sanctuary with us or were convalescing in our care. Mother Superior said it was God's will. He had placed us on the battlefield so we could help those who could not help themselves. We took in women and children whose homes had been destroyed in the fighting. They had nothing ... no food, no blankets, only the clothes they were wearing. We nursed the sick, civilians and soldiers from both sides. British, Australian, Canadian – and German, but never the wounded. They were treated in the military hospitals. We only looked after men who'd succumbed to disease. In

December 1916 there was an outbreak of …'

'Measles,' Wolf supplied.

'You were there, sir?'

'Five of my men died in that epidemic.'

'Measles was followed by diphtheria. Last September there was an outbreak of scarlet fever. It spread from the villages to the trenches. The French first, then the Australians and British. There was a battle. The Allies retreated, the Germans advanced and the convent was once again behind German lines. Mother Superior took in the convalescent cases your medical personnel brought us. We ate in the kitchens so we could house ten officers in the refectory and we made up beds for twenty civilians in the gatehouse.' She wrapped her arms around her shoulders, rocking herself to and fro on the chair.

'Was Colonel Dorfman one of the officers?' Wolf asked.

'No, but he visited the men. He said it was to make sure they had everything they needed although he never brought them – or Mother Superior – supplies. We didn't have enough food for the civilians, the patients and ourselves. The patients needed nourishment more than us, so we went without.

'You didn't get food from the German army?'

'Not for the convent kitchen, but some of the men's comrades brought them schnapps and cognac …' her voice trailed. When she began talking again, it was at speed.

'The evening before the officers were due to leave, Colonel Dorfman came with some of his subordinates. They were drunk, singing, shouting, making a lot of noise, and they gave the officers we'd been looking after brandy. Too much brandy. Mother Superior sent Sister Rachel, Sister Andrew, and me to the refectory to remind the officers there were sick women and children in the gatehouse. When we went in Sister Rachel asked them to be quiet but they took no notice of her … and then …'

Reading the pain etched on Colette's face Wolf said. 'They attacked you?'

'Not straight away. They were laughing, so at first we thought it was a joke. A bad joke – but a joke. Colonel Dorfman was there and although he was as drunk as his officers we thought he would protect us. Captain von Braunsch locked the door behind us and threw the key to Lieutenant Kappel who put it in his pocket so we couldn't escape. He grabbed Sister Rachel, pushed her against a wall and kissed her. Sister Andrew tugged at Lieutenant Kappel's arm to pull him off. I tried to help. The men clapped and jeered. Lieutenant Dresdner tore Sister Rachel's habit …'

She stared wide eyed, unblinking. 'Sister Rachel started crying and screaming but that didn't stop Lieutenant Dresdner or the others. They stripped Sister Rachel then turned on Sister Andrew and me. I cried out to Colonel Dorfman, begging him to help us, but he was laughing even louder than the others. They passed us around from one man to another. I thought it would never stop.'

'They raped you.' Wolf said the words, Colette couldn't.

'The whole time it was happening I could hear Mother Superior and our sisters banging on the door but they couldn't open it because the lock held. Eventually, our gardener brought his axe and chopped open the door. Too late for Sister Rachel. She was dead.'

'How did she die?' Wolf hated himself for asking but he had to know.

'Protecting me. She put herself between one of the men and me. He lashed out at her with his gun, hit her on the head, and cracked her skull. The men moved away from us when Mother Superior and the sisters entered the refectory. The sisters covered me, Sister Andrew, and Sister Rachel. Mother Superior sent for a doctor. He came with the priest who was our confessor. The sisters carried us into our cells. The doctor gave me something to make me sleep and stitched my wounds. Sister Andrew woke me in the night. She could barely walk. She said we were defiled, no longer fit to be brides of Christ and it was better we join Sister Rachel in death. She gave me something to drink. It tasted foul. I vomited and went back to sleep. The next morning I discovered Sister Andrew had given me rat poison. She'd taken it herself. I sat with her and watched her die, slowly and horribly. It took her three days and the entire time I wished

I'd been strong enough join her.'

Wolf shook his head. 'Dear God, you'd been through enough.'

'You shouldn't take the Lord's name in vain, Colonel von Mau,' Colette admonished. 'Father Duval, our Father Confessor, buried Sister Rachel and Sister Andrew. I watched the coffins being lowered into the ground and wanted to lie alongside them. But Father Duval told me that would have been a mortal sin. He said as I was defiled I could no longer be a bride of Christ. He ordered me to leave the convent within the hour.'

'He threw you out?'

'He disbanded the convent of Our Lady of the Sorrows and stripped Mother Superior of her position. She and the sisters went to another convent to beg admittance. I found work on a farm.'

'What happened to the officers who attacked you?' Josef asked.

'They walked around the village as if nothing had happened. Dresdner even came to the farm to buy milk. I told him Sister Rachel had died and Sister Andrew had killed herself. He said it was nothing to do with him. That he'd given them and me the good time all women want. I told Father Duval what Dresdner said. He insisted that the men had paid for their sin, the subject was closed, and as everyone in the village knew what had happened, I was an abomination in God's and my fellow man's eyes and it was time for me to leave the area.'

'When he said "paid" you mean with money?' Wolf questioned.

'Father Duval never said how they paid. The war ended. A sister by blood, as well as convent, to Sister Andrew discovered Captain von Braunsch and the men who'd attacked us were from Konigsberg. She heard a French priest was embarking on a mission to the city to help rebuild relations between France and Germany and volunteered to go with him. Other nuns from our convent asked permission to travel with her. When Father Duval gave me money on condition I leave the village, the sisters suggested I travel with them so I could help identify the men who'd defiled me, Sister Andrew, and Sister Rachel. When we reached here, I found work at the Green Stork. The sisters from my old convent visited me after they discovered that some of the men were working as police officers. They told me that we were all God's instruments and it was our duty to make the men pay for what they'd done. They needed my help. To my shame I agreed to do whatever they asked me, because I wanted revenge.'

'That was understandable,' Wolf consoled.

'The sisters asked me to entice the men into rooms so they could be punished. They said it was God's work but when I heard people talking about how the men had died, I was unsure. After Captain von Braunsch was killed I told the sisters I didn't want to help them again. They reminded me that they couldn't identify all the men without my help. I arrived late at the brewery, saw they had picked the wrong man ... so I agreed to carry on.'

'Luther Kappel?' Wolf asked.

'Many nuns work in the town hospital in Hinterrossgarten. It was easy to borrow a habit, go inside, and identify him.'

'You saw him being killed?'

'I left before the killing. I never stayed – not for that. The sisters are right. Those men's deaths are deserved and God's will. If it wasn't His will they would be alive. We are, all of us the instruments of God's will.'

Realising argument would accomplish nothing Wolf kept his thoughts to himself. 'The notes Sister Luke posted in the Richters' letterbox ...'

'How do you know Sister Luke posted them?'

'Because I watched her place a note there through the keyhole of the door to the office. The first note said:

Eye for eye, tooth for tooth, hand for hand, foot for foot, burn for burn, wound for wound, stripe for stripe. For the wages of sin is death.

14 Wasser Strasse, Room 10. So the last shall be first and the first last.

'We know von Braunsch was the last, who was the first, and why were they the first and last?'

'Von Braunsch was the last to rape me.'

'Who was the first?'

'Colonel Dorfman.'

Wolf felt as though someone had punched him in the stomach. He couldn't comprehend how any German officer, much less a colonel, could stand back and watch helpless nuns being raped and do nothing to help them. Let alone join in. Yet he was certain Colette was speaking the truth.

'Did none of the officers try to help you or stop what was happening?' Although they'd both seen war in all its ugliness and dishonour, Josef was finding it as difficult as Wolf to comprehend his fellow officers' actions.

'None. Lieutenant Engels didn't join in, neither did Lieutenant Schult, but they were both very drunk. I can't be sure they were awake but if they were they didn't try to stop the others.'

'You're certain it was the colonel who raped you?' Josef pressed.

'I'm certain,' Colette reiterated. 'He was the one who hit Sister Rachel on the head with his gun when she tried to protect me. Sister Rachel wasn't always Rachel. When we were sisters growing up together, her name was Michelle.'

CHAPTER THIRTY-THREE

Baumgarten's Store, Konigsberg, Sunday January 12th 1919

'What's going to happen now?' Colette asked Wolf and Josef after they'd sat in silence for ten minutes.

Wolf checked the clock on the wall. Its hands pointed to half past eight. 'Nothing tonight.'

'You need to sleep. There's a room next door father uses for meetings. It has chairs and sofas. If I brought up pillows and blankets from haberdashery you could make yourself comfortable there, Colette.'

'Not alone. You wouldn't leave me alone ...'

'It's next door. We'll leave the doors open. Take a look.'

Colette left her chair and Wolf rose to his feet. His body ached and he was still stiff from cold. Josef opened a door to the side of the desk. The room was in darkness, but before he switched on the light he went to the window and pulled down the blind.

'As you see comfortable sofas. Can I get you anything to eat or drink?'

Colette shook her head. She sat on the sofa bent down and unlaced her boots. 'There's another sofa, Colonel von Mau.'

'So I see, but I need to talk to Mr Baumgarten, Colette. We'll only be next door.'

'You'll leave the door ajar? In case the police come.'

Wolf realised the police officer who'd tried to detain her outside the church had frightened her more than he'd thought.

'If they come to arrest us, Colette, there won't be much we can do about it other than find a lawyer to represent us.'

'No one will find either of you here,' Josef reassured. He left and returned ten minutes later with an armful of pillows and blankets.

Wolf returned to the office, slumped in an upholstered chair next to the stove, and propped his feet on one of the visitors' chairs. Josef handed him a pillow and blanket.

'You trying to send me to sleep?'

'That's the general idea.'

'I can't remember the last time I slept. Yes I can, it was on the kitchen floor of the Post Office in Lichtenhagen.'

'The Post Office?'

'It's a long story.'

Josef took blankets and pillows into the meeting room. He left the door ajar when he returned. 'The girl's already asleep. I covered her with a rug.'

'You switched off the light?'

'There's a glass skylight in the door. The light's on in the passage and here. I've locked the door at the end of the corridor that connects these rooms with the rest of the building.'

'You should go home.'

'My father's on a buying trip to Dresden. I phoned my mother from the switchboard and told her I'd found something that needs checking and would probably be here all night.'

'What could possibly need checking to keep you here all night?'

'Stock in the silverware department.'

'She believed you?'

'Why shouldn't she. I've never lied to her in my life.'

'Until now,' Wolf reminded.

'The less she knows about what's going on the happier she'll remain.' Josef sat behind the desk. 'What can we do? We promised Colette we wouldn't tell anyone what she's told us, yet there's a group of murderous nuns who for all we know are killing another veteran this minute.'

'Hopefully all the nuns in Konigsberg will be too busy

280

praying on a Sunday evening to think about murder. But I wouldn't mind them murdering Dorfman.'

'You don't mean that?'

'After what he did to Colette and the other nuns? Yes I do.'

'We have to go to the authorities.'

'A laudable Prussian sentiment, but what authority, Josef?' Wolf unfolded the blanket and covered his legs. 'Dorfman is head of the police, and if what Colette says is true, and I believe her, a murderer and a rapist.'

'All of us have murdered men in the last four years,' Josef commented.

'While observing the rules of war.'

'Don't you think it's ridiculous to observe rules when killing our fellow men?'

'Yes,' Wolf answered shortly.

'As for rape, thank heaven for whores. If it hadn't been for them there would have been a lot more rapes on the Western Front. I had to pull Dresdner off an old woman who was scrubbing a floor in a café after one stand down. She looked eighty years old. What is it about fighting that makes men need women?'

'A primitive desire and impulse to procreate before they get wiped from the face of the earth, which given the age of Dresdner's prospective victim, defies logic,' Wolf guessed. 'To return to Dorfman. The fact he sent money to a French convent that's been closed indicates he's trying to pay someone off to keep quiet about what happened. I'm guessing the recipient of his charity is the priest who shut the house and told Colette she was no longer fit to be a nun.'

'That doesn't explain why Dorfman's arrested Georg Hafen and Lilli Richter and put out a warrant for your arrest,' Josef picked up his coffee. It was cold.

'He's obviously been unnerved by the murders and is terrified of what Georg might uncover during the course of his investigation. Dorfman arrested Hafen to prevent him from finding out the truth. Don't forget it's not only Colette who knows what happened in that convent. The surviving officers

281

were nervous when I spoke to them this morning, especially Emil Grunman. Any one of them could talk and implicate Dorfman. The kriminalrat probably targeted Lilli because she's the editor of the only Konigsberg paper with any integrity.'

'And you? Don't forget he has an arrest warrant out for you as well as the girl?'

'Colette because she knows the truth,' Wolf surmised. 'Me, because he's seen me with Georg and can't be sure how much I know. It wouldn't surprise me if Peter's next on his list of people to silence, along with the surviving officers who were present in that convent, Engels, Schult and – Grunman.'

'Any idea where they are?' Josef asked.

'No. But I doubt Dorfman would shed any tears if they were murdered like the others.'

'We have to stop the nuns from killing them and Dorfman from arresting them but beyond arrest I can't see Dorfman doing anything else to them. Konigsberg's not a war zone under military rule. A kriminalrat can't lock people up for ever.'

'No,' Wolf agreed, 'but accidents happen, even in police cells. A fire – a flood – food poisoning.'

'Dorfman wouldn't go that far?'

'You're talking about a man who not only turned a blind eye to men under his command raping nuns, but one who joined in. He might not have intended to kill Colette's sister but manslaughter or murder, she's dead. If Dorfman hadn't been there she'd still be alive.'

Josef took one of the pillows from the desk and tossed it to Wolf who slipped it behind his head.

'Thank you, Mother. I'm comfortable but I'm also aware Colette and I can't hide out here for the rest of our lives. We have to get a message to Johanna Behn.'

'The lawyer? Can you trust her?'

'I don't trust anyone except you, Peter, and Ralf, but as none of you are acquainted with the legal system and she's the only lawyer I know, I have little choice. If we can find a way to contact her and Ralf it would be a start. Georg told me Ralf's father is "an honest rogue", whatever that means.'

'It means that when you're in trouble and ask for help, the Franks will do all in their power to help you. I'll get Johanna Behn and Ralf here tomorrow morning and try to find out where Engels, Schult, and Grunman are.'

'Good idea ...'

Josef watched Wolf's eyelids close. He arranged another blanket over him, left the office and went to the room that housed the switchboard. He picked up the receiver and spoke to the operator.

'Johanna Behn, please.'

Johanna answered within two minutes of the operator putting the call through. 'Behn.'

'Fraulein Behn, it's Josef Baumgarten from Baumgarten's department store. My apologies for telephoning so late on a Sunday evening. I regret to inform you that one of our tailors has succumbed to influenza so it's been necessary to reschedule our fittings tomorrow. Could you please come in at seven thirty so the final adjustments can be made to your new suit?'

'Seven thirty, Herr Baumgarten?'

'If that's too early for you we could offer a later appointment.'

'Seven thirty will be fine, Herr Baumgarten. Thank you for your call.'

Johanna terminated the telephone call. Josef replaced the receiver and picked it up again. 'The Green Stork, please.'

'Hello.' Ralf answered on the first ring. Josef imagined his friend sitting behind his desk listening to the noise from the restaurant and kitchens. He also imagined a police officer listening to their conversation.

'It's Baumgarten's store with a message for Ralf Frank.'

'Is that you, Josef?'

'Yes. My father has set me to work already.'

'So has mine. No peace for wicked devils, eh? You'd think they'd give more credit to heroes. Two weeks holiday or at the very least a brass band reception. It wasn't our fault the government surrendered.'

Ralf's whining sounded so like Helmut Norde's Josef had to

stifle his laughter.

'I'm calling because one of our tailors has influenza. We need to reschedule your appointment for fittings for your spring wardrobe. I apologise for the early hour but can you come in at seven fifteen tomorrow morning?'

'For an old comrade, just this once, yes. But in future I'd prefer late afternoon to early morning fittings.'

'I'll remember that. I've been trying to get a message to Dolf Engels, Emil Grunman, and Reiner Schult to reschedule the fittings of their civilian clothes ...'

'Leave it with me. I'll try to get a message to them. You want them to come in early too?'

'Before eight o'clock if possible.'

'I'll try to get them there. Goodnight, Josef.'

'Goodnight, Ralf.' Josef replaced the receiver. He wished he could think of someone else to contact, but Wolf was right: given Dorfman's power and influence, it could only be a matter of time before he targeted Peter.

Baumgarten's Store, Konigsberg, Monday January 13th 1919

Josef shook Wolf awake at half past eight the next morning. 'I'd like to leave you to your dreams, Sleeping Beauty, but we need you.'

Wolf frowned in confusion. 'Ralf's already here?'

'And Johanna Behn.'

'Colette?'

'Johanna's taking a statement from her now. Go wash your face, comb your hair and I'll send for more coffee.'

Ralf was sitting at one end of the rectangular table, Johanna the other. She was passing papers to Colette. To Wolf's surprise the girl was signing them. Josef was refilling coffee cups. He poured one for Wolf and pushed it towards him together with a plate of pastries.

'Sorry I slept,' Wolf apologised.

'You look like death,' Ralf declared.

'Anyone care to update me?' Wolf picked up his coffee.

'You sound as though we're still on the battlefront.'

'We may as well be.' Josef sat next to Wolf.

'Peter Plewe was arrested this morning,' Ralf revealed.

'The charge?'

'Murder. Apparently he, like you, Georg, and Lilli Richter, are all members of this conspiracy Dorfman's uncovering.'

Wolf thought for a moment. 'We need more than Colette's statement about what happened before we confront Dorfman. Otherwise it will just be Colette's word against whatever evidence Dorfman has fabricated.'

'We have some.' Ralf tossed an envelope on to the table. 'Statement from Grunman about the night the nuns were attacked in the convent.'

'How do you know about what happened in the convent and how did you get Grunman to talk?'

'It's amazing what men will say when you offer them enough free drinks.' Ralf said casually.

Johanna looked up at Wolf. 'I checked Grunman's account of events against Colette's. There are no discrepancies.'

'Where are Grunman, Engels, and Schult now?' Wolf asked.

'Grunman, safe where Dorfman can't lay his hands on him,' Ralf answered. 'I sent men out looking for Engels and Schult.

Johanna looked at the last document Colette had signed and shuffled the papers together. 'We have witnesses as to what happened in the convent. That gives us motive for the murders but no witnesses to the killings and Colette refuses to identify the nuns.'

Colette shook her head to reinforce what Johanna had said.

'How many nuns are attached to the Catholic Church?' Wolf asked.

'I've no idea,' Ralf answered. 'We should go to the Catholic Church and convent and confront them there. With Colette.'

Colette cried, 'No, I won't go. I won't ...'

'We don't need Colette to go to the church and convent. I'll go with Johanna. I saw Sister Luke drop that note in the

Richters' letter box. She must know the identity of the killers.'

'Dorfman will have you arrested the moment you leave here, Wolf,' Ralf warned.

Josef left the table. 'Not necessarily.'

CHAPTER THIRTY-FOUR

Baumgarten's Store, Konigsberg, Monday January 13th 1919

'I feel like a medieval Russian courtier.'

Josef adjusted the false beard and side curls he'd glued below Wolf's ears and on to his chin.

'On the contrary, you look like a wealthy Hasidic Jew dressed for winter. Be careful with the clothes. You're wearing Rabbi Goldstein's new suit which he hopes to pick up tomorrow. I'd hate to have to order another to be made. Apart from the time it will take, we'd be severely out of pocket. A man his height takes twice as much cloth as a normal being. Here,' Josef held out a floor-length black coat. 'Time to put on your Rekel.'

'A coat is a Rekel?' Wolf rose from the stool and held out his arms.

'A Rekel is an everyday coat as opposed to a Sabbath coat. Whatever you do, don't flex your shoulders. Rabbi Goldstein is slimmer than you and you're likely to strain or tear the cloth.'

'The man must be skinny as a rake, and this coat, or Rekel or whatever it is, buttons the wrong way.'

'Right over left is the holy way.'

'Like a girl.'

'Nothing but moans. I'm trying to help you. Your shoes.'

'Slippers?' Wolf stared down at the black slip-ons.

'Shoelaces require tying. Shoes worn on the Sabbath must be plain black "slip-ons" so as not to have to make a knot which is forbidden.'

'This isn't a Sabbath.'

'But you're a rabbi and they try to be holy every day. If you touch your shoes you'll defile your hands and then they'll require ritual purification.'

'What's that?'

'Long and boring. Can you please pretend to be a rabbi without asking all the questions?' Josef picked up an immense fur hat. 'The final touch, your kalpak.'

'You have to be joking. If I put that on I'll be seven foot tall.'

'That's the idea, instead of trying to hide your six and half feet, you flaunt your height in front of the police. You'll be so obvious, they'll ignore you.'

'No one can ignore a man with half a dead bear on his head.'

'It's beaver, not bear. There,' Josef stood on tiptoe and lifted it on to Wolf's head. 'Provided you don't get close enough for any police officers to see your beard is fake, you could be Rabbi Goldstein's twin brother.'

'A twin brother who feels as though he's been clamped into a straitjacket. I can't breathe.'

'Who needs to breathe?' Ralf leaned in the doorway. 'We going out through the warehouse, Josef?'

'No, the front door. I've ordered one of the store carriages. No one will be surprised to see a Rabbi leaving. With you and Johanna accompanying him they'll assume he's been here on a charitable mission. Everyone in the city knows you and your father have been contacting everyone with money to support the soup kitchens. I'll come with you.' Josef reached for his own coat.

'You stay and look after Colette. Those papers she signed are our insurance policy with Dorfman if anything goes wrong. Keep her and them safe,' Ralf ordered. 'Ready, Wolf?'

Wolf stared at his reflection in the mirror. 'I'll stick out on the street like a clown at a funeral.'

'Precisely,' Josef said. 'And that's exactly why no one will give you a second glance.'

288

Wolf felt totally exposed when he left the office, took the elevator with Ralf and Johanna and walked through the store. It took them less than five minutes to reach the carriage but it seemed like an hour. As soon as he climbed into the corner of the vehicle he pulled down the blind.

'I've never felt so conspicuous in my life.'

'No one gave you a second glance.' Ralf asserted.

'Really?'

'They were too terrified. All that fake hair makes you look positively Neanderthal.'

Johanna opened her briefcase and pulled out the notes she'd made. 'We, or rather Josef, has Colette's statement, and the statement of an officer who was in the convent. We have you as witness to Sister Luke's delivery of the notes inside the Richter house, Wolf. Anything else?'

'Helmut Norde's assertion that that his attackers left him when someone said "He's not the one."' Wolf added.

Johanna made a note in her book. 'Any other facts you can think of that will stop these nuns from protesting their innocence?'

'Facts no, just witnesses,' Ralf said.

'Let's hope it's enough to prompt a confession.'

Church of the Holy Family, Haberberg District, Konigsberg, Monday January 13th 1919

Father Matthias recognised Wolf as soon as he alighted from the carriage.

'You've changed your religion, Herr von Mau?'

'It was necessary to adopt a disguise. There is ...'

'A warrant out for your arrest. Please, walk through the vestry and robing rooms. I have a small study at the back that affords some privacy.' The priest showed them into a tiny cubicle off a makeshift preparation kitchen where women and children were sitting round a table peeling and cleaning vegetables that two nuns were chopping into a stew.

'Father Matthias called out to one of his assistant priests,

289

'Fetch Sister Ignatius, Sister Luke, Sister Marie and Sister Clare please.'

'You know why we're here?' Wolf asked.

'I can guess. I discussed the possibility of someone arriving here with Sister Ignatius after I read the morning paper.'

'We haven't seen it.'

The priest passed Wolf a copy of the *Konigsberg Sonne*. Ralf looked over Wolf's shoulder and read the headline:

KRIMINALRAT UNMASKS KILLERS WHO CONSPIRED
TO MURDER OFFICERS.
POLICE OFFICER AND EDITOR OF RIVAL PAPER IN
GAOL

'What else does it say?' Johanna asked.

'Not a lot besides watch this space and what a great man the kriminalrat is and how lucky Konigsberg is to have him in charge of the police force,' Wolf folded the paper and passed it to Johanna.

Father Mathias said, 'I knew good people wouldn't stand by while the innocent were being charged with crimes they hadn't committed.'

There was a knock at the door. At Father Matthias's, 'Come,' a nun entered. Wolf recalled Ralf's chef's description, "large middle-aged woman – plain even for a nun." It was apt.

She bowed her head and tucked her hands into her sleeves.

'Sister Ignatius,' Father Matthias began. 'I sent for four sisters. Where are Sisters Marie, Luke, and Clare?'

'I am the only one responsible. I acted alone. No one helped me.'

'You are responsible for what?' Johanna asked.

'The murders of the police officers. That is why you're here, isn't it?'

'It is.' Wolf was taken aback by the nun's confession.

'Sister Luke said she realised too late that you were watching her through the keyhole when she posted that last letter in the Richters' letter box, Colonel von Mau.'

'You admit you killed all the officers?' Wolf was stunned by Sister Ignatius's calm demeanour.

'I killed all the officers, Colonel von Mau. You want to know why?'

'We know why, Sister Ignatius.' Johanna opened her notebook.

'They deserved death and God made it easy for me to ensnare them so I could do His work. Men are trusting when it comes to pretty girls. I have written a full account of what I did and why I did it. You could call it a confession, although I will not admit I have sinned.' She produced a large envelope from her sleeve and handed it to Johanna.

'You knew what Sister Ignatius and the other nuns had done, Father Matthias?' Ralf asked.

'I knew, but the secrets of the confessional are sacred.'

'You didn't stop her?'

'I tried.'

'Don't blame Father Matthias,' Sister Ignatius said. 'He is a good man. Nothing but discovery could have stopped me sooner. I'm only sorry I didn't succeed in killing Colonel Dorfman.'

'So am I.' Wolf meant it.

'Responsibility for Sister Ignatius lies with the church. Her sin is ours, as must be her punishment,' Father Matthias pleaded.

'I see no problem with that, provided the church agrees that she needs to be incarcerated to prevent further murders.'

'You're not in a position to promise anything, Wolf,' Johanna reminded.

'Not at the moment, but the situation will be different once Dorfman has been removed from his post and Georg Hafen has been reinstated.'

'How do you propose to do that?' Father Matthias asked.

'By walking into police headquarters and presenting our evidence to Dorfman.'

CHAPTER THIRTY-FIVE

Church of the Holy Family, Haberberg District, Konigsberg, Monday January 13th 1919

'Dorfman will have you shot the moment you turn up at the front gate,' Ralf warned.

'Not if Fraulein Behn accompanies me.'

'It's not enough that you want to kill yourself, you want to kill your lawyer as well?'

'Hopefully, once we've taken a few sensible precautions we'll all live to see the sun set today. Father Matthias, in order to keep this affair within the jurisdiction of the church, can I ask you to confine Sister Ignatius to a secure place?'

'I won't be leaving here to run anywhere, Colonel von Mau. I have nowhere to go except the church.' Sister Ignatius stared at Wolf. 'You have my word.'

'Thank you, Sister Ignatius, but I'd still appreciate an assurance from Father Matthias.'

'You have it, Colonel von Mau.'

'Will you entrust Sister Ignatius's confession to Ralf Frank for safekeeping?'

Father Matthias handed it Ralf.

'Then, if you agree, Fraulein Behn, we'll walk into the lion's den.'

'With me,' Ralf insisted.

'You have to safeguard the one thing that will get us out of Police Headquarters if Dorfman tries to keep us there. Sister Ignatius's confession. We'll see you in a few hours, Ralf.'

'Alive I hope,' Ralf called after Wolf.

Police Headquarters, Konigsberg, Monday January 13th 1919

'You sure you don't want to change your mind about walking in there with me?' Wolf asked Johanna as Baumgarten's carriage approached the gate.

'No, but have you thought what will happen if Kriminalrat Dorfman imprisons us with your brother, Georg Hafen, and Lilli Richter? I won't be in a position to apply to the courts to get us out.'

'Dorfman can't imprison all of Konigsberg. The gaol isn't big enough. That's why I left Ralf outside.'

'I had a message from the front gate to say that you'd arrived to surrender, Mau.' Dorfman smiled when he saw Wolf's clothes and the false beard. 'But I didn't expect you to be in fancy dress or hiding behind a woman's skirts.'

'Shall we dispense with the pleasantries, Dorfman?' Wolf looked at the officers flanking the kriminalrat. 'We'll need privacy.'

'Anything you say to me can be said in front of my officers,' Dorfman retorted.

'In that case shall we begin with a full account of what happened in the convent of Our Lady of the Sorrows outside Rheims?'

'Officers Weiss and Gruber, outside the door and ensure no one enters.' Dorfman waited until the door closed behind them. 'You can't prove anything, Mau.'

'On the contrary, Kriminalrat Dorfman.' Johanna opened her briefcase and extracted a file Wolf knew contained none of the documents she'd prepared. They were all safe with either Ralf or Josef. 'These are copies of legally sworn and accredited documents of eyewitness testimony from Sister John, who survived the rape and attack by German officers.'

'A whore!' Dorfman dismissed.

'A virginal nun until you raped her, Kriminalrat Dorfman. We have eyewitness testimony from Sister Ignatius who was Mother Superior of the convent of Our Lady of the Sorrows, attesting to the rape of three nuns and the murder of Sister Rachel by you and ...'

'Murder! You have no evidence ...'

'We have all the evidence we need, Kriminalrat Dorfman,' Johanna reiterated. 'Please don't interrupt me again. We have a newspaper prepared to publish their accounts including the part you played in the whole sorry affair. The presses are being set up even as we speak.'

'I have connections ...'

'We have sworn testimony from Emil Grunman who can attest to the attack on the nuns by you and officers under your command and the authenticity of these documents.'

Dorfman sat back in his chair.

'We also have a signed confession from Sister Ignatius that she, and she alone, murdered Anton von Braunsch, Nils Dresdner, Dedleff Gluck, and Luther Kappel, and attacked and wounded Helmut Norde.'

'Can you stop the press, Mau?' Dorfman looked from Johanna to Wolf.

'At a price.'

'What price, Mau?'

'The immediate release of Lilli Richter, Georg Hafen, Martin von Mau, and Peter Plewe, and a public declaration that there is no evidence to implicate them in the murders of the police officers, or the attack on Helmut Norde.'

'Consider it done.'

'I haven't finished. Your immediate resignation as Kriminalrat.'

'I've only just accepted the post.'

'And now you're going to resign it.'

'On what grounds?'

'Health, personal, you want to spend more time with your family – whatever excuse you choose, Herr Dorfman.'

'You expect me to give up my post ...'

'Or be unmasked as a rapist and murderer. The choice is yours.'

'That stupid nun's death was an accident ...' Dorfman turned aside when he realised what he'd said.

'I also want the immediate reinstatement of Georg Hafen as Kriminalrat.'

'The trial ...'

'There will be no trial.'

'Four officers have been murdered. The people of Konigsberg want to see justice done. A murderer has to be brought to trial before the court ...'

Wolf interrupted him. 'How many unclaimed bodies are in the mortuary?'

'How should I know?' Dorfman erupted.

'Find out because the one you can't identify will be the murderer the city wants.'

'You're insane ... I should have you arrested now ...'

'Do I have to remind you that we have a newspaper prepared to publish the account you've played in this whole sorry affair?'

'Damn you ...'

'After the Western Front you can't damn me any more than I already am, Dorfman.' Wolf picked up the telephone receiver from its cradle and handed it to him. 'Shall I telephone the mortuary or will you?'

CHAPTER THIRTY-SIX

Gebaur Strasse, Konigsberg, Saturday January 18th 1919

'"Chaos engulfed the two armies.
    Christian and Pagan.
    The battle was brutal, hard fought.
    Blood flowed on to the ice. Both heathen and Godly.
    Many nobles and sergeants were struck down.
    Slain in defeat was good Master Otto
    And fifty-two good brothers ..." '

'The Teutonic Knights lost the battle?' Heini interrupted Wolf. His blue eyes widened in disbelief.

'No army can win every battle, Heini.' Wolf tried not to make the pronouncement sound as though it had come from bitter experience.

'But the knights couldn't lose. They were us – our side – this was our fight ...'

'It's not who wins the fight, Heini, it's who wins the war and this particular fight happened a long time ago.'

'So our side won the war?'

'We're here, safe, warm and well-fed and -clothed in this lovely house, aren't we? Tomorrow we'll find out what happened in the knights' next battle.'

'Just one more page. Please?'

Wolf hated refusing his son but he had no choice. 'Tomorrow's another day and we have to keep some good things to put in it.' He closed the book and set it alongside the others on the shelves below the window seat.

'You promised we'd go to the zoo tomorrow?'

'And we will.' Wolf kissed Heini's forehead. 'But we have to go to church first.'

'Church isn't so bad.' Heini snuggled down under the bedcovers.

'Don't let your Aunt Ludwiga hear you say that.' Wolf picked up his old teddy bear that Martha had retrieved from the castle and tucked it in beside his son. 'Good night and sweet dreams.'

'I'll dream Otto won the battle and didn't get killed.'

'That's the great thing about dreams; you can make everything turn out the way you want to.'

'You going out, Papa?'

'I have to, but I'll be back in time to take you to church tomorrow.'

'Promise?'

'I promise.'

'And the zoo afterwards?'

'And the zoo afterwards.' Wolf dropped another kiss on Heini's head. His son's eyes were already closing. He wrapped his small arm around the teddy.

Wolf tucked in the blankets and crept from the room. He closed the door and went downstairs. Martin was poring over a medical textbook in the drawing room. Ludwiga was sitting across the hearth from him mending a tear in one of Martin's shirts.

'Heini asleep?' Ludwiga asked.

'He will be by now.' Wolf picked up his cigars and Lucifers from a side table.

'I'm so glad you moved in, Wolf. Without you, Martha, and Heini this house would have been unbearably quiet after Lotte and the girls moved out.'

'I'm sure you and Martin would have survived. If you ever feel like adopting two lively orphans you only to look as far as the accommodation over the stables.'

Martin glanced up from his book. 'Wilhelm and Paul are

298

behaving themselves these days, aren't they?'

'As far as I know.'

'Peter and Georg haven't said anything to you about them?'

'Absolutely nothing. Is it too much to hope they've given up fighting in favour of studying?'

Martin humphed.

'They cleared the fresh snow from the paths yesterday, Martin,' Ludwiga ventured.

'Because you told them to?'

'I never said a word ...'

'You expect me to believe that.'

The bell rang downstairs. Wolf went to the door. 'That will be Georg and Peter. Enjoy your evening.'

'Do you have to go?' Martin asked.

'Georg asked me to accompany them. As the police pay my wages, I'm duty bound to obey my superior.'

'I still don't understand why you took the position of Kriminaldirektor, Wolf.'

'I keep telling you. I took it because Georg offered it to me and it was the only prospect of paying work I've received. A man has to put bread on the table to feed his family.'

Ludwiga set her sewing side, and laid her hand on Wolf's arm as he passed her chair. 'You'll be careful?'

'I always am.'

'Wolf ...'

'I'll be back as soon as I can. Look after Heini for me please if he wakes.'

'We will, if Martha doesn't get to him first,' Ludwiga assured him.

Martin set his book aside and followed Wolf into the hall. He watched his brother shrug on his heavy leather coat, don his cap and pull on his gloves. They could hear Martha talking to Peter in the downstairs hall.

Wolf checked his pockets for his keys and wallet.

'You have your gun?' Martin asked.

'I do but I won't need it where I'm going.'

'You'll be out in Haberberg late at night. Close to the soup kitchen and Catholic women and children's refuge. Who knows who'll be about? The city is full of destitute hungry people, desperate to feed their children at any cost – even a stranger's life. There's no knowing whether you'll need it or not.'

'Don't worry. Georg, Peter, Ralf and I will be fine. We're there as witnesses not victims.'

'As long as you're sure that's all you'll be.' Martin stood at the top of the stairs and watched Wolf walk down to the hall.

Konigsberg, Saturday January18th 1919

Wolf ignored the concern in Martha's eyes as he kissed her goodbye. Georg was already in the police carriage. Peter was holding the door open for him. He climbed in and took the seat opposite Georg. Peter sat next to him.

The journey to Blucher Strasse took forty-five minutes. Not one of them spoke.

Father Mathias was waiting outside the convent. His hat, cloak, and gloves were crusted with a fine layer of frost.

'He looks as though he'll turn into a snowman if he stands there much longer.' Peter finally broke the silence.

'Would you be in a hurry to go inside if you were him?' Georg questioned.

'I admit I'm loath to walk in there.' Peter laid his hand on the door handle.

'We're five minutes early.' Georg snapped his watch shut and returned it to his waistcoat pocket.

The driver stopped the carriage, alighted from the box, opened the door and rolled down the steps. Georg went ahead and nodded to the Catholic priest, who tipped his hat. They waited until Wolf and Peter joined them. Only then did the priest turn and pull the bell at the side of the convent gates. A grating slid open and a face framed in a wimple peered out for a few seconds. The grating closed. The door opened revealing the stone-flagged floor and whitewashed walls of a long passageway.

The priest, Georg, Peter, and Wolf entered. A nun moved

300

out from behind the door and closed it behind them. She disappeared into a side room. A second nun, head bowed, materialised in the shadows at the far end. The priest led the way towards her.

The smell was overpowering, carbolic soap, ammonia, the peculiar tang of damp and cold mixed with the stench of rancid oil that emanated from the flickering lamps affixed to the walls.

Before they reached the nun, she turned left and descended a narrow stone staircase. Three dimly lit passages radiated out from the vestibule at the foot of the stairs. The nun continued walking down the right-hand opening. After a few minutes Wolf felt as though they'd left the confines of the building above them and were walking along an ancient thoroughfare beneath the city streets.

Red brick walls, floors, and arched ceilings opened and closed around them. The only relief was an occasional cast iron door with grill and massive padlocks that looked as though they'd been wrought for giants. The air was freezing and fetid, as if it had been stored for centuries. Then suddenly, without warning, they turned a corner and faced a brick wall.

Sister Ignatius stood bolt upright, her back against an arched niche a few inches wider than her body and an inch higher than the top of her head. She stared straight ahead, unblinking, and Wolf couldn't be certain she even saw them. Next to her was a pile of red bricks, of a brighter shade than those in the walls.

The nun who'd accompanied them closed and locked a high metal-barred gate, caging Sister Ignatius inside the alcove as the bars ran from wall to wall and floor to ceiling. Metal clanged on metal, and the key grated in the lock before the nun removed it. There was no room behind the bars for Sister Ignatius to lie or even sit down, as there was nothing for her to sit on. A metal frame half a metre square and six inches thick was inset in the gate at the height of the nun's face.

Sister Ignatius continued to stand and stare out of the brick- and metal-barred prison. The nun who'd escorted them opened the door of a cell on their left. Two men, their faces concealed by masks, emerged.

301

They left the door open behind them and Wolf saw ready-mixed mortar on a metal board, trowels and buckets.

The men looked neither left nor right. One picked up a trowel, the other a bucket filled with mortar. They walked into the corridor and began.

Wolf was amazed by the speed at which the men worked. A trough had been cut in the floor a foot away from the railings to take the first layer of bricks. The second tier concealed Sister Ignatius's feet. The third the hem of her gown. The man with the mortar bucket handed the bricks and it was obvious they'd already been cut to size.

Wolf found it easier to look at the bricks than the nun's face. Whenever he glanced at her, she was still staring, unblinking, straight ahead through the frame inset in the bars, apparently oblivious to the people around her and what was being done.

The only sounds in the corridor were the scrape of the trowels as the men spread mortar and the squelch when a brick was laid on top of the mortar that separated it from the one below. The wall grew to waist height, minutes later it was chest height. Still Sister Ignatius stood and stared straight ahead.

When the bricks reached Sister Ignatius's chin, the nun went into the cell and returned with an open-sided metal box. She placed it inside the metal frame She nodded to the builder who bricked around it, leaving an aperture a foot long and six inches high in front of Sister Ignatius's face. He continued bricking using a stool to reach the ceiling. When he finished, he stepped down picked up the stool and returned with his companion to the cell. The nun closed the door behind them.

The nun turned to Father Mathias and made the sign of the cross.

He spoke to the wall that concealed Sister Ignatius. 'You can reach the aperture?'

'I can,' was the reply.

'You will receive bread and water, night and morning. It will be your choice to eat and drink – or not.'

His words were met by silence. He persisted. 'Do you have anything to say, Sister Ignatius?'

'May God forgive me my sins.'

'You repent? You wish to make confession?'

'I have confessed all my sins.'

'Not the murders. You took lives ...'

'Only the lives of those who deserved death.'

'That is not for you to decide, but God.'

'God made his decision. I was his instrument.' She began to pray softly, so quietly it was a few seconds before Wolf realised she was reciting the Hail Mary.

The nun handed Father Mathias the key to the cage that had been hidden by the bricks. 'You are satisfied, Father?'

'I will be here tomorrow to hear Sister Ignatius's confession.'

'If she chooses not to speak?'

'I will be here every night and morning until she falls silent.'

'Some have lived weeks, even months, after their incarcerations, Father. You could be visiting here for some time.'

'I know.' The priest handed Georg the key to the cage.

Georg took it, turned and walked away. Wolf and Peter took a last look at the wall, and followed him.

CHAPTER THIRTY-SEVEN

Konigsberg, Saturday January 18th 1919

Wolf refused Georg's offer of a lift. He walked across the Green Bridge to The Kneiphof and headed for Honey Bridge. A lamp was burning on Johanna's glassed-in veranda. He watched it for a few minutes.

He heard a carriage and turned to see a hire cab. He hailed it and asked the driver to take him to Gebaur Strasse.

He crept into the house quietly, feeling his way into his bedroom lest the light disturb Heini, Martin, or Ludwiga. He sat on the bed and pulled off his shoes.

'Papa.'

A small body moved against his back. 'What are you doing in my bed, Heini?'

'Waiting for you. Can I sleep here tonight?'

'Of course you can.' Wolf stripped off his jacket, trousers, and waistcoat and crawled in beside his son. He wrapped his arm around Heini's small body and wondered who needed who the most.

Catrin Collier

Long Road to Baghdad

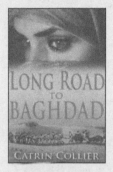

An epic novel of an incendiary love that threatened to set the desert alight as war raged between the British and Ottoman Empires.

Mesopotamia, 1914: in the Middle East tension is escalating between the British and the Arabs. Misfit Lieutenant Harry Downe is sent to negotiate a treaty with a renegade Bedouin Sheikh, Ibn Shalan, whose tribe is attacking enemy patrols in Iraq and cutting their oil pipelines.

Greedy for arms, Shalan accepts British weapons but, in return, Harry must take his daughter Furja to be his bride. The secret marriage leads to a deep love, to the anger of Shalan and the disgust of Harry's fellow officers. But war is looming, and the horrors of the battlefield threaten to destroy Harry's newfound happiness, and change his life and that of his closest friends for ever.

Long Road to Baghdad is a vivid, moving, historically accurate account of a conflict between East and Western Empires, based on the wartime exploits of war hero Lieutenant Colonel Gerard Leachman.

Catrin Collier

Winds of Eden

December 1915. Following heavy casualties, General Townshend withdraws his exhausted troops to the town of Kut Al Amara, Iraq. His orders – to engage as many Turkish troops as possible in a siege situation.

A relief force is hastily assembled, among them Charles Reid, Tom Mason, and Michael Downe, for each of whom the advance is personal. Charles returns to the country where he lost the love of his life. Tom's brother John, an army surgeon, awaits execution. Michael's brother Harry, an army intelligence officer, is missing, having never returned from his last mission.

Short of everything except the sick and wounded, reduced to eating their horses, the column is repeatedly thrown against the might of the Turkish guns as they wonder if they will ever see home and their wives again. For the women in their lives, the strain reaches breaking point as they wait for news from the front. As the death toll rises, the British War Office faces the unthinkable: defeat for Townshend and his 10,000 men.

Winds of Eden is the second volume in Catrin Collier's Long Road to Baghdad series.

The Long Road to Baghdad series

by

Catrin Collier

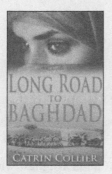  

Catrin Collier

The Tsar's Dragons

The first of a trilogy based on the exploits of John Hughes, who founded a city in Russia in the 1800s

In 1869, Tsar Alexander II decided to drag Russia into the industrial age. He began by inviting Welsh businessman John Hughes to build an ironworks.

A charismatic visionary, John persuaded influential people to invest in his venture, while concealing his greatest secret – he couldn't even write his own name.

John recruited adventurers prepared to sacrifice everything to ensure the success of Hughesovka (modern-day Donetsk, Ukraine). Young Welsh men and women fleeing violence in their home country; Jews who have accepted Russian anti-Semitism as their fate and Russian aristocrats, all see a future in the Welshman's plans.

In a place where murderers, whores, and illicit love affairs flourish, *The Tsar's Dragon*s is their story of a new beginning in Hughesovka, a town of opportunity.

Accent Press Historical Titles

For more information about Katherine John

and other Accent Press titles

please visit

www.accentpress.co.uk